W9-DAC-151

JOURNAL
DE VOYAGE EN ITALIE

DANS LA COLLECTION DES "CLASSIQUES GARNIER"

MONTAIGNE. — *Essais*. Nouvelle édition conforme au texte de l'exemplaire de Bordeaux avec les additions de l'édition posthume, les principales variantes, une introduction, des notes et un index, par MAURICE RAT, en 3 volumes :

LIVRE PREMIER, 1 volume de XLIV-448 pages.
LIVRE SECOND, 1 volume de 584 pages.
LIVRE TROISIÈME, 1 volume de 496 pages.

MONTAIGNE

JOURNAL
DE
VOYAGE EN ITALIE
PAR LA SUISSE ET L'ALLEMAGNE
EN 1580 ET 1581.

NOUVELLE ÉDITION ÉTABLIE SUR LE TEXTE DE
L'ÉDITION ORIGINALE POSTHUME DE 1774,
AVEC LES PRINCIPALES VARIANTES DES AUTRES ÉDITIONS,
UNE INTRODUCTION, UN APPENDICE ET DES NOTES
PAR

MAURICE RAT
ANCIEN ÉLÈVE DE L'ÉCOLE NORMALE SUPÉRIEURE
PROFESSEUR AU LYCÉE JANSON-DE-SAILLY
AGRÉGÉ DE L'UNIVERSITÉ

PARIS
ÉDITIONS GARNIER FRÈRES
6, RUE DES SAINTS-PÈRES, 6

INTRODUCTION

« MONTAIGNE, *le spirituel, le curieux Montaigne, voyageait en Italie pour se guérir et se distraire vers* 1580. *Quelquefois, le soir, il écrivait ce qu'il avait remarqué de singulier ; il se servait indifféremment du français ou de l'italien, comme un homme dont la paresse est à peine dominée par le désir d'écrire.* » *De qui sont ces lignes ? D'un autre voyageur, ou, pour user du mot dont il se sert lui-même, d'un autre « touriste », de l'auteur des* Promenades dans Rome, *du fameux « Milanais » Henri Beyle ; et si nous les citons en tête de ce chapitre, c'est que Stendhal se trouve avoir indiqué ici brièvement, mieux que personne, et les mobiles auxquels a obéi Montaigne en voyageant, et la portée de son itinéraire, et la façon nonchalante, et, osons le dire, un peu débridée, dont l'auteur des* Essais *a écrit ou dicté le* Journal *de son voyage.*

I

Pour quelles raisons, le 22 *juin* 1580, *Montaigne a-t-il quitté — et pour une longue absence de dix-sept mois — cette tranquille, « songeuse » et docte « librairie », où moins de dix années auparavant il avait, « plein de santé », mais « dégoûté de la servitude des cours et des charges publiques », fait solennellement vœu de retraite et de repos ?*

C'est qu'en moins de dix ans le propos d'un homme change, et aussi sa santé. Celle de Montaigne, autrefois « allègre et bouillante », avait périclité subitement. Vers l'âge de 44 *ou* 45 *ans, c'est-à-dire vers* 1576 *ou* 1577, *il était « cheu tout à coup », dit-il lui-même, « d'une très-douce condition de vie, et très-heureuse, à la plus douloureuse et pénible qui se puisse imaginer ». Il était « aux prises », en effet, avec la colique néphrétique, « la pire de toutes les maladies, la plus soudaine, la plus doulou-*

reuse, la plus mortelle, la plus irrémédiable », — et dont les « taquineries » et autres atteintes devaient d'autant plus l'émouvoir que c'était un mal héréditaire dans sa famille, et que son père notamment, le vieux soldat d'Italie, était mort « merveilleusement affligé d'une grosse pierre, qu'il avait en la vessie ». De cette « qualité pierreuse » qu'il avait reçue de Pierre Eyquem, Michel avait « desja essayé », dans les trois ou quatre années qui précédèrent son départ, « cinq ou six bien long accez, et penibles ». Il s'était rendu, pour la combattre, aux eaux des Pyrénées : tout d'abord à Aigues-Caudes (Eaux-Chaudes), cure qui semble lui avoir fait du bien, puisque, sans qu'il en ait senti la moindre « purgation apparente », il fut un an entier sans avoir eu de nouvelles coliques ; puis, avec un moins bon effet, semble-t-il, à Preissac (Préchacq), à Barbotan, à Banières (Bagnères), dont le traitement fut suivi, deux mois après, d'une nouvelle et douloureuse atteinte de son mal... Mais Montaigne qui détestait et raillait les médecins et leurs artifices, n'était pas sans nourrir quelque espoir, en dépit d'une efficacité dont il avait pu éprouver l'intermittence, dans les eaux thermales, qui ont au moins pour elles, disait-il, d'être « une potion naturelle » et « simple », vaine peut-être, mais non point nocive, et qui, éveillant l'appétit, nous prête « quelque nouvelle allégresse... ». Il espérait beaucoup en tout cas des cures qu'il n'avait point faites et qu'il pouvait faire dans des stations aussi renommées que Plommières (Plombières) en France, et Lucques en Italie...

Ajoutons qu'il éprouvait aussi le besoin de changer de place, — ayant naturellement l'humeur inquiète, et, tant pour satisfaire son insatiable curiosité que pour secouer la monotonie des longues journées de travail, un certain désir de voyage. « Je courrois d'un bout du monde à l'autre, avouait-il plus tard, chercher un bon an de tranquillité plaisante et enjouée, moy qui n'ay autre fin que vivre et me resjouyr... » Et il ajoutait : « Le voyager me semble un exercice profitable... Et je ne sçache point meilleure escole à façonner la vie que de luy proposer incessamment la diversité de tant d'autres vies, et luy faire gouster une si perpétuelle variété de formes de nostre nature. » Il avait momentanément épuisé le charme de sa « librairie », et d'autant plus qu'il venait de terminer la mise au point de ses Essais. *Quand il eut surveillé leur édition en deux volumes, imprimés à Bordeaux, par Millanges, et en caractères différents, « ce qui montre qu'ils furent imprimés à la fois en toute hâte », il était déjà prêt à partir.*

Or, l'avis Au lecteur *est daté du 1er mars 1580, et au 15 juin de la même année, un appel d'*Henri III *qui déclara « tout haut, en son Conseil, que sa résolution estoit d'assiéger promptement* La Fère *» tombée aux mains des huguenots, détermina Montaigne, « chevalier de l'ordre du* Roy *» et « gentilhomme ordinaire de sa chambre », à se porter diligemment, en serviteur fidèle et soldat volontaire, au secours de son maître.*

Le 22 juin donc, après avoir préparé de longue date son épouse au gouvernement de ses biens, Montaigne s'éloignait de son château et de cette tour isolée qu'il avait, depuis près de dix ans, soustraite « à la communauté et conjugale et filiale et civile », et où il passait ordinairement sa vie à lire et à rêver, à jouer avec sa chatte, à marcher de long en large afin d'éveiller ses pensées et à écrire les « songes » qui composent les deux premiers livres des Essais. *Joignant pour ordonner son itinéraire les fins qu'il se proposait : service du roi, soin de sa santé, appétit de voyage, il s'acquitta d'abord de ses devoirs de loyal sujet. Avant de rallier sous les murs de* La Fère *le gros de l'armée royale que commandait le maréchal de Matignon *, aussi bon capitaine qu'avisé politique et le même qui fut maire de Bordeaux après Montaigne, il présenta au roi, à Paris, ses* Essais *tout fraîchement sortis des presses de Millanges, et comme* Henri III *avait bien voulu déclarer que l'ouvrage lui plaisait fort : « Sire, repartit finement notre Périgourdin, il faut donc nécessairement que je plaise à Votre Majesté, puisque mon livre lui est agréable, car il ne contient autre chose qu'un discours de ma vie et de mes actions **. »*

Le siège de La Fère *avait commencé le 7 juillet. Bien qu'on l'ait appelé « le siège de velours », parce que les huguenots investis*

* « Avant de se rendre sous les murs de La Fère, ou après avoir quitté le siège... », dit Lautrey, *l. c.*, p. 27. Bien qu'on ne puisse préciser à quel moment Montaigne s'est montré à la cour, il est beaucoup plus probable qu'il vit le roi en passant par Paris, et qu'il continua sa route vers La Fère.

** La Croix du Maine, *Bibliothèque françoise*, Paris, 1584, in-folio, 329 recto, cité par P. Bonnefon, *Montaigne et ses amis*, t. I, p. 285.

par Matignon ne pouvaient attendre aucun secours du dehors, il n'en comporta pas moins des rencontres assez meurtrières. Le 18 *juillet, les assiégés tentèrent des sorties où furent blessés Arques (le futur duc de Joyeuse) et La Valette, un mignon du roi. Le* 2 *août, Montaigne étant là, un autre mignon eut le bras emporté d'un coup de canon* * *et succomba quatre jours après, fort regretté du roi, fort regretté aussi de Montaigne, car ce jeune seigneur, « de grande espérance et valeur », n'était autre que son compatriote et ami Philibert de Gramont, gouverneur de Bayonne et sénéchal de Béarn, et le mari de cette belle, de cette radieuse Corisande d'Andoins, qui fut plus tard la maîtresse d'Henri IV et à qui Montaigne venait de dédier les « vingt et neuf sonnets d'Etienne de La Boétie » insérés au premier livre des* Essais.

Aussi notre philosophe eut-il à cœur d'accompagner jusqu'à Soissons la dépouille de ce gentilhomme, dont le cortège funèbre soulevait sur son passage « lamentation et pleurs ** ». *Il ne nous dit point, et on l'ignore, s'il revint ensuite au siège de La Fère, mais en tout cas il n'en vit point la fin, puisque la place se rendit à Matignon le* 12 *septembre* ***, *et que le* 5 *du même mois M. de Montaigne était déjà à Beaumont (Oise)* ****, *en route vers Plombières, puis vers Lucques et vers Rome, par la Suisse et l'Allemagne.*

Il ne partait pas seul pour ce voyage, mais escorté de quatre gentilshommes, tous fort jeunes (le plus âgé n'avait pas vingt ans), tous un peu bretteurs, mais peu lettrés, tous, contrairement à leur aîné et à leur mentor, plus pressés d'atteindre Rome en brûlant les étapes et en ne s'écartant pas trop de leur itinéraire qu'en s'attardant, comme Montaigne y prenait plaisir, aux singu-

* « D'un coup de mousquetade », lit-on dans L'Estoile (*Journal*, t. I, p. 367), mais Montaigne (note manuscrite du 6 août 1580 sur un exemplaire des *Éphémérides* de Beuther) marque, et il faut plutôt l'en croire, « d'un coup de pièce ». — En jouant sur le mot latin *fera*, bête sauvage, « on disoit à la Cour, ajoute L'Estoile, que c'estoit une mauvaise beste que ceste Fère-là, de dévorer ainsi tant de mignons ».

** *Essais*, l. III, chap. IV.

*** C'est la date donnée par toutes les chroniques; d'Aubigné seul parle du 31 août.

**** *Journal*, p. 1.

larités des « païs inconnus » et aux caprices qui naissent des hasards de la route. Les quatre gentilshommes étaient le sieur de Mattecoulon, le sieur de Cazalis, le sieur d'Estissac et le comte du Hautoy.

Bertrand-Charles de Montaigne, sieur de Mattecoulon, le plus jeune des frères de notre auteur, était de vingt-huit ans son cadet. Buvant des eaux à tous les bains où s'arrêtait son aîné, comme s'il avait eu lui-même la gravelle ou peut-être comme s'il voulait prévenir ce mal héréditaire, il suivit son frère jusqu'à Rome où il allait pour apprendre l'escrime, et resta dans la Ville Éternelle cinq mois encore après que Montaigne en fut parti, y montrant son adresse toute fraîche au cours d'un duel narré par Brantôme *, où, second d'un sien compatriote, le sieur d'Esparzac, il dépêcha proprement son adversaire, le baron de Saligny, et aida ensuite Esparzac à tuer son rival, La Villate.

Bernard de Cazalis, seigneur de Freyche, le beau-frère de Montaigne, ayant épousé il y avait à peine un an, le 28 septembre 1579, sa plus jeune sœur, Marie, et en étant sans doute veuf depuis deux ou trois mois, est probablement le sieur de Caselis dont il est question dans le Journal. Lautrey suppose, il est vrai, que ce pouvait être un parent de Bernard, du même nom et célibataire. Toujours est-il qu'il quitta l'escorte à Padoue, pour s'arrêter en pension dans cette ville, sans laquais, soit qu'il voulût y apprendre le droit, soit qu'il préférât y suivre « les escoles d'escrime, du bal, de monter à cheval ».

Charles d'Estissac était le fils de cette dame d'Estissac à qui Montaigne avait dédié son essai De l'affection des pères aux enfants et qui, ayant jadis appartenu à l'escadron volant de la Reine-Mère, avait été aimée et célébrée en vers par son cousin Brantôme, aimée aussi par le roi de Navarre, Antoine de Bourbon, qui lui avait fait un enfant, Charles de Bourbon, demi-frère adultérin d'Henri IV et futur archevêque de Rouen. C'est le dit sieur d'Estissac, « très bon fils », de l'avis de Montaigne, de cette mère quelque peu volage qui était connue à la cour sous le nom de « la belle Rouet », qui semble avoir été le plus important de nos

* Brantôme, *Œuvres*, éd. Lalanne, t. VI, p. 322. Cf. aussi *Essais*, l. II, chap. XXVII.

*quatre gentilshommes. Dernier rejeton d'une très ancienne et illustre famille de l'Agénois, petit-neveu du Geoffroi d'Estissac, évêque de Maillezais, qui protégea Rabelais, Charles d'Estissac emportait, cousues dans la doublure de son pourpoint, des lettres du roi Henri III et de la reine-mère Catherine de Médicis, qui le recommandaient au duc de Ferrare comme devant « s'arrêter quelque temps en Italie, et se livrer cependant aux plus vertueux et honnêtes exercices qui s'y font chaque jour * » et d'autres missives, ce semble, du même roi et de la même reine, priant le pape Grégoire XIII de lui réserver bon accueil. Charles, arrivé à Rome, fréquenta sans doute les écoles, suivit probablement Montaigne à Lorette et à Lucques, et fut encore, selon toute vraisemblance, de ceux qui lui tinrent compagnie, jusqu'à la première poste, lorsqu'il partit pour rentrer en France **.*

Quant au quatrième gentilhomme, M. du Hautoy, que le Journal *de Montaigne nomme toujours en dernier lieu, c'était un ami du sieur d'Estissac, et le seul de la troupe qui ne fût pas du Sud-Ouest, si, comme le suppose Meusnier de Querlon, il appartenait à la famille lorraine du même nom ***.*

*C'est avec ces quatre compagnons, leurs serviteurs et les siens propres, parmi lesquels se trouve le domestique, garçon fort avisé, qui tint pour lui la plume et qui lui servit de secrétaire, que M. de Montaigne accomplit, par chemin buissonnier, le long voyage de Rome. Escorte allante et brave, certes oui, mais jeunette, mais légère, encline aux tentations, et qui n'avait sans doute « rapporté du collège que la haine des livres, comme fait quasi toute nostre noblesse **** ». Sans doute notre philosophe, mentor de la petite troupe, eût-il préféré des compagnons de voyage qui partageassent davantage ses goûts et à qui il pût communiquer les pensées lui venant à l'âme. Mais où trouver facilement des gens qui eussent*

* *Journal*, p. 79 et note 302.

** *Id.*, p. 223. Charles d'Estissac devait périr en duel quelques années plus tard, le 8 mars 1586, « sur le chemin d'entre Monrouge et Vaugirard ». Cf. Brantôme, *Œuvres*, éd. Lalanne t. VI, p. 315, et L'Estoile, *Journal*, t. II, p. 329.

*** Lorraine ou plutôt baroise, la terre du Hautoy faisant partie, selon A. d'Ancona, du bailliage de Pont-à-Mousson.

**** *Essais*, l. I, chap. XXV.

« soing de la culture de l'âme » et qui se proposassent d'autre « béatitude » que « l'honneur », d'autre « perfection que la vaillance » ? Le plaisir de voir du nouveau, doux au point d'oublier la faiblesse de l'âge et de la santé, M. de Montaigne « ne le pouvoit imprimer à nul de la troupe, chacun ne demandant que la retrete ». Du moins, forcé qu'il était « de goûter ces biens seul..., sans communication », avait-il l'avantage certain, dû à la déférence rendue aux années et au talent, de se faire écouter, non toujours sans murmure, mais enfin de se faire écouter le plus souvent lorsque « changeant d'avis selon les occasions » il proposait à ces jeunes gens « incurieux » et pressés, de faire quelque détour pour quelque chose qui fût « digne de voir ». Et si quelquefois même les murmures de la petite escorte l'inclinèrent à observer un peu plus la ligne droite, faute de quoi « il fust allé plustôt à Cracovie ou vers la Grèce que de prendre le tour vers l'Italie », faut-il en tenir sérieusement rigueur à ses quatre compagnons ? « Sans eux, comme l'observe justement M. Edmond Pilon, M. de Montaigne ne fût peut-être pas demeuré aussi sagement sur le chemin de l'Italie, et toutes ces belles pages primesautières, malicieuses, pétillantes des feux de son intelligence, nous ne les eussions pas eues aussi vivantes et aussi libres : ni Venise, ni Padoue, ni Ferrare, ni Florence, ni la Rome illustre des prélats, des poètes, des spadassins et des belles filles ne se fussent montrées à nous, animées de processions, de réjouissances, de négoce, de galanteries, de duels, et toutes semblables encore, en leur mouvement, leur relief et leur coloris, à ce qu'un Arioste ou un Tasse en avaient pu voir. »

II

Au reste, si amateur qu'il fût des détours de la route, M. de Montaigne, malgré qu'il en eût, ne pouvait pas trop s'écarter d'un itinéraire qui, lentement, de Plombières à Bade, de Bade à Padoue et à Lucques, le menait à essayer les vertus curatives de ces eaux si fameuses, dont il espérait meilleur effet et plus durable soulagement, pour sa gravelle et pour ses coliques, que des eaux pyrénéennes de Bagnères et d'Eaux-Chaudes. Car — et le Journal *même, si varié et si vif qu'il soit, ne nous permet pas un instant de l'oublier — le chef et le guide de la petite troupe est malade, et le récit de son voyage est marqué, tout le long du parcours, et aussi bien au retour qu'à l'aller, de la mention répétée des pierres de toute taille et de toute figure que notre Bordelais, au hasard des crises « grièves » et assauts répétés de son mal, abandonnait aux auberges changeantes. « M. de Montaigne, note son secrétaire à Sterzingen, petite ville du Tyrol, eut ceste nuict la colicque deus ou trois heures, bien serré, à ce qu'il dit le lendemein ; et ce lendemein à son lever fit une pierre de moienne grosseur, qui se brisa ayséement »; à Venise, et c'était un mardi après dîner, M. de Montaigne « eut la colicque, qui lui dura deus ou trois heures, non pas des plus extrêmes à le voir » ; et rendit « deux grosses pierres l'une après l'autre » ; à Rome, il rejeta une pierre grosse comme un « pînon », c'est-à-dire comme une amande de pomme de pin.*

Même lorsqu'on a, comme M. de Montaigne, l'habitude de subir de telles crises, même lorsqu'on les supporte avec courage, avec résignation, elles laissent peu de répit au patient, qui, lorsqu'il a souffert sous la « coite », suant et geignant pendant la colique, en appréhende le retour et rêve de trouver, dans des eaux lénitives, remède ou adoucissement à son mal.

C'est parce qu'il a éprouvé sans doute qu'une longue traite à cheval, mais faite au pas, est moins fatigante pour lui que des traites plus rapides et plus courtes, que Montaigne a appris à « faire ses journées à l'espagnole », debout au point du jour, éveillant les laquais, qui suivaient ou précédaient la petite troupe avec le mulet portant les coffres, tandis que lui-même et ses compagnons cheminaient au pas lent des chevaux. C'est parce qu'il a aussi éprouvé que coches d'eau et bateaux ne lui réussissent pas, mais lui brouillent « l'estomach » et lui tournent la tête, que Montaigne évite, autant que possible, de poser les pieds sur une barque. C'est parce qu'il est préoccupé de sa santé, et des moyens d'y porter bon ordre, qu'il sympathise à Épernay avec le jésuite espagnol Maldonat, malade comme lui de la gravelle, et qu'il l'interroge si longuement sur les eaux de Spa. C'est parce qu'il croit ou veut croire, peu ou prou, aux vertus des eaux froides, chaudes ou tièdes qui se prennent par boissons, bains ou douches, que nous le voyons séjourner tour à tour à Plombières, à Bade, à Padoue et à Lucques. La beauté des lieux où sont « assises » d'ordinaire les eaux n'invite-t-elle pas le baigneur ou le buveur à goûter un séjour où l'on peut se distraire par d'agréables promenades et trouver de l'agrément dans la compagnie même, diverse et pittoresque, qui fréquente les sources et les bains ?

A Plombières où M. de Montaigne demeura onze jours pleins, il boit tous les matins une grande quantité d'eau, se baigne cinq fois, rend deux petites pierres. Entre tant, il fait copier tout au long le règlement du bailli pour la police des bains, où l'on peut lire qu'il est interdit d'entrer aux dits bains avec des armes, d'y user « aucuns propos lascifs ou impudiques envers les dames, demoiselles et autres », et « d'en approcher de cinq cents pas », lorsqu'on est une fille prostituée, « sinon à peine du fouet ». Et notre Bordelais s'amuse même, car sa gloriole nobiliaire ne le quitte pas, à faire peindre pour son hôtesse, « selon l'humeur de la nation » et selon la sienne propre, « un escusson de ses armes en bois », qu'elle attache « à la muraille par le dehors ».

A Bade, petite ville « très belle » juchée sur la croupe d'une montagne et où fleurissent, le long de la Limnat, toutes sortes de beaux « proumenoirs », M. de Montaigne demeure quatre jours pleins, le temps de prendre un bain et de boire bon nombre de verres d'eau ; — le temps aussi d'admirer le confortable des bains particuliers, et le luxe de son logis, où « il s'est veu pour un jour trois cens bouches à nourrir », et de prêter attention aux dames, qui sont « communément belles fames, grandes et blanches », venues sans doute ici, comme le notait déjà Pogge au siècle précédent, « de deux cent milles à la ronde » et moins peut-être « pour cause de santé que pour besoin de plaisir ».

La compagnie n'est pas moins frivole en Italie, et les règlements et coutumes des bains y sont sensiblement plus doux qu'à Plombières. A Padoue, où il passe et repasse, Montaigne ne note-t-il pas que le cardinal d'Este y vient certes « pour la commodité des bains », mais autant, sinon plus, pour « le voisinage des dames de Venise », réputées exquises courtisanes.

Aux bains de la Villa, près Lucques, où il séjourne par deux fois, la première durant un mois et demi, la seconde pendant vingt-sept jours, notre Bordelais, en proie à ses douleurs de reins, se soigne, semble-t-il, avec une régularité attentive et note dans son

Diario, *qu'il tient lui-même, les bains et douches qu'il prend, le nombre de verres d'eau qu'il boit, et les effets qu'il en ressent. Indifférent aux prescriptions des médecins, il se soigne d'ailleurs à sa guise, « contre les règles de cete contrée », et rit dans sa barbe, fort de ses procédés, quand les membres de la confrérie d'*Hippo*crate le mandent et le prient « d'entendre leurs opinions et controverses », parce qu'à leur grand scandale, le jeune neveu d'un cardinal, disciple et imitateur de* Montaigne, *« était résolu de s'en tenir du tout à son jugement ». Il jouit, au reste, d'un logis commode, d'un joli site où il peut faire d'agréables promenades quand sa gravelle ne le meurtrit pas trop, et se donne le luxe d'offrir sur la place un bal, certain dimanche, où il distribue des prix aux danseuses ayant meilleure grâce et les retient à souper. Il faut croire qu'il s'y trouvait bien, puisque, comme nous l'avons dit, il y retourne, et cela moins de deux mois après, accueilli avec les plus grandes caresses par ses hôtes.* Et, *bien qu'une pénible attaque de gravelle ait assombri ce second séjour, bien qu'un mal de dents et de violents maux de tête aient harcelé notre* Bordelais, *il n'oublie pas de faire clouer dans sa chambre ses armes peintes sur toile pour introduire en* Italie *cette coutume allemande et rappeler du même coup l'honneur de son passage.*

Sans la nouvelle inattendue qu'il était nommé maire de Bor*deaux — qui lui fit décider et hâter son retour en* France — *M. de* Montaigne *eût sans doute poursuivi sa cure d'automne en d'autres bains, sur le chemin de* Rome *ou de* V*enise. Il ne manque point d'en visiter d'autres sur sa route. A* Rome *même n'avait-il point noté que les bains de la capitale sont encore beaucoup plus galants que ceux de* Bade *ou de* Padoue, *et « que l'usage y est, observe son secrétaire, d'y mener des amies qui veut, qui y sont frotées aveq vous par les garçons ». De pareils traits n'étaient point pour déplaire à* Montaigne, *« chaud et sanguin de complexion », et qui y pouvait trouver un divertissement agréable à ses coliques et sécrétions de pierres.*

Car le ressort de notre malade est vraiment admirable. Il a beau aller, comme dit Sainte-Beuve, *« semant ses pierres et graviers sur les routes », sa bonne humeur est rarement altérée, son goût de vivre est toujours le même, son appétit surmonte et les crises et les cures.* Les *eaux d'ailleurs n'ont-elles pas pour effet, à l'en croire, de « rafraîchir le foie », et de « laver gaillardement l'intestin », bref de mettre un mortel en l'état de bien boire et de bien manger ? Aussi dès qu'est passée une attaque de gravelle, dès qu'il peut renoncer à ces diètes et abstinences que les médecins estiment nécessaires en temps de cure, avec quel plaisir renouvelé M. de Montaigne tâte-t-il ici des mets qu'il aime et qui lui furent défendus, de poissons, de gibiers, de ragoûts épicés et aussi de melons et d'oranges ! Très docile à accepter tous les usages et toutes les cuisines, encore qu'il préfère l'italienne à l'allemande, et à l'italienne la française, il se contente parfois rustiquement « d'un quignon de pain et d'une grappe de raisin », mais sait à l'occasion apprécier une auberge de haute chère, comme celle de Levanella, « la meilleure de Toscane », et en tout lieu de son parcours rend hommage aux présents de table qu'on lui fait, comme à tel « baril » de bon vin que lui donnent, en y joignant perdrix et artichauts, les religieuses de Remiremont, ou encore au geste d'un seigneur lucquois, Ludovico Pinitesi, qui lui dépêche « un cheval chargé de fruits très beaux, et entre autres des premières figues, desquelles on n'avait encore point vu, et douze fiasques d'un vin très exquis ». Au reste, s'accommodant aux hasards du chemin, même s'ils sont parfois détestables, et lorsqu'il tombe, comme à Logano, sur ces « deus hostelleries qui sont fameuses, entre toutes celles de l'Italie, de la trahison qui s'y faict aux passants », M. de Montaigne ne se plaint pas : ne sont-ce point là misères de la route, et telles qu'un Gascon paillard les oublie vite, quand la diversité continuelle du voyage lui propose quasi tous les jours un spectacle nouveau, et dont un sage, comme sans se piquer de l'être, il tâche de le devenir, tire à l'accoutumée le plus délectable profit ?*

III

M. de Montaigne en voyage est un excellent voyageur. Il ne se transporte pas en Italie, comme Taine, pour y vérifier des constructions livresques et des échafaudages systématiques ; il n'y va pas non plus, comme Chateaubriand ou Barrès, pour y confronter son rêve à un décor ou son moi à un paysage ; plus modeste et moins ambitieux en apparence, il y satisfait ou y ravive sa naturelle curiosité des gens et des mœurs, des pays et des choses, toujours amusé et toujours alerte, regardant tout et retenant tout, « depuis les beaux et riants aspects et les jolis fonds de paysage jusqu'à la manière de tourner une broche », secrètement heureux dans son for que le philosophe en lui trouve son compte, presque autant que le curieux, à ce déroulement rapide de coutumes et de vues si pittoresques — et parfois si contraires — qui confirme son dédain natif des préjugés, lesquels tiennent moins à l'homme qu'à ces compartiments que mettent entre les hommes des siècles ou des ciels différents.

A l'inverse de ces gens qu'il nous montre « d'une prudence taciturne et incommunicable » et qui se défendent dans leurs pérégrinations « de la contagion d'un air incognu », M. de Montaigne, qui voyage pour connaître et comprendre, pour observer et comparer, se trouve partout à l'aise et ne s'effarouche de rien. Bien loin de fuir la compagnie des étrangers, il la recherche et elle lui agrée. Il ne dédaigne pas d'avance ce qu'il ignore ; il ne se plaint pas, il ne s'étonne pas ; il voyage avec désir, avec alacrité, toujours prêt à se réjouir des nouveautés de la route, ayant « l'esprit tendu » à ce qu'il rencontre et y trouvant remède pour amuser « son mal ». M. de Montaigne, rapporte le « domestique » qui rédigea une partie du Journal, *« disait... qu'il lui semblait être en voyage comme ceux qui lisent quelque fort plaisant conte, d'où il leur prend crainte qu'il vienne bientôt à finir, ou un beau livre ». Et Sainte-Beuve force à peine la note, lorsqu'il marque que « le voyage pour Montaigne était comme un conte des* Mille et une Nuits *».*

Rien qu'à faire l'analyse succincte des principaux « faits » du Journal *et à résumer l'itinéraire de Montaigne, comme Lautrey s'y est plu *, on montre d'une façon éclatante la variété du livre et son frais pittoresque. Il est tel qu'on peut l'attendre d'un voyageur aimant le voyage « pour le voyage même » et dont le « voyage dépeint » est narré à traits vifs. Avec quelle allégresse — nul mot ne semble ici plus séant — M. de Montaigne retient et enregistre les grandes choses et les menus détails ! Avec quel appétit*

* Dans un chapitre de l'Introduction placée par lui en tête de son édition du *Journal*. On trouvera plus loin, à la fin de la nôtre, p. 243, un tableau analytique du voyage de Montaigne.

il observe, s'instruit, compare, et relate ce qu'il a vu en tableaux familiers ou en rapides, mais prestes croquis ! On a pu sans doute reprocher à la relation de Montaigne d'être « pleine de détails un peu trop fréquents et précis sur sa santé en général, sur ses digestions en particulier * » ; *mais on oublie, en formulant ce reproche, que Montaigne voyageait* aussi *pour sa santé ; qu'étant d'ordinaire son propre médecin, il s'observait de très près, aussi bien au physique qu'au moral ; qu'enfin il tenait son journal pour lui-même, et non pour le public... Ce qui nous frappe au contraire, et ce qui nous ravit, dans le* Journal, *c'est la bonne humeur avec laquelle ce graveleux s'empresse au-devant des choses qui le distraient de sa misère intime* **. *Il est friand de tout, et tout lui est pâture qui est pour lui nouveau, singulier, imprévu.*

Pour en juger, il n'est que de le voir à Meaux, où il s'attarde au jardin du bonhomme Terrelle, planté d'arbres étranges et orientaux, et où rien ne lui paraît si rare qu' « *un... buys espandant ses branches en rond, si espois et tondu par art, qu'il samble que ce soit une boule très polie et très massive de la hauteur d'un homme* ». *A Vitry-le-François, il note plusieurs histoires mémorables, celle entre autres d'une fille surnommée Marie la barbue, parce qu'* « *elle avoit un peu plus de poil autour du menton que les autres filles* » *et qui, un jour — elle avait vingt-deux ans — changea de sexe en faisant un saut. Il va voir en passant par Mirecourt le couvent des nobles religieuses de Poussay, pour lesquelles* « *il n'y a nulle obligation de virginité* » *et qui* « *font au demeurant le service divin comme ailleurs* ».

Ce qui arrête sa vue au sortir de Thann, « *première ville d'Allemaigne* » *et* « *très belle* », *c'est une* « *grande plene, flanquée à main gauche de coustaus pleins de vignes... et en telle estandue que les Guascons qui estoient là disoint n'en avoir jamais veu tant de suite* ». *Il prend un plaisir infini, à Mulhouse,* « *à voir la bonne police de ceste nation* » ; *à visiter, à Bâle, la maison du médecin Platerus,* « *la plus pinte et enrichie de mignardises à la*

* Félix Hémon.

** « Il fallait qu'il eût bien fort la gravelle pour être triste, écrit Sainte-Beuve, tout comme Horace qui est heureux partout, à moins que la pituite ne s'en mêle, *nisi cum pituita molesta est.* » Encore Montaigne est-il plus vaillant qu'Horace, — et la gravelle n'est pas la pituite.

françoise qu'il est possible de voir », *et l'herbier si remarquable du dit médecin, qui* « *a trouvé l'art de coler* [*les herbes*] *naturelles si propremant sur le papier que les moindres feuilles et fibres y apparoissent come elles sont* » ; *il voit dans la même ville opérer d'une hernie un petit enfant* « *qui fut treté bien rudement par le chirurgien* » ; *il note que les chambres des auberges sont chétives :* « *il n'y a jamais de rideaus aux licts, et tousjours trois ou quatre licts tous joignans l'un l'autre, en une chambre ; nulle cheminée et ne se chauffe'ton qu'en commun et aus poiles* » — (*c'est le nom qu'on donne aux salles communes à faire le repas*) — « *car ailleurs nulles nouvelles de feu* » ; *et il s'intéresse non seulement aux poêles et lits, mais aux vitres* (*que n'abritent nul contrevent ni volet*), *à la préparation de la choucroute, aux diverses façons de tirer l'eau d'un puits ou de faire tourner la broche.*

Il s'accoutume, à Bade, à « *n'avoir à table qu'un petit drapeau d'un demy pied pour serviette* », *et il constate que* « *le mesme drapeau, les Souisses ne le déplient pas sulement en leur disner* ». *Il note aussi que les femmes y font mieux la lessive et y* « *fourbissent... beaucoup mieux la vaisselle qu'en nos hostelleries de France* ». *A Schaffhouse, il apprend d'*« *un homme sçavant du païs* » *que la plupart des habitants ne sont* « *guière affectionnés* » *à nostre cour ; à Constance, il s'étonne du nombre des lépreux qu'il rencontre sur les chemins* (« *ceste contrée est extresmement pleine de ladreries* »), *et il n'omet pas de décrire les fouasses que les villageois du pays servent au déjeuner de leurs gens,* « *des fouasses fort plattes, où il y a du fenouil, et audessus de la fouasse des petits lopins de lard hachés fort menus et des gousses d'ail* ». *A Lindau, il s'essaie à l'usage d'une couette, qui remplace dans ce pays le matelas, et s'en loue fort, trouvant que c'est* « *une couverture et chaude et legiere* », — *et il se hasarde aussi à la coutume locale de* « *boire le vin sans eau* ». *Il s'amuse, à Kempten, à regarder bénir un mariage à l'église luthérienne ; remarque à Augsbourg, si nette et si propre, la coutume qu'on a de mettre des parfums aux chambres et aux poêles, et, à Munich, les plus belles écuries qu'il ait jamais vues,* « *voûtées, à loger deux cens chevaux* ».

S'engouffrant, par la vallée de l'Inn « *dans le vantre des Alpes* », *il ne se retient pas de décrire le paysage,* « *le plus* agreable... qu'il eust jamais veu ; tantôt se resserrant, les montaignes venant à se presser, et puis s'eslargissant à cette heure, de nostre costé, qui estions à mein gauche de la riviere, et gaignant du païs à cultiver et à labourer dans la pente mesme des mons qui n'estoint pas si droits ; tantost de l'autre part ; et puis descouvrant des plaines à deux ou trois etages l'une sur l'autre, et tout plein de belles meisons de gentil'homes et des eglises ; et tout cela enfermé et emmuré de tous costés de mons d'une hauteur infinie ».

A Trente, à peine entré « au langage italien », s'il trouve la ville peu plaisante avec ses rues, « la pluspart etroites et tortues », il admire fort, en revanche, l'intérieur du château, « le mieus meublé et peint et enrichi et plus logeable qu'il est possible de voir » et notamment, « parmy les peintures du planchier, un triomphe nocturne aux flambeaus ». Il visite, à Vérone, un monastère de Jésuates, « vestus de blanc et petites berretes blanches, une robe enfumée par dessus : force beaus jeunes hommes... Ils nous avoint parfumé leurs cloitres et nous firent antrer en un cabinet plein de fioles ; et de vesseaus de terre, et nous y parfumarent », et il s'émerveille devant l'Arena, le grand amphithéâtre en ovale construit sous Dioclétien. A Bologne, célèbre alors « pour l'escole des armes et des chevaus », il tient à voir « tirer des armes le Vénitian qui se vante d'avoir trouvé des inventions nouvelles en cest art là, qui commandent à toutes les autres » et constate que, « comme de vray, sa mode de tirer est en beaucoup de choses différante des communes ». Dans la petite bourgade de Scarperia, il eut « tous les plaisirs qu'il est possible, au débat des hostes. Ils ont ceste coutume d'envoïer au-devant des etrangers sept ou huit lieues, les éconjurer de prandre leur logis... Il n'est rien qu'ils ne promettent. Il y en eut un qui lui offrit en pur don un lievre, s'il vouloit seulemant visiter sa maison ». Après avoir longuement visité Pratolino, une villa toute neuve du grand-duc de Florence, trouvé miraculeuse sa grotte « à plusieurs demures et pieces » et apprécié ses jardins, ses fontaines, sa volière où il y a « des petits oiseaus, comme chardonnerets, qui ont à la cuë deus longues plumes, come celles d'un grand chappon », il arrive à Florence, puis visite pieusement Sienne et Montalcin, où l' « on maintient la mémoire des François en grande affection ».

* * *

Le voilà enfin à Rome... *A mesure qu'il en approchait, depuis le moment où, au hameau de la Paille, il confina aux terres pontificales, M. de Montaigne ne se tenait plus d'impatience.* « *Je sçavais le Capitole avant que je sceusse le* Louvre », *a-t-il écrit ailleurs, et d'atteindre et de parcourir la ville de* Romulus *et des Césars, c'était pour lui, comme plus tard ce le fut pour Gœthe, qui l'a noté,* « *comme un rêve de jeunesse* ». *A quinze milles de* Rossiglione *il avait découvert, de loin, entre deux montagnes, et pour la reperdre bientôt, la forêt de nobles toits, de coupoles et de dômes qui était la Ville Éternelle. En ce temps-là on abordait* Rome, *venant du Nord, par l'antique voie Cassienne, pauvre, déserte et poudreuse, qui menait aridement et mélancoliquement à la cité illustre et fastueuse : M. de Montaigne, monté sur sa mule, rencontra le pavé romain,* « *sur les vingt heures, le dernier jour de novembre, feste de Saint-André* », *et franchissant la porte* del Popolo, *s'en vint coucher à l'auberge de l'*Ours *.

Il n'y resta pas longtemps — car l'auberge était assez sordide et vint s'installer le surlendemain dans des chambres de louage, chez un Espagnol, « *vis-à-vis de Santa Lucia della Tinta* ».

A partir de son arrivée à Rome, *Montaigne ne note plus au jour le jour ce qu'il a vu ou entendu, mais seulement de temps en temps, et* « *c'est sur les antiquités de* Rome *particulièrement, croit devoir observer Sainte-Beuve, qu'il a des vues justes, tout à fait grandes et dignes de leur objet* ». *Ne disait-il pas à son secrétaire* « *qu'on ne voïoit rien de* Rome *que le ciel sous lequel elle avoit esté assise et le plan de son gîte ; que ceste science qu'il en avoit estoit une science abstraite et contemplative, de laquelle il n'y avoit rien qui tumbast sous les sens ; que ceux qui disoint*

* C'est à l'*Albergo del Orso* que quelque cinquante ans à peine auparavant avait logé aussi François Rabelais, accompagnant à Rome le cardinal du Bellay. C'est la même auberge que deux siècles et demi plus tard, en 1828, M. de Chateaubriand, lorsqu'il sortait par la porte Angélique, aimait à regarder en pensant à Montaigne : « Chétive maison... avec une enseigne française enfumée représentant un ours. »

qu'on y voyoit au moins les ruines de Rome en disoint trop ; car les ruines d'une si espouvantable machine rapporteroint plus d'honneur et de reverence à sa mémoire ; ce n'estoit rien que son sepulcre. Le monde, ennemi de sa longue domination, avoit premierement brisé et fracassé toutes les pieces de ce corps admirable ; et, parce qu'encore tout mort, ranversé et défiguré, il lui faisoit horreur, il en avoit enseveli la ruine mesme ; que ces petites montres de sa ruine qui paressent encores au dessus de la biere, c'estoit la fortune qui les avoit conservées pour le tesmoignage de ceste grandeur infinie que tant de siècles, tant de fus, la conjuration du monde reiterées à tant de fois à sa ruine, n'avoint peu universelemant esteindre ; mais estoit vraisamblable que ces mambres desvisagés qui en restoint, c'estoint les moins dignes, et que la furie des ennemis de ceste gloire immortelle les avoit portés premierement à ruiner ce qu'il y avoit de plus beau et de plus digne ; que les bastimans de ceste Rome bastarde qu'on aloit à cette heure atachant à ces masures, quoi qu'ils eussent de quoi ravir en admiration nos siecles presans, lui faisoint resouvenir propremant des nids que les moineaus et les corneilles vont suspendant en France aus voutes et parois des eglises que les Huguenots viennent d'y démolir ».

Sainte-Beuve, qui cite ce passage, ajoute : « Rome inspire Montaigne et l'élève jusqu'à elle. Quel langage auguste et magnifique ! quelle haute idée ! On ne voit pas même les ruines de Rome ; ces ruines sont ensevelies : à peine si quelques-unes surnagent et dépassent le niveau de ce vaste cimetière qui est la Rome d'aujourd'hui. Tout cela, c'est du Sénèque, du bon Lucain ; c'est de l'Horace dans les grandes odes... » A vrai dire, et quel que soit le pittoresque du style de Montaigne, il ne faut pas oublier qu'en ce temps-là les monuments de la Rome antique présentaient un amoncellement de ruines, qui commandaient un tel commentaire, et que Montaigne, sans rejoindre ici Horace ni Lucain, parle de Rome à peu près dans les mêmes termes qu'en parlait son propre contemporain Joachim du Bellay :

> *Nouveau venu qui cherches Rome en Rome*
> *Et rien de Rome en Rome n'aperçois,*
> *Ces vieux palais, ces vieux arcs que tu vois*
> *Et ces vieux murs, c'est ce que Rome on nomme.*

Au reste, la Rome antique n'absorbe pas tellement M. de Montaigne qu'il se départe, en la visitant, de sa curiosité coutumière à l'égard de la ville vivante. Il y flâne et il y muse comme ailleurs, ne trouvant en la rue « quasi personne qui ne le saluoit en sa langue », car les Français y étaient nombreux. Il lie société avec les deux ambassadeurs du roi, qui se succèdent durant son séjour : M. d'Abein, un « amy de longue mein », et Paul de Foix, l'un de ses familiers ; il y retrouve son ancien précepteur du collège de Guyenne, Marc-Antoine Muret, et le cardinal de Sens, Pellevé ; il obtient toutes facilités pour voir le pape, sa cour et les cérémonies sacrées, « plus magnifiques — à l'en croire — que dévotieuses » ; il assiste, le jour de Noël, à la messe de Grégoire XIII à Saint-Pierre et en note tous les détails : il observe qu'il y a un certain instrument à boire le calice, pour se précautionner contre le poison, et s'étonne que le Pape, les cardinaux et autres prélats restent couverts presque tout le long de la messe, en devisant et parlant ensemble ; il assiste aussi aux stations du carême, à la semaine sainte, à « l'aumosne des pucelles » ; il a, le 29 décembre, baisé les pieds au pape, et noté la politesse du Saint Père « qui avoit haussé un peu le bout de son pied », car la majesté des rites ne l'empêche pas de décrire avec exactitude et de reproduire excellemment ce qu'il a vu, sans rien y ajouter et sans rien en retrancher. On a de lui, dans ce journal romain, plusieurs portraits du beau et doux vieillard qu'était Grégoire XIII : ils sont tous d'un artiste qui sait voir — et dont la justesse de la main égale la justesse du coup d'œil. Entre tant, et comme on exécutait d'aventure un bandit, il assiste au spectacle, en relève toutes les circonstances ; il voit une circoncision juive, et la décrit comme il sait décrire ; voit aussi « le Quaresme prenant » avec des courses de « vieillards tout nuds », un « combat de la barriere... le jour du Jeudy-Gras », les flagellants du Vendredi Saint. Tout lui est matière à spectacle, à visite, à promenade ou à excursion : la « librairie » du Vatican, Ostie et Tivoli, les églises et les vignes « qui sont des jardins et lieus de plaisir d'une beauté singulière » ; certains jours, il va entendre des sermons ou des thèses, et, dans sa romanisation progressive, éprouve beaucoup de plaisir à recevoir « le titre de citoyen Romain ».

Enfin, à Rome comme ailleurs, s'il est soucieux de sa santé et bon commentateur de diverses cuisines, il se montre, comme ailleurs, non point certes avec excès, mais avec mesure, observateur pertinent des femmes, de leurs grâces, de leurs façons et de leur toilette, de même qu'il sait évoquer au passage tel de ces écrivains dont il a, dans les Essais, *adorné les propos de libres commentaires.*

* * *

Déjà, passant par Bade, M. de Montaigne s'était fort intéressé au costume et singulièrement à la coiffure des Badoises : « Les vestemans ordinaires des fames, écrit sous sa dictée son secrétaire, me samblent aussi propres que les nostres, mesme l'acoustremant de teste, qui est un bonnet à la coquarde ayant un rebras par derriere, et par devant, sur le front un petit avancemant : cela est anrichi tout autour de flocs de soye ou de bords de forrures ; le poil naturel pand par derriere tout cordonné. Si vous leur ostez ce bonnet par jeu, car il ne tient non plus que les nostres, elles ne s'en offencent pas, et voiez leurs testes toutes à nud. Les plus jeunes, au lieu de bonnet, portent des guirlandes sulemant sur la teste. » A Augsbourg, s'il assiste en l'église Notre-Dame *à une cérémonie de mariage, c'est pour noter avec regret qu'il n'y vit « nulle belle fame » ; et à Venise, en dépit des prévenances qu'a pour lui une fameuse courtisane, la signora Veronica Franca, et qui eussent pu le mettre en belle humeur, il ne trouve pas non plus « ceste fameuse beauté qu'on attribue aus dames » vénitiennes ; du moins il s'étonne de leur « dépense en meubles et vestemans », et d'un luxe qui surpasse aisément celui des « gentifames » gasconnes. Sur le chapitre de la beauté, la déception dure encore à Florence : « M. de Montaigne disoit jusques lors n'avoir jamais veu nation où il est si peu de belles femmes que l'Italiene. » Il est vrai que le goût italien de l'époque diffère du goût français ou espagnol : « cest duchesse, dit Montaigne en parlant de Bianca Capello, la seconde femme du grand-duc de Florence, est belle* à l'opinion italienne, *un visage agréable et impérieux, le corsage gros, et de tétins* à leur souhait ». *A Sienne, il note seulement que « les femmes portent des chapeaus en leurs testes, la pluspart ».*

Les Romaines l'emportent-elles, selon lui, sur les autres ? Il se contente de donner nettement la palme aux courtisanes : « Il lui sembloit qu'il n'y avoit nulle particularité en la beauté des femmes, digne de ceste préexcellance que la réputation donne à ceste ville sur toutes les autres du monde ; et au demeurant que, comme à Paris*, la beauté plus singuliere se trouvoit entre les meins de celles qui la mettent en vante.* » *Il reconnaît aussi que la beauté parfaite est sans doute aussi rare qu'en* France*, mais qu'en général on y rencontre moins de laides, et que les femmes romaines sont « plus agréables », beaucoup mieux coiffées et habillées, plus somptueuses en leur parure : « la teste, elles l'ont sans compareson plus avantageusement accommodée, et le bas audessous de la ceinture.* Le *corps est mieus en* France... *; leur contenance a plus de majesté, de mollesse et de douceur. Il n'y a nulle compareson de la richesse de leurs vetemans aus nostres : tout est plein de perles et de pierreries ». Il note aussi que si elles ne portent pas, comme en* France*, un loup de velours noir, et se montrent à découvert, néanmoins « partout où elles se laissent voir en public, soit en coche, en feste ou en theatre, elles sont à part des hommes », et qu'il n'est que dans les danses, « entrelassées assez libremant, où il y a des occasions de deviser et de toucher à la mein ». Au reste, fort « dévotieuses », tant dames que courtisanes, fût-ce au vif du déduit, et au point que sur ce propos,* Montaigne *rapporte une anecdote exemplaire qu'on lui conta : «* Un *quidam, dit-il, estant avecques une courtisane, et couché sur un lit et parmi la liberté de ceste pratique-là, voilà sur les* 24 *heures* l'Ave Maria *soner : elle se jeta tout soudein du lit à terre, et se mit à genous pour y faire sa priere. »*

Mais on n'en finirait pas si l'on voulait recueillir toutes les observations de Montaigne *sur ce sujet ; il faut lire ce qu'il dit de l' « art traitresse », entendez de l'attirant manège des courtisanes à leurs jalousies, quand les gentilshommes se promènent au-dessous de leurs fenêtres ; — lire aussi l'hommage rendu par notre* Gascon*, lors de la fête donnée aux bains de la* Villa*, à ces « paysannes si gentilles, mises comme des dames », et qui le disputent aux meilleures danseuses.* La *gentillesse de l'une d'elles, ses grâces, n'ont-elles point touché* M. *de* Montaigne *au point qu'il remit « en dehors du bal » un présent à la belle enfant ?*

* * *

Ainsi va notre philosophe, gaillard, l'œil vif, sachant voir juste et dépeindre ou croquer à touches drues, à traits nets, aussi bien un site qu'un personnage, un monument qu'une foule, un « voiturin » qu'une « garse ». Mais encore sied-il de noter, car il ne le laisse pas oublier, que M. de Montaigne en voyage est aussi l'auteur des Essais, *et que dans ses pérégrinations, où il se montre, comme l'a dit Sainte-Beuve, « curieux, ouvert à tout, détaché de soi et du chez soi », il se révèle, comme l'a très bien dit M. Edmond Pilon, « une sorte de précurseur dans ce genre tout moderne, le* tourisme littéraire ».

Précurseur à sa façon, il va sans dire, et cette façon n'est ni romantique ni pompeuse. Il ne fait même point mention dans son Journal *de la visite qu'il fit, à Ferrare, au grand Tasse, enfermé dans un asile de fous. Mais dans cette omission, à coup sûr volontaire, ne faut-il pas voir une marque de douloureuse compassion ? Quel pénible spectacle ce fut pour Montaigne de visiter, en si « piteux estat », l'auteur de la* Jérusalem délivrée, *nous le savons par les lignes qu'il écrivit, en* 1582, *dans un chapitre de ses* Essais.

Dans cette même ville de Ferrare il contemple « l'effigie de l'Arioste, un peu plus plein de visage qu'il n'est en ses livres ». A Padoue, il regarde « de bon œil », dit son secrétaire, le visage du célèbre cardinal Bembo, gloire de l'humanisme élégant et disert, « qui montre la douceur de ses mœurs et je ne sçay quoy de la gentillesse de son esprit ». En passant près de Certaldo, « beau village fermé sur une colline », il accorde une pensée à Boccace ; et à Urbin, il considère longuement le portrait où l'érudit Pic de la Mirandole est peint au naturel, « un visage blanc, très-beau, sans barbe, de la façon de 17 *ou* 18 *ans, le nez longuet, les yeux dous, le visage maigrelet, le poil blond, qui lui bat jusques sur les épaules, et un estrange acoutremant ».*

C'est avec une égale curiosité qu'il s'attarde dans la « librairie » du Vatican, et qu'il y voit « de remercable » la statue du bon Aristide de Smyrne, avec « une belle teste chauve, la barbe espesse, grand front, le regard plein de douceur et de magesté » *ou un livre de saint Thomas d'Aquin, « où il y a des corrections de la mein du propre autheur, qui écrivoit mal », note-t-il, et, avec cette habitude qu'il avait de tout rapporter à lui, il ajoute « une petite lettre pire que la mienne ». Il ne manque point d'aller voir, certain jour, le dedans du palais du signor Jan George Césarin, « où il y a infinies rares anticailles et notamment les vraies testes de Zenon, Possidonius, Euripides et Carnéades ». Il ne passa point près de Terni, sans songer tout à coup — et noter — que c'est, d'après un commentaire de Servius au livre VII de l'*Énéide, *l'*Oliviferæque Mutiscæ *dont parle le poète ; il ne franchit point, sur un pont, la rivière Metro, sans rappeler que c'est le fameux Métaure, au bord duquel fut tué Hasdrubal ; et, s'il fait route près d'Ancisa, ce n'est point sans remarquer la place de quelques ruines « bien chetifves » qui passaient, bien à tort d'ailleurs, pour être celles de la maison natale de Pétrarque.*

Visite-t-il à Florence la librairie des Juntes, il ne manque pas d'y voir « le testament de Boccace imprimé avec certains discours faits sur le Décaméron *», et d'y acheter « un paquet d'onze comédies et quelques autres livres ». Non loin, à Empoli, il est frappé de voir les paysans un luth à la main « et, de leur côté, les bergères ayant l'Arioste dans la mémoire », et il ajoute que « c'est ce qu'on voit dans toute l'Italie ».*

* * *

*Non seulement dans toute l'Italie, mais tout au long de son itinéraire, toujours attentif aux êtres et aux choses, aux gens et aux usages, à la « police » des États ou des cités, comme à l'accoutrement des femmes et aux souvenirs de l'antiquité, aux ruines poudreuses comme aux monuments les plus « frais », aux jardins comme aux nourritures des auberges et au prix des « voiturins », M. de Montaigne se montre un voyageur « merveilleusement divers et ondoyant », parfois aussi « merveilleusement vain ». On ne fait point seulement allusion ici à certaine gloriole nobiliaire qui l'amenait à faire peindre ses armoiries *, à*

* « Je porte d'azur semé de trefles d'or, à une pate de lyon de mesme, armée de gueules, mise en fasce. » *Essais*, l. I, chap. XLVI.

Plombières comme dans d'autres villes, aux portes des logis qui l'hébergeaient, ni même à cette fierté, qu'il tirait de l'image « toute en or pur et esmaillé » de son patron saint Michel, suspendue à son cou « avecque un ruban noir * », mais encore, mais surtout au « grave enfantillage » qu'il eut — le mot est de Sainte-Beuve — d'ambitionner le titre de citoyen romain. Comme le dit non sans finesse ni malice le critique des Lundis, M. de Montaigne respecte tant l'ancienne Rome qu'il se complaît à la parodie même qu'on en fait, pourvu qu'elle soit sérieuse et sans rire, et c'est au nom du Sénat et du Peuple qu'il reçoit ses lettres de citoyen. « C'est un titre vain », reconnaît notre philosophe, mais avec cette bonhomie qui le caractérise, il ajoute : « Tant y a que j'ai reçu beaucoup de plaisir de l'avoir convenu. » Habemus confitentem... On ne saurait moins se cacher que M. de Montaigne de payer tribut à l'humaine vanité.

Dans quelle mesure enfin faut-il mettre son acceptation de la mairie de Bordeaux sur le compte du devoir à accomplir ou d'une satisfaction d'amour-propre, c'est ce qu'il est difficile de démêler. Sans doute, lorsqu'on lui remet aux bains de la Villa la lettre qui l'informe de sa nomination comme maire de Bordeaux, son premier mouvement est-il de résistance : il redoutait d'instinct les embarras inséparables des grandeurs, et il se méfiait de la présomption qui vise aux « hautes fortunes et commanderesses ». Mais c'était là réflexe égoïste et pur détachement d'apparence. A peine le roi a-t-il insisté par l'entremise de son ambassadeur à Rome Paul de Foix, que Montaigne se laisse faire ce qu'on peut nommer presque à coup sûr une douce violence, et que, sans avoir poussé jusqu'à Naples, sans avoir séjourné à Venise, il prend dès le 15 octobre le chemin du retour et parvient à son château le 30 novembre : bien avant d'avoir pu prendre connaissance, notons-le, de la missive personnelle ** qu'à la date du 25 novembre le roi lui adressait pour lui ordonner et enjoindre bien expressément de revenir au plus tôt, « sans delay ne excuses ».

* Car il était chevalier de l'ordre de Saint-Michel.

** Cette missive, adressée du Louvre par Henri III « à Monsieur de Montaigne... estant de présence à Rome », prit la route de Rome et alla sans doute jusqu'à Rome, mais ne put parvenir à Montaigne, déjà de retour chez lui, que plusieurs jours au moins après le 30 novembre.

Cette injonction royale était-elle nécessaire pour décider Montaigne ? On en peut à bon droit douter. Outre que la charge de maire de Bordeaux avait été exercée par son père, elle était assez belle — Montaigne l'observe lui-même — pour rapporter l'honneur de l'avoir bien remplie : Montaigne à cet honneur ne se déroba point.

Il rapportait, pour bien remplir sa charge de « maïor », l'expérience et l' « usage » qu'il avait acquis au cours d'une vie publique mise au service du roi et au long des lectures et des méditations solitaires dont étaient sortis les deux premiers livres des *Essais*. Il rapportait aussi ce *Journal*, écrit pour suppléer à son défaut de mémoire, et destiné surtout à lui-même. Et il faut bien croire qu'il relut et feuilleta souvent ces notes de voyage, puisque les éditions postérieures de ses *Essais*, celles de 1582, de 1588, l'édition posthume de 1595, recueillent toutes les trois dans un grand nombre d'additions, et les deux dernières dans plusieurs chapitres du Livre III, une multitude de faits, tirés du *Journal* ou maintes allusions à maints détails. Citons, dans la seule édition de 1582, l'exécution de Catena à Rome, la mention parmi ses précepteurs de Marc-Antoine Muret, l'éloge des bains et de la boisson des eaux thermales, les artifices des courtisanes italiennes ; et notons avec Lautrey que les chapitres IX et XIII du troisième livre « sont comme le développement de plusieurs passages du *Journal* »*.

C'en est assez pour dire l'attrait d'un voyage, qui vaut non seulement par rapport aux *Essais*, mais par sa propre substance, s'il est vrai qu'à côté des documents qu'il nous apporte, et de manière agréable et drue, sur les pays que l'auteur visite et les gens qu'il rencontre, il nous fait entrer plus avant, et sans dét ur, dans la libre et familière connaissance d'un grand écrivain et d'un des plus sages Français qui fut jamais.

IV

Les livres ont leur destin : ce *Journal*, où Montaigne puisa toute sorte de matériaux et de petits faits pour les éditions

* Montaigne, *Journal de voyage*, éd. Lautrey, 2e éd. (1909), p. 49.

successives de ses Essais *postérieures à* 1580, *faillit bien ne jamais voir le jour. Son auteur, tout en l'utilisant pour sa grande œuvre, n'avait pas jugé bon de le publier : uniquement préoccupé de compléter et de parfaire les* Essais, *il ne voyait apparemment dans le* Journal *qu'une manière de « fricassée » — comme il aime à dire — entendez une façon d'aide-mémoire écrit à son usage personnel et particulièrement intéressant et commode pour la lente rédaction de son vaste monument. C'est seulement près de deux siècles après le voyage de Montaigne en Italie que fut publié enfin le* Journal *de ce voyage, et voici comme : en* 1769 *ou* 1770, *un certain abbé Prunis ou de Prunis, chanoine de Chancelade en Périgord, qui s'était mis en tête d'écrire une histoire de cette province, et qui faisait dans ce dessein des recherches parmi les archives des châteaux, découvrit au château de Montaigne, alors propriété du comte de Ségur de la Roquette, descendant de notre philosophe, au fond d'un vieux coffre à grimoires et papiers condamnés à l'oubli, le manuscrit original et probablement unique du* Journal. *C'était un gros cahier de* 278 *pages in-folio, auquel manquaient les deux premières pages. La première partie du manuscrit (un peu plus du tiers) était de la main d'un domestique qui servait de secrétaire à Montaigne, mais qui écrivait sous sa dictée, puisque, parlant de son maître à la troisième personne, il lui échappe des « égoïsmes » qui décèlent l'auteur des* Essais. *Tout le reste du manuscrit, où Montaigne parle directement et à la première personne, était bien de son écriture, mais est rédigée pour une part en italien, pour une autre en français... L'abbé de Prunis, ravi comme on pense d'une semblable trouvaille, obtint du comte de Ségur la remise, contre reçu, du manuscrit et l'autorisation de le publier ; il le déchiffra, le transcrivit, l'annota et en annonça la publication dans les journaux, quand le comte de Ségur se ravisa, retira le manuscrit à l'abbé et le confia aux mêmes fins à Meusnier de Querlon, employé à la bibliothèque du roi et littérateur, auteur d'un roman à succès :* Psaphion ou La Courtisane de Smyrne *.

* Anne-Gabriel Meusnier de Querlon (1702-1780) avait plus de soixante-dix ans lorsqu'il publia le *Journal* de Montaigne. Originaire de Nantes, inscrit au barreau de Paris dès 1723, il avait renoncé bientôt à la profession d'avocat pour prendre un emploi à la Bibliothèque

Celui-ci, avec beaucoup de diligence et de rapidité, transcrivit le manuscrit de Montaigne, s'aidant d'un certain M. Capperonnier, « garde de la Bibliothèque du Roi », pour collationner et vérifier la copie sur l'original ; confiant à un Italien, l'antiquaire du roi de Sardaigne Bartoli, nouvellement élu associé étranger de l'Académie des Inscriptions, le soin de traduire en français la partie du journal rédigée en italien par Montaigne ; et demandant enfin au même Bartoli pour la partie italienne, à M. Jamet le jeune pour la partie française leur concours pour l'annotation, si bien qu'en 1774, *soit cent quatre-vingt-quatorze ans après le voyage de Montaigne et cent quatre-vingt-deux ans après sa mort, parut le* Journal du Voyage de Michel de Montaigne en Italie... avec des notes par M. de Querlon.

*Il parut en trois éditions simultanément annoncées, et qui se succédèrent à peu de jours d'intervalle, l'une en un volume in-*4°, *les deux autres en deux volumes in-*12 *grand papier ou trois volumes in-*12 *petit papier. Ces éditions obtinrent apparemment un grand succès, puisqu'elles furent suivies d'une quatrième la même année et d'une cinquième en* 1775. *Chacune d'entre elles était précédée d'un* Discours préliminaire *de Meusnier de Querlon, qui déclarait : « Pour pouvoir donner cet ouvrage au public, il falloit commencer par le déchiffrer et en avoir une copie lisible. Le Chanoine de la Chancellade en avoit fait une ; il avoit même traduit toute la partie italienne ; mais sa copie étoit très-fautive, il y avoit des omissions dont le sens souffroit assez fréquemment, et sa traduction de l'italien étoit encore plus défectueuse... »*

Ces lignes avaient de quoi remplir d'amertume le cœur du vénérable chanoine de Chancelade (ou de la Chancellade), l'abbé Prunis ou de Prunis, qui, après avoir découvert, comme nous l'avons dit, le manuscrit de Montaigne et se l'être vu confier moyennant reçu par le comte de Ségur, avait dû le rendre à son propriétaire, tandis que la copie qu'il en avait prise restait en souffrance chez

royale (1727) et s'adonner à son goût pour les lettres. Il collabora à plusieurs journaux et gazettes, fonda les *Affiches de province* et publia tour à tour *Les Soupers de Daphné*, recueil d'anecdotes grecques (1740), *Psaphion* (1748), d'intéressants *Mémoires de M. de *** pour servir à l'histoire du* XVIIe *siècle* (1753) et une traduction de Pline l'Ancien (1771), sans compter beaucoup d'autres ouvrages.

le libraire... Aussi, quand le Journal *parut, l'abbé ne se retint pas d'exhaler son ressentiment : « J'emporte l'ouvrage, déclare-t-il dans une* Lettre adressée aux auteurs du Journal des Beaux-Arts et des Sciences *, *je le déchiffre, je le transcris, j'y mets des notes ; M. d'Alembert, à qui je fis part de ma bonne fortune, voulut bien encourager mon travail par différentes lettres qu'il m'écrivit en province. L'ouvrage fut annoncé dans les journaux* **, *le public l'attendoit avec impatience et je fis le voyage de Paris pour le donner à l'impression... Et cependant l'ouvrage s'est imprimé, et moi, j'attends depuis deux ans à Paris avec une impatience inimitable, réduit en ce moment à demander au moins et mon reçu et ma copie, que je ne puis obtenir. Tel est le prix que j'ai reçu de quatre années de travaux, de peines et de soins. Le libraire, qui ne savoit auquel entendre, fit part de son embarras à M. de Querlon ; il lui demanda conseil. Soyez tranquille, mon ami, c'est moi qui ferai revivre Montaigne... M. Battory (Bartoli) traduira la partie de l'italien ; M. Zamet (Jamet) fera des notes ; et, tranquille dans mon cabinet, je prendrai modestement le titre d'éditeur ; quant au véritable auteur de la découverte, j'avancerai qu'il n'a su ni lire ni copier ni traduire, et par là je justifierai l'indispensable nécessité de me choisir.* »

La copie de l'abbé de Prunis était-elle si insuffisante qu'elle justifiât les dires de Meusnier de Querlon ? On n'en saurait décider, puisqu'on ne sait ce qu'elle est devenue. Celle de Meusnier de Querlon mérite-t-elle beaucoup de louanges ? Le manuscrit de Montaigne, déposé par l'éditeur à la Bibliothèque Royale, ayant été égaré, sa disparition ne permet pas le contrôle, et force est bien de s'en tenir à la dite copie. A en croire une lettre écrite par Meusnier de Querlon, le 27 *octobre* 1772, *à un certain Grosley, avocat au Parlement de Troyes, il aurait dépensé « beaucoup de recherches et de travail » à donner une bonne copie du manuscrit et à la munir de bonnes notes. Mais, comme il le dit lui-même, la « premiere opération n'étoit pas sans difficulté, tant par la*

* *Journal des Beaux-Arts et des Sciences*, 1774, t. V, pp. 338-339.

** Un *Avis intéressant sur les Voyages de Michel de Montaigne nouvellement recouvrés*, portant un permis d'imprimer du 5 septembre 1772, annonçait les trois éditions du *Journal* et mettait même en souscription l'édition in-4° au prix de 12 livres en feuilles.

mauvaise écriture du domestique qui tint la plume jusqu'à Rome, *que par le peu de correction de Montaigne lui-même, qui, dans ses* Essais *, *ne nous laisse pas ignorer sa négligence sur ce point* **. » *Montaigne, en effet, avait une écriture des plus difficiles à lire, une orthographe extrêmement capricieuse, et n'usait ni de ponctuation ni d'accents ; si l'on ajoute que son italien devait être encore plus indéchiffrable,* « *tant par sa mauvaise orthographe que parce qu'il est rempli de licences, de patois différens et de gallicismes* *** », *on se rend compte des difficultés de l'entreprise.*

Meusnier de Querlon a rétabli une ponctuation, mais il l'a rétablie parfois à contresens ; il a tantôt multiplié les accents, même les accents circonflexes, à peu près inconnus de Montaigne, et estropié certains mots... Enfin, et par la faute de l'imprimeur, l'ouvrage a été reproduit sans grand soin, de sorte que les variantes graphiques des cinq premières éditions sont extrêmement nombreuses.

C'est pourtant cette édition que la nôtre reproduit, mais en en corrigeant les fautes certaines (contresens de ponctuation, termes défigurés, etc.) et en indiquant les variantes des éditions originales qui offrent un certain intérêt. Comme une restauration du manuscrit sera toujours approximative, il nous a paru que la meilleure édition serait celle qui prendrait pour base l'originale, et cela aussi bien pour la partie française que pour la partie traduite de l'italien. La version donnée par Querlon-Bartoli du texte italien de Montaigne est dans le goût des traductions du XVIIIe *siècle, et se lit avec agrément. Nous la donnons ici, comme la partie française, en corrigeant seulement les erreurs indubitables et en indiquant les variantes utiles.*

V

Le Journal de Voyage *de Montaigne ne fut pas tout d'abord accueilli comme il méritait de l'être. C'était le moment où triom-*

* Cf. l. II, chap. XVII : « Les mains, je les ay si gourdes, que je ne sçay pas escrire seulement pour moy; de façon que, ce que j'ay barbouillé, j'ayme mieux le refaire que de me donner la peine de le demesler et relire. »

** Meusnier de Querlon, *Discours préliminaire* à l'édition du *Journal.*

*** Id., *ibid.*

phaient ceux que le prince de Ligne appelle plaisamment les « lapins politiques, géomètres, philosophes », et ces lapins-là, les Diderot, les Grimm et leurs amis qui aimaient mieux les idées générales, les constructions arbitraires de l'esprit que les « petits faits » pris sur le vif, se montrèrent fort déçus par l'ouvrage : la Correspondance littéraire *de mai* 1774 *déclare que ce n'est « qu'un itinéraire sec et froid » et ajoute : « Si vous ôtez de deux volumes tout au plus une vingtaine de pages, le reste ne méritait pas mieux d'être conservé que la vieille lampe d'Épictète. » On était choqué apparemment du pèlerinage de Montaigne à Lorette, de sa visite au pape, et de son obédience catholique. On était mécontent aussi de l'éditeur : ce vieux Meusnier de Querlon, septuagénaire pensionné par Maurepas, protégé par Beaujon, auteur d'ouvrages frivoles et surannés, n'appartenait pas à la secte ; il osait, à l'endroit où Montaigne fait allusion aux églises que les huguenots venaient de démolir en France, insinuer sournoisement en note : « Les Apôtres de la Tolérance ne s'empresseront pas de vérifier ce fait, qui doit un peu les gêner, sur-tout écrit de la main de Montaigne. » Pour le coup, Grimm ou Diderot se fâche : « On peut avoir le droit d'écrire des platitudes, mais peut-on pardonner une méchanceté si bête et si noire ? »*

Mais dès le début du XIXe *siècle, quand les « idées » de l'Encyclopédie s'en furent allées rejoindre le cimetière des vieilles lunes, le* Journal *fut mieux apprécié. Chateaubriand le cite à plusieurs reprises dans ses* Mémoires. *Stendhal dans ses* Promenades dans Rome *reproche à Montaigne d'avoir manqué du sentiment des arts, mais indirectement lui rend hommage en voyageant à la façon de son prédécesseur et en collectionnant comme lui les « petits faits ». Jean-Jacques Ampère en copie plusieurs pages, notamment celles sur les ruines de Rome, dans ses* Portraits de Rome. *Sainte-Beuve *, s'il trouve que « le* Journal *n'a rien de curieux littérairement », ajoute que « moralement, et pour la connaissance de l'homme, il est plein d'intérêt », et trace à propos du* Journal *un parallèle entre Chateaubriand et Montaigne voyageurs.*

En 1836, *Buchon réimprime, le premier, le texte du* Journal

* *Nouveaux lundis*, t. II, Montaigne en voyage, cf. *Les grands écrivains français*, par Sainte-Beuve, XVIe siècle, *Les Prosateurs*, éd. Allem, pp. 184-203.

dans son édition des Œuvres *de Montaigne *. Il en avait déjà paru une traduction allemande, fort inexacte d'ailleurs, et attribuée à Frédéric Ulrich, dans les années* 1777-1779 **. *L'Almanach Suisse pour l'année* 1800 *avait donné une traduction de la partie du voyage qui concerne l'Helvétie* ***. *En* 1845, *il en paraît à Londres une traduction anglaise* ****.

Enfin, en 1889, *un Italien, le professeur Alessandro d'Ancona, de Pise, en donne la première édition critique et savante, précieuse surtout par les renseignements de toute sorte qu'apporte l'éditeur sur les villes d'Italie visitées par Montaigne. Depuis Ancona, Louis Lautrey en* 1906, *plus récemment le Dr Armaingaud, puis M. Edmond Pilon, puis M. Pierre d'Espezel ont réédité tour à tour le* Journal; *et dans la charmante introduction mise par lui à son édition, M. Pilon, a su le premier rendre un parfait hommage au mérite de Montaigne voyageur, en assurant que son* Journal *fait le plus grand honneur au philosophe, et que si, selon le mot d'Émile Faguet, c'est un livre pour tous les temps que les* Essais, « *c'en est un, bien instructif et précieux aussi que le* Voyage ». *Le moins qu'on en puisse dire en effet, en dépit ou peut-être à cause de sa rédaction courante et primesautière, c'est qu'il n'est pas indigne de l'immortel ouvrage de Montaigne, et qu'il porte la marque inimitable, drue et vive et si attrayante, de l'auteur des* Essais.

MAURICE RAT.

* *Panthéon littéraire*, Paris, Lefèvre, 1836.
** 2 vol. in-8°, chez Hendel, à Halle, 1777-1779.
*** *Helvetische Almanach...*, Zurich, 1800.
**** Due à William Hazlitt, Londres, Templeman, 2e éd., 1845.

NOTICE BIBLIOGRAPHIQUE

Les principales éditions du « Journal de Voyage ».

1\. — 1774. — Éditions originales, toutes parues sous le titre de : *Journal de Voyage de Michel de Montaigne en Italie, par la Suisse et l'Allemagne en* 1580 *et* 1581, avec des notes, par M. de Querlon. A Rome, et se trouve à Paris, chez le Jay, librairie, rue Saint-Jacques, au Grand-Corneille :

a) Édition en un volume in-4° grand papier, de LIV-416 pages, vendu en feuilles 18 livres, relié 21 livres;

b) Édition en deux volumes in-12 grand papier, de CVIII-324 et 601 pages, vendus en feuilles 5 livres, reliés 6 livres;

c) Édition en trois volumes in-12 petit papier, de CXXXVI-214, 323, 461 pages, vendus en feuilles 4 livres 10 sols, reliés 7 livres 10 sols.

Ces trois éditions sont ornées d'un portrait de Montaigne, gravé par Saint-Aubin, d'après un original appartenant à M. de Ségur.

Deux autres éditions succédèrent aux originales, toutes les deux dues encore à Meusnier de Querlon : l'une en deux volumes in-12, parue à la fin de 1774; l'autre en trois volumes in-12, parue en 1775. Dans l'une et l'autre le texte italien est retranché, et l'on n'en donne que la traduction.

2\. — 1889. — *L'Italia alla fine del secolo XVI. Giornale del viaggio di Michele de Montaigne in Italia nel* 1580 *e* 1581, avec une introduction et des notes du professeur Alessandro d'Ancona. A Cittá di Castello.

Cette édition, qui s'adresse au public italien, ne comporte naturellement pas de traduction du texte italien de

Montaigne. Le professeur d'Ancona y a ajouté, en 1895, un commode *Index alphabétique*, formant ainsi un volume in-8° de LV-719 pages.

3. — 1906. — *Montaigne, Journal de voyage*, publié avec une introduction, des notes, une table des noms propres et la traduction du texte italien de Montaigne, par Louis Lautrey, en un volume in-8° de 536 pages. A Paris (librairie Hachette).

Cette édition, où une traduction nouvelle du texte italien de Montaigne a été substituée à la traduction Querlon-Bartoli, a été réimprimée en 1909.

La traduction de Lautrey est plus précise, mais beaucoup moins aisée et moins agréable que celle de Querlon-Bartoli.

JOURNAL
DE VOYAGE EN ITALIE
PAR LA SUISSE ET L'ALLEMAGNE

...M. DE MONTAIGNE depescha monsieur de Mattecoulon [1] en poste avec ledit escuyer, pour visiter ledit comte [2], et trouva que ses playes n'estoient pas mortelles.

Audit BEAUMONT [3], M. d'Estissac [4] se mêla à la trope pour faire mesme voyage, accompaigné d'un jantil'home [5], d'un valet de chambre, d'un mulet, et à pied d'un muletier et deux laquais, qui revenoist à nostre équipage pour faire à moitié la despense.

Le lundy cinquième de septembre 1580, nous partismes dudit Beaumont après disner et vinsmes tout d'une trete souper à

MEAUX, qui est une petite ville, belle, assise sur la rivière de Marne. Elle est de trois pieces; la ville et le fauxbourg sont en deça de la riviere vers Paris.

Au dela des ponts il y a un autre grand lieu qu'on nomme le marché, entourné de la riviere et d'un très beau fossé tout autour, où il y a grande multitude d'habitants et de maisons. Ce lieu estoit autrefois très bien fortifié de grandes et fortes murailles et tours; mais en nos seconds troubles huguenots [6], parce que la pluspart des habitants de ce lieu estoit de ce party [7], on fit démolir toutes ces fortifications. Cest endroit de la ville soutint l'effort des Anglois [8], le reste estant tout perdu; et en recompense touts les habitants dudit lieu sont encore exempts de la taille et autres impositions. Ils monstrent sur la rivière de Marne une isle longue de deux ou trois cent pas qu'ils disent avoir esté un cavalier [a] jetté dans l'eau par les Anglois pour battre ledit lieu du marché avec leurs engins [9], qui s'est ainsi fermy avecq' le temps.

a. Amas de terre commandant les fortifications d'une place.

Au fauxbourg, nous vismes l'abbaïe de saint Faron [10] qui est un très vieux bastiment où ils montrent l'habitation d'Ogier le Danois et sa sale. Il y a un ancien refectoire, atout [a] de grandes et longues tables de pierre d'une grandeur inusitée, au milieu duquel sourdoit, avant nos guerres civiles, une vive fontaine qui servoit à leur repas. La pluspart des religieux sont encore jantil'homes. Il y a entre autres choses une très vielle tumbe et honnorable, où il y a l'effigie de deux chevaliers estandus en pierre d'une grandeur extraordinaire. Ils tiennent que c'est le corps de Ogier le Danois et quelqu'autre de ces paladins [11]. Il n'y a ni inscription ni nulles armoiries; seulement il y a ce mot latin, qu'un abbé y a fait mettre il y a environ cent ans : que ce sont deux heros inconnus qui sont là enterrés. Parmy leur thresor ils montrent des ossements de ces chevaliers. L'os du bras depuis l'espaule jusques au coude est environ de la longueur du bras entier d'un homme des nostres, de la mesure commune, et un peu plus long que celui de M. de Montaigne. Ils monstrent aussi deux de leurs espées qui sont environ de la longueur d'une de nos espées à deux mains; et sont fort detaillées de coups par le tranchant [12].

Audit lieu de Meaux, M. de Montaigne fut visiter le thresorier de l'église sainct Estienne [13], nommé Juste Terrelle [14], home connu entre les sçavants de France, petit home vieux de soixante ans, qui a voïagé en Egypte et Jerusalem et demeuré sept ans en Constantinople, qui lui montra sa librairie et singularités de son jardin. Nous n'y vismes rien si rare qu'un arbre de buys espandant ses branches en rond, si espois et tondu par art, qu'il samble que ce soit une boule très polie et très massive de la hauteur d'un homme.

De Meaux, où nous disnames le mardy, nous vinsmes coucher à

Charly, sept lieues. Le mercredi après disner, vinsmes coucher à

Dormans, sept lieues. Le landemein, qui fut jeudi matin, vinsmes disner à

a. Avec.

Esprenei [15], cinq lieues; où estant arrivés, MM. d'Estissac et de Montaigne s'en allarent à la messe, comme c'estoit leur coutume [16], en l'eglise Nostre Dame; et parce que ledit seigneur de Montaigne avoit veu autrefois, et lorsque le mareschal de Strossi fut tué au siège de Téonville [17], qu'on avoit apporté son corps en laditte eglise, il s'enquit de sa sepulture, et trouva qu'il y estoit enterré sans aucune montre ny de pierre, ny d'armoirie, ny d'epitaphe, vis à vis du grand autel. Et nous fut dit que la reine l'avoit ainsi faict enterrer sans pompe et ceremonie, parce que c'estoit la volonté dudit mareschal [18]. L'evesque de Renes, de la maison des Hanequins [19] à Paris, faisoit lors l'office en laditte eglise de laquelle il est abbé; car c'estoit aussi le jour de la feste de N. Dame de septembre.

M. de Montaigne accosta en laditte eglise, après la messe, M. Maldonat [20], Jhesuite duquel le nom est fort fameux à cause de son erudition en theologie et philosophie, et eurent plusieurs propos de sçavoir ensamble lors et l'après dinée, au logis du dit sieur de Montaigne où ledit Maldonat le veint trouver. Et entre autres choses, parce qu'il venoit des beings d'Aspa [21] qui sont au [a] Liege où il avoit esté avec M. de Nevers [22], il lui conta que c'estoient des eaus extremement froides, et qu'on tenoit là que, les plus froides qu'on les pouvoit prendre, c'estoit le meilleur. Elles sont si froides que aucuns qui en boivent en entrent en frisson et en horreur; mais bientost après on en sent une grande douleur en l'estomac. Il en prenoit pour sa part cent onces; car il y a des gens qui fournissent des verres qui portent leur mesure selon la volonté d'un chacun. Elles se boivent non seulement à jeun, mais encore après le repas. Les operations [b] qu'il recita [c] sont pareilles aux eaux de Guascogne. Quant à lui, il disoit en avoir remarqué la force pour le mal qu'elles ne lui avoient pas faict, en ayant beu plusieurs fois tout suant et tout esmeu. Il a veu par expérience que grenouilles et autres petites bestes qu'on y jette se meurent incontinent ; et dit qu'un mouchouer qu'on mettra au dessus d'un verre plein de ladite d'eau se jaunira incontinent. On en boit quinze jours ou trois semaines pour le moins. C'est un lieu auquel on est très bien accommodé et logé [23], propre contre toute obstruc-

a. Près de. — *b*. Effets. — *c*. Rapporta.

tion et gravelle. Toutefois ny M. de Nevers ny lui n'en estoient devenus guieres plus sains. Il avoit avec lui un maistre d'hostel de Nevers; et donnarent à M. de Montaigne un cartel imprimé sur le sujet du different qui est entre MM. Montpansier et de Nevers [24], afin qu'il en fut instruit et en peut instruire les gentil'hommes qui s'en enquerroient.

Nous partîmes de là le vendredi matin et vinsmes à

CHAALONS [25], sept lieues; et y logeasmes à la Couronne qui est un beau logis, et y sert-on en vesselle d'argent; et la pluspart des lits et couvertes sont de soie. Les communs battimens de toute ceste contrée sont de craye, coupée à petites pieces quarrées, de demi pied ou environ, et d'autres de terre en gason, de mesme forme.

Le lendemein nous en partismes après disner, et vinsmes coucher à

VITRY-LE-FRANÇOIS, sept lieues. C'est une petite ville assise sur la rivière de Marne, battie depuis trente cinq ou quarante ans, au lieu de l'autre Vitry qui fut bruslé [26]. Ell'a encore sa premiere forme bien proportionnée et plaisante, et son milieu est une grande place quarrée des plus belles de France.

Nous apprimes là trois histoires mémorables. L'une que madame la douairière de Guise de Bourbon [27], aagée de quatre vingt sept ans, estoit encor' vivante, et faisant encor un quart de lieue de son pied.

L'autre, que depuis peu de jours il avoit esté pendu à un lieu nommé Montirandet [28] voisin de là, pour telle occasion. Sept ou huit filles d'autour de Chaumont en Bassigni complottèrent, il y a quelques années, de se vestir en masles et continuer ainsi leur vie par le monde. Entre les autres, l'une vint en ce lieu de Vitry sous le nom de Mary, guaignant sa vie à estre tisseran, jeune homme bien conditionné et qui se rendoit à un chacun amy. Il fiancea audit Vitry une femme, qui est encore vivante; mais pour quelque desacord qui survint entre eux, leur marché ne passa plus outre. Depuis estant allé audit Montirandet, guaignant tousjours sa vie audit mestier, il devint amoureux d'une fame laquelle il avoit espousée, et vescut quatre ou cinq mois avecque elle avec son contentement, à ce qu'on dit; mais ayant esté reconnu par quelqu'un dudit Chaumont et la chose mise en avant à la justice, elle avoit esté condamnée à estre pendue : ce qu'elle disoit aymer mieux souffrir que de se remettre en estat de fille. Et fut pendue pour des inventions illicites à suppléer au defaut de son sexe.

L'autre histoire, c'est d'un homme encore vivant nommé Germain, de basse condition, sans nul mestier ni office, qui a esté fille jusques en l'aage de vingt deux ans, et remarquée d'autant qu'elle avoit un peu plus de poil autour du menton que les autres filles; et l'appeloit-on Marie la barbue. Un jour faisant un effort à un sault, ses outils virils se produisirent, et le cardinal de Lenoncourt, évesque pour lors de Chalons, lui donna nom Germain. Il ne s'est pas marié pourtant; il a une grand'barbe fort espoisse. Nous ne le sceumes voir, parce qu'il estoit au vilage. Il y a encore en ceste ville une chanson ordinaire en la bouche des filles, où elles s'entr'advertissent de ne faire plus de grandes enjambées, de peur de devenir masles, comme Marie Germain. Ils disent qu'Ambroise Paré a mis ce conte dans son livre de chirurgie [29], qui est très certain, et ainsi tesmoingné à M. de Montaigne par les plus apparens officiers de la ville.

Delà nous partismes dimenche matin après desjeuné, et vinsmes d'une trete à

BAR, neuf lieues, où M. de Montaigne avoit esté autresfois [30], et n'y trouva de remarquable de nouveau que la despense estrange qu'un particulier prestre et doyen de là a employé et continue tous les jours en ouvrages publiques. Il se nomme Gilles de Treves [31]; il a bati la plus sumptueuse chapelle de marbre, de peintures et d'ornements qui soit en France, et a bati et tantost achevé de meubler la plus belle maison de la ville qui soit aussi en France; de la structure la mieux compassée, etoffée, et la plus labourée d'ouvrages et d'enrichissemans, et la plus logeable : de quoy il veut faire un collège. Et est après à le dorer et mettre en trein à ses despens.

De Bar, où nous disnames le lundi matin, nous nous en vinsmes coucher à

MANNESE [32], quatre lieues, petit village où M. de Montaigne fut arresté, à cause de la colicque, qui fut aussi cause qu'il laissa le dessein qu'il avoit aussi faict de voir Toul, Metz, Nancy, Jouinville et St. Dizier [33], comme il avoit délibéré, qui sont villes épandues autour de cette route, pour gaigner les beings de Plombières en diligence.

De Mannese nous partismes mardi au matin et vinsmes disner à

VAUCOULEUR, une lieue de là; et passasmes le long de la rivière de Meuse, dans un village nommé

DONREMY, sur Meuse, à trois lieues dudit Vaucouleur, d'où estoit natifve cette fameuse pucelle d'Orléans, qui se nommoit Jane d'Arcq ou Dullis [34]. Ses descendants furent anoblis par faveur du roi; et nous monstrarent les armes que le roi leur donna, qui sont d'azur à un' espée droite couronnée et poignée d'or, et deux fleurs de lis d'or au costé de ladite espée; dequoy un receveur de Vaucouleur donna un escusson peint à M. de Caselis [35]. Le devant de la maisonnette où elle naquit est toute peinte de ses gestes; mais l'aage en a fort corrompu la peinture. Il y a aussi un arbre le long d'une vigne qu'on nomme l'Arbre de la Pucelle [36], qui n'a nulle autre chose à remarquer.

Nous vinsmes ce soir coucher à

NEUFCHASTEAU, cinq lieues, où en l'église des Cordeliers il y a force tumbes, anciennes de trois ou quatre cens ans, de la noblesse du pais, desqueles toutes les inscriptions sont en ce langage : « Cy git tel, qui fut mors lors que li milliaires courroit, per mil deux cens[a] etc. » M. de Montaigne vit leur librairie où il y a force livres, mais rien de rare, et un puits qui se puise à fort grands seaus, en roullant avec les pieds un plachié [b] de bois qui est appuyé sus un pivot, auquel tient une piece de bois ronde à laquelle la corde du puits est attachés. Il en avoit veu ailleurs de pareils. Joignant le puits, il y a un grand vaisseau de pierre, eslevé au dessus de la marselle [c] de cinq ou si pieds, où le seau se monte; et sans qu'un tiers s'en mesle, l'eau se renverse dans ledit vaisseau, et en ravalle quand il est vuide. Ce vaisseau est de telle hauteur que par icelui, avec des canaus de plomb, l'eau du puits se conduit à leur réfectoire et cuisine et boulangerie, et rejaillit par des corps de pierre eslevés en forme de fonteines naturelles.

a. C'est-à-dire au XIIIe siècle. — *b*. Planche, pédale. — *c*. Margelle.

De Neufchasteau où nous desjeunasmes le matin, nous vinsmes souper à

MIRECOURT, six lieues, belle petite ville où M. de Montaigne ouyt nouvelles de M. et madame de Bourbon [37], qui en sont for voisins [38].

Et lendemain matin, après desjeuner, alla voir à un quart de lieue de là, à quartier de [a] son chemin, les religieuses de Poussay. Ce sont religions [b] de quoi il y en a plusieurs en ces contrées-là [39] establies pour l'institution des filles de bonne maison. Elles y ont chacune un bénéfice, pour s'en entretenir, de cent, deux cens ou trois cens escus, qui pire, qui meilleur, et une habitation particulière où elles vivent chacune à part soi. Les filles en nourrice y sont reçues. Il n'y a nulle obligation de virginité, si ce n'est aux officieres, comme abbesse, prieure et autres. Elles sont vestues en toute liberté, comme autres damoiselles, sauf un voile blanc sus la tête, et en l'église, pendant l'office, un grand manteau qu'elles laissent en leur siege au cœur. Les compagnies y sont reçues en toute liberté chez les religieuses particulieres qu'on y va rechercher, soit pour les poursuivre à espouser ou à autre occasion. Celles qui s'en vont peuvent resigner et vendre leur bénéfice à qui elles veullent, pourveu qu'elle soit de condition requise; car il y a des seigneurs du païs qui ont ceste charge formée, et s'y obligent par serment, de tesmoigner de la race des filles qu'on y présente. Il n'est pas inconvenient qu'une seule religieuse ait trois ou quatre bénéfices. Elles font au demeurant le service divin comme ailleurs. La plus grand part y finissent leurs jours et ne veullent changer de condition [40].

Delà nous vinsmes souper à

ESPINÉ [41], cinq lieues. C'est une belle petite ville sur la rivière de la Moselle, où l'entrée nous fut refusée, d'autant que nous avions passé à Neufchasteau, où la peste avoit été il n'y a pas long-temps.

Lendemain matin nous vinsmes disner à

PLOMMIÈRES [42], quatre lieues. Depuis Bar-le-Duc les lieues reprennent la mesure de Guascogne et vont s'allongeant vers l'Allemagne, jusques à les doubler et tripler enfin [43].

Nous y entrasmes le vendredy 16e de septembre 1580,

a. En s'écartant de. — *b.* Monastère.

à deux heures après midi. Ce lieu est assis aux confins de la Lorreine et de l'Allemagne, dans une fondrière, entre plusieurs collines haultes et coupées qui le serrent de tous costés. Au fond de ceste vallée naissent plusieurs fontaines tant froides naturelles que chaudes. L'eau chaude n'a nulle senteur ny goust, et est chaude tout ce qui s'en peut souffrir au boire, de façon que M. de Montaigne estoit contraint de la remuer de verre à autre. Il y en a deux seulement de quoi on boit. Celle qui tourne le cul à l'orient et qui produit le being qu'ils appellent le Being de la Reine laisse en la bouche quelque goust doux comme de la reglisse, sans autre deboire [a], si ce n'est que, si on s'en prent garde fort attentivement, il sembloit à M. de Montaigne qu'elle rapportoit je ne sçay quel goust de fer. L'autre qui sourd du pied de la montagne opposite, de quoi M. de Montaigne ne but qu'un seul jour, a un peu d'aspreté, et y peut-on decouvrir la saveur de l'alun.

La façon du païs, c'est seulement de se beingner deux ou trois fois le jour. Aucuns prennent leur repas au being, où ils se font communement ventouser et scarifier, et ne s'en servent qu'après s'estre purgés. S'ils boivent, c'est un verre ou deux dans le being. Ils treuvoient estrange la façon de M. de Montaigne, qui, sans médecine précédente, en beuvoit neuf verres, qui revenoient environ à un pot, tous les matins à sept heures, disnoit à midy, et les jours qu'il se beingnoit, qui estoient de deux jours l'un, c'estoit sur les quatre heures, n'arrestant au being qu'environ une heure. Et ce jour-là il se passoit volontiers de soupper.

Nous vismes des hommes guéris d'ulceres, et d'autres de rougeurs par le corps. La coutume est d'y estre pour le moins un mois. Ils y louent beaucoup plus la seison du printemps en may [44]. Ils ne s'en servent guiere après le mois d'aoust, pour la froideur du climat; mais nous y trouvasmes encore de la compaignie, à cause que la secheresse et les chaleurs avoient esté plus grandes et plus longues que de coustume. Entre autres, M. de Montaigne contracta amitié et familiarité avec le seigneur d'Andelot, de la Franche-Conté [45], duquel le pere estoit grand escuyer de l'empereur Charle cinquiesme et lui premier mareschal de camp de l'armée de don Jouan d'Austria [46], et fut

a. Goût après boire.

celui qui demeura gouverneur de Saint-Quintin lorsque nous la perdismes [47]. Il avoit un endroit de sa barbe tout blanc et un costé de sourcil; et recita [a] à M. de Montaigne que ce changement lui estoit venu en un instant, un jour estant chez lui plein d'ennui [b] pour la mort d'un sien frère que le duc d'Albe avoit fact mourir comme complice des comtes d'Eguemont et de Hornes [48], qu'il tenoit sa teste appuyée sur sa main par cest endroit, de façon que les assistans pensarent que ce fust de la farine qui lui fut de fortune tombée là. Il a depuis demeuré en ceste façon.

Ce being avoit autrefois esté fréquenté par les Allemans seulement; mais depuis quelques ans ceux de la Franche-Comté et plusieurs François y arrivent à grand foule. Il y a plusieurs beings, mais il y en a un grand et principal basti en forme ovalle d'un' antienne structure. Il a trente-cinq pas de long et quinze de large. L'eau chaude sourd par le dessoubs à plusieurs surgeons, et y faict-on par le dessus escouler de l'eau froide pour modérer le being selon la volonté de ceux qui s'en servent. Les places y sont distribuées par les costés avec des barres suspendues à la mode de nos écuries; et jette-on des ais par le dessus pour éviter le soleil et la pluye. Il y a tout autour des beings trois ou quatre degrés de marches de pierre à la mode d'un théatre où ceux qui se beingnent peuvent estre assis ou appuyés. On y observe une singulière modestie; et si est indecent aux hommes de s'y mettre autrement que tous nuds, sauf un petit braiet, et les fames sauf une chemise [49].

Nous logeames à l'Ange, qui est le meilleur logis, d'autant qu'il respond aux deux beings. Tout le logis, où il y avoit plusieurs chambres, ne coustoit que quinze solds par jour. Les hostes fournissent partout du bois pour le marché; mais le païs en est si plein qu'il ne couste qu'à coupper. Les hostesses y font fort bien la cuisine. Au temps de grande presse ce logis eut cousté un escu le jour, qui est bon marché; la nourriture des chevaus à sept sols; tout autre sorte de despense à bonne et pareille raison. Les logis n'y sont pas pompeus, mais fort commodes; car ils font, par le service de force galeries, qu'il n'y a nulle subjection d'une chambre à l'autre. Le vin et le pain y sont mauvais.

a. Rapporta. — *b*. Accablement.

C'est une bonne nation, libre, sensée, officieuse. Toutes les lois du païs sont religieusement observées. Tous les ans ils refreschissent [a] dans un tableau au devant du grand being, en langage allemand et en langage françois, les lois cy-dessoubs escrites :

Claude de Rynach, chevalier, seigneur de Saint-Balesmont, Montureulz en Ferrette, Lendacourt, etc., conseillier et chambellan de nostre souverain seigneur monseigneur le Duc, etc., et son Bally [b] *de Vosges :*

« Sçavoir faisons que, pour le repos asseuré et tranquillité de plusieurs dames et autres personnages notables affluans de plusieurs régions et païs en ces beings de Plommières, avons, suivant l'intention de Son Altesse, statué et ordonné, statuons et ordonnons ce qui suit :

« Sçavoir est que l'antienne discipline de correction pour les fautes legieres demeurera ès mains des Allemands comme d'antienneté, auxquels est enjoint faire observer les cérémonies, status et polices desquelles ils ont usé pour la decoration desdits beings et punition des fautes qui seront commises par ceus de leurs nations, sans exception de personnes, par forme de rançon, et sans user d'aucuns blasphemes et autres propos irreverens contre l'eglise catholique et traditions d'icelles.

« Inhibition est faite à toutes personnes, de quelle qualité, condition, region et province qu'ils soient, se provoquer de propos injurieux et tendans à querelle, porter armes èsdits beings, donner desmenty ny mettre la main aux armes, à peinne d'estre punys griefvement comme infracteurs de sauveguarde, rebelles et desobéissans à Son Altesse.

« Aussi à toutes filles prostituées et impudiques d'entrer ausdits beings ny d'en approcher de cinq cens pas, à peine du fuet [c] ès quattre carres [d] desdits beings; et sur les hostes qui les auront receues ou recelées, d'emprisonnemant de leurs personnes et d'amande arbitraire.

« Soubs mesme peinne est défendu à tous, user envers les dames, damoiselles et autres fames et filles, estans ausdits beings, d'aucuns propos lascifs ou impudiques, faire aucuns attouchemens deshonnestes, entrer ni sortir desdits beings irreveremmant contre l'honnesteté publique.

a. Rafraîchissent. — *b*. Bailli. — *c*. Fouet. — *d*. Aux quatre coins.

« Et parceque, par le benefice desdits beings, Dieu et nature nous procurent plusieurs guerisons et soulagemens, et qu'il est requis une honneste mundicité [a] et pureté pour obvier à plusieurs contagions et infections qui s'y pourroient engendrer, est ordonné expressément au maistre desdits beings prendre soigneuse garde et visiter les corps de ceux qui y entreront, tant de jour que de nuit, les faisant contenir en modestie et silence pendant la nuit, sans bruit, scandale ni derision. Que si aucun personnage ne lui est à ce faire obéissant, il en face prompte delation au magistrat pour en faire punition exempleiremant.

« Au surplus, est prohibé et defendu à toutes personnes venans de lieus contagieus, de se présenter ny d'approcher de ce lieu de Plommieres, à peine de la vie, enjoignant bien expressemant aus mayeurs [b] et gens de justice d'y prendre soingneuse garde, et à tous habitans dudit lieu de nous donner billets contenans les noms et surnoms et residence des personnes qu'ils auront receues et logées, à peine de l'emprisonnemant de leurs personnes.

« Toutes lesquelles ordonnances cy dessus declarées ont esté ce jour d'hui publiées audevant du grand being dudit Plommieres, et copies d'icelles fichées, tant en langue françoise qu'allemande, au lieu plus proche et plus apparent du grand being, et signé de nous, bally [c] de Vosges. Donné audit Plommieres le 4ᵉ jour du mois de mai l'an de grace Notre Seigneur mil cinq cens... »

Le nom du Bally.

Nous arrestames audit lieu depuis ledit jour 18ᵉ jusques au 27ᵉ de septembre. M. de Montaigne beut onze matinées de ladite eau, neuf verres huit jours et sept verres trois jours, et se beigna cinq fois. Il trouva l'eau aysée à boire et la rendoit tous-jours avant disner. Il n'y connut nul autre effect que d'uriner. L'appetit, il l'eut bon; le sommeil, le ventre, rien de son état ordinaire ne s'empira par ceste potion. Le sixieme jour il eut la colicque très vehemente et plus que les siennes ordineres, il l'eut au costé droit, où il n'avoit jamais senty de doleur qu'une bien legiere à Arsac [50], sans opération [d]. Ceste ci lui dura quattre heures; et sentit évidemment en l'operation l'ecoulement de la

a. Propreté. — *b*. Maires. — *c*. Bailli. — *d*. Effet.

pierre par les ureteres et bas du ventre. Les deux premiers jours il rendit deux petites pierres qui estoient de dans la vessie, et depuis par fois du sable. Mais il partit desdits beings, estimant avoir encore en la vessie la pierre de la susdite colicque, et autres petites desquelles il pensoit avoir senty la descente. Il juge l'effect de ces eaus et leur qualité pour son regard fort pareilles à celle de la fontaine haute de Banieres, où est le being. Quant au being, il le trouve de très douce temperature; et de vray les enfans de six mois et d'un an sont ordinairement à grenouiller dedans. Il suoit fort et doucement. Il me commanda, à la faveur de son hostesse, selon l'humeur de la nation, de laisser un escusson de ses armes [51] en bois qu'un pintre dudit lieu fit pour un escu; et le fit l'hostesse curieusement attacher à la muraille par le dehors.

Le dit jour 27e de septembre, après disner, nous partimes et passames un païs montaigneus qui retentissoit partout soubs les pieds de nos chevaux, comme si nous marchions sur une voute, et sembloit que ce feussent des tabourins qui tabourassent autour de nous; et vinsmes coucher à

REMIREMONT, deux lieues, belle petite ville et bon logis à la Licorne; car toutes les villes de Lorrene (c'est la derniere) ont les hostelleries autant commodes et le tretemant [a] aussi bon qu'en nul endroit de France.

Là est ceste abbaïe de religieuses si fameuse, de la condition de celles que j'ay dittes de Poussai [52]. Elles pretendent, contre M. de Lorrene, la souveraineté et principauté de ceste ville [53]. MM. d'Estissac et de Montaigne les furent voir soudain après être arrivés; et visitarent plusieurs logis particuliers qui sont très beaus et très bien meublés. Leur abbesse estoit morte, de la maison de d'Inteville [54], et estoit-on après la creation d'une autre, à quoi prétendoit la sœur du conte de Salmes [55]. Ils furent voir la doïenne, qui est de la maison de Lutre [56], qui avoit faict cest honneur à M. de Montaigne d'envoyer le visiter aux beings de Plommières, et envoïer des artichaus, perdris et un barril de vin. Ils apprindrent là que certeins villages voisins leur doivent de rente deux bassins de nege tous les jours de la Pentecouste, et, à faute de ce, une charrette attelée de quatre beufs blancs. Ils disent que ceste rante de nege ne leur

a. Traitement.

manque jamais, si est qu'en la saison que nous y passames les chaleurs y estoient aussi grandes qu'elles soient en nulle saison en Guascogne. Elles n'ont qu'un voile blanc sur la teste et audessus un petit lopin de crèpe. Les robes, elles les portent noires de telle estoffe et façon qu'il leur plaist pendant qu'elles sont sur les lieux; ailleurs de couleur; les cotillons à leur poste, et escarpins et patins; coeffées au dessus de leur voile comme les autres [57]. Il leur faut estre nobles de quatre races du costé de pere et de mere. Ils prindrent congé d'elles dès le soir.

Lendemein au point du jour nous partismes de là. Comme nous estions à cheval, la doïenne envoïa un gentil'homme vers M. de Montaigne, le priant d'aller vers elle, ce qu'il fit. Cela nous arresta une heure. La compaignie de ces dames lui dona procuration de leurs affaires à Rome. Au partir de là, nous suivimes longtemps un très beau et très plaisant vallon, coustoiant la rivière de Moselle, et vinsmes disner à

BOSSAN [58], quatre lieues, petit meschant village, le dernier du langage françois, où MM. d'Estissac et de Montaigne, revetus de souguenies [a] de toile qu'on leur prêta, allarent voir des mines d'argent que M. de Lorrene [59] a là, bien deux mille pas dans le creus d'une montaigne.

Après disner nous suivimes par les montaignes, où on nous monstra, entre autre choses, sur des rochers inaccessibles, les aires où se prennent les autours, et ne coutent là que trois testons du païs, et la source de la Moselle; et vinsmes soupper à

TANE [60], quatre lieues, premiere ville d'Allemaigne, sujette à l'empereur, très belle.

Lendemein au matin, trouvasmes une belle et grande plene, flanquée à main gauche de coustaus [b] pleins de vignes, les plus belles et les mieux cultivées, et en telle estandue que les Guascons qui estoient là disoint n'en avoir jamais veu tant de suite. Les vandanges se faisoint lors : nous vinsmes disner à

MELHOUSE [61], deux lieues, une belle petite ville de Souisse, du quanton de Basle. M. de Montaigne y alla voir

a. Souquenilles. — *b*. Coteaux.

l'église; car ils n'y sont pas catholiques. Il la trouva, comme en tout le païs, en bonne forme; car il n'y a casi rien de changé, sauf les autels et les images qui en sont à dire [a], sans difformité. Il print un plesir infini à voir la bonne police de ceste nation, et son hoste du Reisin revenir du conseil de ladite ville, et d'un palais magnifique et tout doré, où il avoit présidé, pour servir ses hostes à table; et un homme sans suite et sans authorité, qui leur servoit à boire, avoit mené quatre enseignes de gens de pied contre le service du roy, sous le Casemir [62], en France, et estre [b] pansionnere du roy à trois cens escus par an, il y a plus de vingt ans. Lequel seigneur lui recita [c] à table, sans ambition et affectation, sa condition et sa vie : lui dit, entre autres choses, qu'ils ne font nulle difficulté, pour leur religion, de servir le roy contre les huguenosts mesmes; ce que plusieurs autres nous redirent en nostre chemin, et qu'à nostre siege de la Fere il y en avoit plus de cinquante de leur ville; qu'ils épousent indiferemment les fames de nostre religion au prestre et ne les conteignent de changer.

Delà après disné nous suivimes un païs beau, plein [d], très fertile, garny de plusieurs beaux villages et hostelleries, et nous rendismes coucher à

Basle, trois lieues; belle ville de la grandeur de Blois ou environ, de deux pieces; car le Rein traverse par le milieu sous un grand et très large pont de bois.

La seigneurie fit cest honneur à MM. d'Estissac et de Montaigne que de leur envoyer par l'un de leurs officiers de leur vin, avec une longue harangue qu'on leur fit estant à table, à laquelle M. de Montaigne respondit fort longtemps [63], estans descouvers les uns et les autres, en presence de plusieurs Allemans et François qui estoint au poisle [e] avecques eus. L'hoste leur servit de truchement. Les vins y sont fort bons.

Nous y vismes de singulier la maison d'un médecin nommé Felix Platerus [64], la plus pinte et enrichie de mignardises à la françoise qu'il est possible de voir; laquelle ledit medecin a batie fort grande, ample et sumptueuse. Entre autres choses, il dresse un livre de simples

a. Qui y manquent. — *b.* Il faut sans doute corriger en *été*. — *c.* Raconta. — *d.* Plain, plat. — *e.* Dans la pièce chauffée par un poêle.

qui est des-ja fort avancé; et au lieu que les autres font pindre les herbes selon leurs coleurs, lui a trouvé l'art de les coler toutes naturelles si propremant sur le papier que les moindres feuilles et fibres y apparoissent come elles sont; et il feuillette son livre, sans que rien en eschappe; et monstra des simples qui y estoint collés y avoit plus de vint ans. Nous vismes aussi et chez luy et en l'escole publique des anatomies entieres d'homes morts qui se soutiennent.

Ils ont cela que leur horloge dans la ville, non pas aux faux-bourgs [65], sone tousjours les heures d'une heure avant le temps. S'il sone dix heures, ce n'est à dire que neuf; parce, disent-ils, qu'autrefois une tele faulte de leur horloge fortuite preserva leur ville d'une entreprise qu'on y avoit faite. Basilée s'appelle non du mot grec, mais parce que *base* signifie *passage* en Allemant [66].

Nous y vismes force gens de sçavoir, come *Grineus* [67], et celui qui a faict le *Theatrum* [68], et ledit medecin (Platerus), et François Hottoman [69]. Ces deux derniers vindrent soupper avec messieurs, lendemein qu'ils furent arrivés. M. de Montaigne jugea qu'ils estoint mal d'accord de leur religion par les responses qu'il en receut : les uns se disans zingluiens [a], les autres calvinistes, et les autres martinistes [b]; et si fut averty que plusieurs couvoint encore la religion romene dans leur cœur. La forme de donner le sacremant, c'est en la bouche communément; toutefois tend la main qui veut, et n'osent les ministres remuer ceste corde de ces différences de religions. Leurs eglises ont au-dedans la forme que j'ay dicte ailleurs. Le dehors est plein d'images et les tumbeaux antiens entiers, où il y a prieres pour les ames des trepassés; les orgues, les cloches et les crois des clochiers, et toute sorte d'images aus verrieres y sont en leur entier, et les bancs et sièges du cœur. Ils mettent les fons batismaux à l'antien lieu du grand autel et font bastir à la teste de la nef un autre autel. L'église des Chartreus, qui est un très beau bastimant, est conservée et entretenue curieusement [c]; les ornemans mesmes y sont et les meubles, ce qu'ils alleguent pour tesmoigner leur fidelité, estant obligés à cela par la foy qu'ils donnarent

a. Zvingliens. — *b*. Partisan de Martin Luther ou luthériens. — *c*. Soigneusement.

lors de leur accord. L'évesque du lieu, qui leur est fort ennemi, est logé hors de la ville en son diocese [70], et le maintient pour leur cene; celui de Basle est d'un très beau plan.

La pluspart du reste, en la campaigne, en la religion antienne, jouit de bien 50.000 liv. de la ville; et se continue l'élection de l'évesque. Plusieurs se pleinsirent à M. de Montaigne de la dissolution des fames et yvrognerie des habitans. Nous y vismes tailler un petit enfant d'un pauvr'home pour la rupture [a] qui fut treté bien rudement par le chirurgien. Nous y vismes une très belle libreirie publicque sur la riviere et en très belle assiette. Nous y fusmes tout le lendemain, et le jour après y disnames et prinsment le chemin le long du Rhin deux lieues ou environ, et puis le laissames sur la main gauche, suivant un païs bien fertile et assés plein [b].

Ils ont une abondance de fonteines en toute ceste contrée; il n'est village ny carrefour où il n'y en aye de très belles [71]; ils disent qu'il y en a plus de trois cens à Basle de conte [c] faict. Ils sont si accoustumés aux galeries, mesmes vers la Lorreine, qu'en toutes les maisons ils laissent, entre les fenestres des chambres hautes, des portes qui respondent en la rue, attendant d'y faire quelque jour des galeries. En toute ceste contrée, depuis Espiné [72], il n'est si petite maison de village qui ne soit vitrée, et les bons logis en reçoivent un grand ornemant, et en dedans et en dehors, pour en estre fort accommodées, et d'une vitre ouvrée en plusieurs façons. Ils y ont aussi foison de fer et de bons ouvriers de ceste matiere; ils nous surpassent de beaucoup, et en outre il n'y a si petite église où il n'y ait un horloge et quadran magnifiques. Ils sont aussi excellens en tuilleries, de façon que les couvertures des maisons sont fort embellies de bigarrures de tuillerie plombée en divers ouvrages, et le pavé de leurs chambres; et il n'est rien plus délicat que leurs poiles qui sont de potterie. Ils se servent fort de sapin et ont de très-bons artisans de charpenterie; car leur futaille est toute labourée et la pluspart vernie et pinte. Ils sont sumptueux en poiles, c'est à dire en sales communes à faire le repas. En chaque sale, qui est très bien meublée d'ailleurs, il y aura volontiers

a. La hernie ombilicale. — *b.* Plain, plat. — *c.* Compte.

cinq ou six tables équipées de bancqs, là où tous les hostes disnent ensemble, chaque trope en sa table. Les moindres logis ont deux ou trois telles salles très belles; elles sont persées et richement vitrées. Mais il paroist bien qu'ils ont plus de souyn de leurs disners que du demeurant; car les chambres sont bien aussi chetifves. Il n'y a jamais de rideaux aux licts, et tousjours trois ou quatre licts tous joignans l'un l'autre, en une chambre; nulle cheminée, et ne se chauffe t'on qu'en commun et aus poiles; car ailleurs nulles nouvelles de feu; et treuvent fort mauvais qu'on aille en leurs cuisines. Estans très mal propre au service des chambres; car bien heureux qui peut avoir un linceul blanc; et le chevet, à leur mode, n'est jamais couvert de linceul; et n'ont guiere autre couverte que d'une coite, et cela bien sale; ils sont toutefois excellens cuisiniers, notamment du poisson. Ils n'ont nulle defense du serein ou du vent que la vitre simple, qui n'est nullement couverte de bois; et on leurs maisons fort percées et cleres, soit en leurs poiles, soit en leurs chambres; et eus ne ferment guiere les vitres mesmes la nuit.

Leur service de table est fort different du nostre. Ils ne se servent jamais d'eau à leur vin [73] et ont quasi raison; car leurs vins sont si petits que nos gentilshommes les trouvoint encore plus foibles que ceux de Guascongne fort baptisés, et si ne laissent pas d'estre bien delicats. Ils font disner les valets à la table des maistres, ou à une table voisine quant et quant [a] eus; car il ne faut qu'un valet à servir une grande table, d'autant que chacun ayant son gobelet ou tasse d'argent en droit [b] sa place, celuy qui sert se prend garde de remplir ce gobelet aussitost qu'il est vuide, sans le bouger de sa place, y versant du vin de loin atout un vaisseau d'estain ou de bois qui a un long bec; et, quant à la viande, ils ne servent que deux ou trois plats au coupon [c]. Ils meslent diverses viandes ensamble bien apprestées et d'une distribution bien esloingnée de la nostre, et les servent par fois les uns sur les autres, par le moyen de certains instrumens de fer qui ont des longues jambes. Sur cest instrument il y a un plat et au-dessoubs un autre. Leurs tables sont fort larges et rondes, et carrées, si qu'il est mal aysé d'y porter les plats. Ce valet dessert

a. En même temps que. — *b*. Devant. — *c*. A chaque service.

ayséemant ces plats tout d'un coup, et en sert autres deux, jusques à six ou sept tels changemens; car un plat ne se sert jamais que l'autre ne soit hors; et quant aux assiettes, comme ils veulent servir le fruict, ils servent au milieu de la sale, après que la viande est ostée, un panier de clisse [a] ou un grand plat de bois peint, dans lequel panier le plus apparent jete le premier son assiette et puis les autres; car en cela on observe fort le rang d'honneur. Le panier, ce valet l'emporte ayséemant, et puis sert tout le fruit en deux plats, comme le reste pesle mesle; et y mestent volontiers des rifors [b], comme des poires cuites parmi le rosti.

Entre autres choses, ils font grand honneur aux escrevisses et en servent un plat tousjours couvert par le privilege, et se les entre-présentent; ce qu'ils ne font guiere d'autre viande. Tout ce païs en est pourtant plein et s'en sert à tous les jours, mais ils l'ont en délices. Ils ne donnent point à laver [c] à l'issue et à l'entrée; chacun en va prendre à une petite eguiere attachée à un coin de la sale, comme chez nos moines. La pluspart servent des assiettes de bois, voire et des pots de bois et vesseaux [d] à pisser, et cela net et blanc ce qu'il est possible. Autres sur les assiettes de bois y en ajoutent d'étain jusque au dernier service du fruit, où il n'y en a jamais que de bois. Ils ne servent le bois que par coustume; car là mesme où ils le servent ils donnent des gobelets d'argent à boire, et en ont une quantité infinie.

Ils netoyent et fourbissent exactement leurs meubles de bois, jusques aus planchiers des chambres. Leurs licts sont eslevés si hauts que communéemant on y monte par degrés, et quasi par-tout des petits licts audessoubs des grands. Com'ils sont fort excellans ouvriers de fer, quasi toutes leurs broches se turnent par ressorts ou par moyen des poids, comme les horloges, ou bien par certenes voiles de bois de sapin larges et legieres qu'ils logent dans le tuïau de leurs cheminées, qui roulent d'une grande vitesse au vent de la fumée et de la vapeur du feu, et font aler le rost mollemant et longuemant; car ils assechissent un peu trop leur viande [74]. Ces moulins à vent ne servent qu'aus grandes hostelleries où il y a grand feu, comme à

a. D'osier. — *b.* Raiforts. — *c.* De l'eau pour se laver les mains. — *d.* Vases.

Bade. Le mouvement en est très uni et très constant. La pluspart des cheminées, depuis la Lorrene, ne sont pas à nostre mode; ils eslevent des foyers au milieu ou au couin d'une cuisine, et employent quasi toute la largeur de ceste cuisine au tuïau de la cheminée; c'est une grande ouverture de la largeur de sept ou huit pas en carré qui se va aboutissant jusques au haut du logis; cela leur donne espace de loger en un andret leur grande voile, qui chez nous occuperoit tant de place en nos tuïeaus que le passage de la fumée en seroit empesché. Les moindres repas sont de trois ou quatre heures pour la longueur de ces services; et à la vérité ils mangent aussi beaucoup moins hativement que nous et plus seinement [75]. Ils ont grande abondance de toutes sortes de vivres de cher et de poisson, et couvrent fort sumptueusement ces tables, au moins la nostre. Le vendredy on ne servit à personne de la cher; et ce jour là ils disent qu'ils n'en mangent pouint volantiers. La charté pareille qu'en France autour de Paris. Les chevaus ont plus d'avoine d'ordinere qu'ils n'en peuvent manger.

Nous vinsmes coucher à

HORNES [76], quatre lieues. Un petit village de la duché d'Austriche.

Lendemein, qui estoit dimenche, nous y ouymes la messe. Et y remerquay cela que les fames tiennent tous le costé gauche de l'église et les homes le droit, sans se mesler. Elles ont plusieurs ordres de bancs de travers les uns après les autres, de la hauteur pour se seoir. Là elles se mettent de genous et non à terre, et sont par conséquent comme droites; les homes ont outre cela davant eus des bois de travers pour s'appuyer; et ne se mettent non plus à genous que sur les siéges qui sont devant eux. Au lieu que nous joignons les mains pour prier Dieu à l'eslevation, il les escartent l'une de l'autre toutes ouvertes, et les tiennent ainsi eslevées à ce que le prestre monstre la paix.

Ils présentarent à MM. d'Estissac et de Montaigne le troisiesme banc des homes; et les autres au dessus d'eux furent après sesis par les homes de moindre apparence, come aussi du côté des fames. Il nous sembloit qu'aus premiers rangs ce n'estoit pas le plus honorable. Le truchement et guide que nous avions pris à Basle, messagier juré de la ville, vint à la messe avec nous, et montroit à sa façon y estre avec une grande devotion et grand desir.

Après disner, nous passames la riviere d'Arat à Broug [77], petite ville de MM. de Berne, et delà vinsmes voir une abbaïe [78] que la reine Catherine de Hongrie donna aus seigneurs de Berne l'an 1524, où sont enterrés Leopold, archiduc d'Austriche, et grand nombre de gentilshommes qui furent desfaits avec lui par les Souisses l'an 1386 [79]. Leurs armes et noms y sont encore escris, et leurs despouilles maintenues curieusement [a]. M. de Montaigne parla là à un seigneur de Berne qui y commande, et leur fit tout monstrer. En ceste abbaïe il y a des miches de pain toutes prestes et de la souppe pour les passants qui en demandent; et jamais n'en y a nul refusé, de l'institution de l'abbaïe.

De là nous passames à un bac qui se conduit avec une polie [b] de fer attachée à une corde haute qui traverse la riviere de Réix [80] qui vient du lac de Lucerne, et nous rendismes à

Bade, quatre lieues, petite ville et un bourg à part où sont les beings. C'est une ville catholique sous la protection des huit cantons de Souisse, en laquelle il s'est faict plusieurs grandes assemblées de princes. Nous ne logeames pas en la ville, mais audit bourg qui est tout au bas de la montaigne, le long d'une riviere, ou un torrent plustost nommé Limacq [81] qui vient du lac de Zuric.

Il y a deux ou trois beings publicques decouvers, de quoi il n'y a que les pauvres gens qui se servent. Les autres, en fort grand nombre, sont enclos dans les maisons; et les divise t'on et depart [c] en plusieurs petites cellules particulières, closes et ouvertes [d], qu'on loue avec les chambres, lesdites cellules les plus délicates et mieux accommodées qu'il est possible, y attirant des veines d'eau chaude pour chacun being.

Les logis très magnifiques. En celui où nous logeames, il s'est veu pour un jour trois cens bouches à nourrir. Il y avoir encore grand compaignie, quand nous y estions, et bien cent septante licts qui servoint aux hostes qui y estoient. Il y a dix-sept poiles et onze cuisines, et en un logis voisin du nostre, cinquante chambres meublées. Les murailles des logis sont toutes revestues d'escussons des gentilshommes qui y ont logé.

a. Soigneusement. — *b.* Poulie. — *c.* Partage. — *d.* Var. : *couvertes.*

La ville est au bas, audessus de la croupe, petite et très belle come elles sont quasi toutes en ceste contrée. Car outre ce qu'ils font leurs rues plus larges et ouvertes que les nostres, les places plus amples, et tant de fenestrages richemant vitrés par tout, ils ont telle coutume de peindre quasi toutes les maisons par le dehors; et les chargent de devises, qui rendent un très plesant prospect : outre ce que il n'y a nulle ville où il n'y coule plusieurs ruisseaus de fonteines, qui sont eslevées richemant par les carrefours, ou en bois ou en pierre. Cela faict parétre leurs villes beaucoup plus belles que les françoises.

L'eau des beings rend un odeur de soufre à la mode d'Aigues-caudes [82] et autres. La chaleur en est modérée comme de Barbotan [83] ou Aigues-caudes, et les beings à ceste cause fort dous et plesans. Qui aura à conduire les dames qui se veuillent beingner avec respect et delicatesse, il les peut mener là, car elles sont aussi seules au being, qui samble un très riche cabinet, cler, vitré tout autour revestu de lambris peint et plancher très propremant, atout des siéges et des petites tables pour lire ou jouer si on veut, estant dans le being. Celui qui se beingne, vuide et reçoit autant d'eau qu'il lui plaict; et a-t-on les chambres voisines chacune de son being, les proumenoers beaus le long de la riviere, outre les artificiels d'aucunes galeries. Ces beings sont assis en un vallon commandé par les costés de hautes montaignes, mais toutefois pour la pluspart fertiles et cultivées. L'eau au boire est un peu fade et molle, come une eau battue [a], et quant au goust elle sent au soufre; elle a je ne sçay quelle picure de salure. Son usage à ceus du païs est principalement pour ce being, dans lequel ils se font corneter [b] et seigner si fort que j'ai veu les deux beings publicques parfois qui estoient de pur sang. Ceus qui en boivent à leur coustume, c'est un verre ou deux pour le plus. On y arrête ordinairement cinq ou six sepmaines, et quasi tout le long de l'esté ils sont frequentés. Nulle autre nation ne s'en ayde, ou fort peu, que l'Allemande; et ils y viennent à fort grandes foules. L'usage en est fort antien, et duquel Tacitus faict mantion [84]. Il [c] en chercha tant qu'il peut la maitresse source et n'en peut rien apprendre; mais de ce qu'il samble,

a. Traversée plusieurs fois. — *b*. Ventouser. — *c*. Montaigne.

elles sont toutes fort basses et au niveau quasi de la riviere. Elle est moins nette que les autres eaus que nous avons veu ailleurs, et charrie en la puisant certenes petites filandres fort menues. Elle n'a point ces petites étincelures qu'on voit briller dans les autres eaus soufrées, quand on les reçoit dans le verre, et come dit le seigneur Maldonat qu'ont celles de Spa.

M. de Montaigne en but le lendemein que nous fumes arrivés, qui fut lundi matin, sept petits verres qui revenoient à une grosse chopine de sa maison; lendemein cinq grands verres qui revenoint à dix de ces petits, et pouvoint faire une pinte. Ce mesme mardy, à l'heure de neuf heures du matin, pendant que les autres disnoint, il se mit dans le being, et y sua depuis en estre sorty bien fort dans le lict. Il n'y arresta qu'une demy heure; car ceux du païs qui y sont tout le long du jour à jouer ou à boire [85], ne sont dans l'eau que jusqu'aus reins; lui s'y tenoit engagé jusques au col, estendu le long de son being.

Et ce jour partit du being un seigneur souisse, fort bon serviteur de nostre couronne, qui avoit fort entretenu M. de Montaigne tout le jour précédent du païs du Souisse, et lui monstra une lettre que l'ambassadeur de France [86] fils du président du Harlay (Achilles) luy escrivoit de Solurre [87], où il se tient, luy recommandant le service du roy pendant son absence, estant mandé par la reine [88] de l'aller trouver à Lion, et de s'opposer aus desseins d'Espagne et de Savoie. Le duc de Savoie qui venoit de deceder [89], avoit faict alliance il y avoit un an ou deux avec aucuns cantons : à quoy le roy avoit ouvertement resisté, allegant que lui estant des-jà obligés, ils ne pouvoint recevoir nulles nouvelles obligations sans son interest; ce que aucuns des cantons avoint gousté, mesme par le moyen dudit seigneur souisse, et avoint refusé ceste alliance. Ils reçoivent à la verité le nom du roy, en tous ces quartiers là, avec reverence et amitié, et nous y font toutes les courtoysies qu'il est possible. Les Espaignols y sont mal.

Le trein de ce Souisse estoit quatre chevaus. Son fils, qui est des-jà pensionnere du roy, come le pere, sur l'un; un valet sur l'autre; l'une fille grande et belle sur un autre, avec une housse de drap et planchette à la françoise, une malle en croppe et un porte-bonnet à l'arçon, sans aucune fame avec elle; et si estoint à deux grandes journées de leur retrete, qui est une ville où ledit sieur est gouverneur. Le bon homme sur le quatriesme.

Les vestemans ordinaires des fames me samblent aussi propres que les nostres, mesme l'acoustremant de teste, qui est un bonnet à la coquarde ayant un rebras [a] par derrière, et par devant, sur le front un petit avancemant : cela est anrichi tout autour de flocs [b] de soye ou de bords de forrures; le poil naturel pand par derriere tout cordonné. Si vous leur ostez ce bonnet par jeu, car il ne tient non plus que les nostres, elles ne s'en offencent pas, et voiez leurs testes toutes à nud. Les plus jeunes, au lieu de bonnet, portent des guirlandes sulemant sur la teste. Elles n'ont pas grandes differences de vestemens pour distinguer leurs conditions. On les salue en baisant la main et offrant à toucher la leur. Autrement, si en passant vous leur faites des bonnetades et inclinations, la pluspart se tiennent plantées sans aucun mouvement; et est leur façon antienne. Aucunes baissent un peu la teste pour vous resaluer. Ce sont communément belles fames, grandes et blanches.

C'est une très bonne nation, mesme [c] à ceux qui se conforment à eux. M. de Montaigne, pour essayer tout à faict la diversité des mœurs et façons, se laissoit partout servir à la mode de chaque païs [90], quelque difficulté qu'il y trouvast. Toutefois en Souisse il disoit qu'il n'en souffroit nulle, que de n'avoir à table qu'un petit drapeau d'un demy pied pour serviette; et le mesme drapeau, les Souisses ne le déplient pas sulement en leur disner, et si ont forse sauces et plusieurs diversité de potages; mais ils servent tousjours autant de cueilleres de bois manchées d'argent, come il y a d'homes; et jamais Souisse n'est sans cousteau, duquel ils prennent toutes choses; et ne mettent guiere la main au plat.

Quasi toutes leurs villes portent, au dessus des armes particulières de la ville, celles de l'empereur et de la maison d'Austriche; aussi la pluspart ont été demanbrées dudit archiduché par les mauvais mesnagiers de ceste maison d'Austriche, sauf le roy catholique, sont réduits à grande povreté, mesmemant l'empereur [91] qui est en peu d'estimation en Allemaigne.

a. Retroussis. — *b.* Flocons, touffes. — *c.* Surtout.

L'eau que M. de Montaigne avoit beu le mardy lui avoit fait trois selles et s'estoit toute vidée avant mydy. Le mercredy matin, il en print mesme mesure que le jour precedent. Il trouve que, quand il se faict suer au being, le lendemein il faict beaucoup moins d'urines et ne rend pas l'eau qu'il a beu, ce qu'il essaya aussi à Plommieres. Car l'eau qu'il prant lendemain, il la rend colorée et en rend fort peu, par où il juge qu'elle se tourne en aliment soudein, soit par l'évacuation de la sueur precedente le face, ou le jûne; car lors qu'il se baignoit il ne faisoit qu'un repas. Cela fut cause qu'il ne se beigna qu'une fois.

Le mercredy, son hoste acheta force poissons; ledict seigneur s'enqueroit pourquoy c'estoit. Il luy fust respondu que la plus part dudit lieu de Bade mangeoient poisson le mercredy par religion : ce qui luy confirma ce qu'il avoit ouï dire, que ceus qui tiennent là la religion catholique y sont beaucoup plus tandus et devotieux par la circonstance de l'opinion contrere. Il discouroit ainsi : « Que quand la confusion et le meslange se faict dans mesmes villes et se seme en une mesme police, cela relasche les affections des hommes, la mixtion se coulant jusques aus individus, com'il advient en Auspourg et villes imperiales; mais quand une ville n'a qu'une police (car les villes de Souisse ont chacune leurs loix à part et leur gouvernement chacune à part-soy, ny ne dependent en matiere de leur police les unes des autres; leur conjunction et colligance, ce n'est qu'en certenes conditions generales), les villes qui font une cité à part et un corps civil à part entier à[a] tous les mambres, elles ont de quoy se fortifier et se meintenir; elles se fermissent sans doubte, et se resserrent et se rejouingnent par la secousse de la contagion voisine ».

Nous nous applicames à la chaleur de leurs poiles[b], et est nul des nostres qui s'en offençast. Car depuis qu'on a avalé une certene odeur d'air qui vous frappe en entrant, le demurant c'est une chaleur douce et eguale. M. de Montaigne, qui couchoit dans un poile, s'en louoit fort, et de santir toute la nuict une tiedeur d'air plaisante et moderée. Au moins on ne s'y brusle ny le visage ny les botes, et est on quitte des fumées de France. Aussi là où nous prenons nos robes de chambre chaudes et fourrées

a. Avec. — *b.* Salles chauffées d'un poêle.

entrant au logis, eus au rebours se mettent en pourpoint et se tiennent la teste descouverte au poile, et s'habillent chaudement pour se remettre à l'air.

Le jeudy il beut de mesme; son eau fit operation et par devant et par derriere; et vuidoit du sable non en grande quantité; et mesme il les trouva plus actives que autres qu'il eust essayées, soit la force de l'eau, ou que son corps fust ainsi disposé; et si en beuvoit moins qu'il n'avoit faict de nulles autres, et ne les rendoit point si crues comme les autres.

Ce jeudy il parla à un ministre de Zurich et natif de là, qui arriva là; et trouva que leur religion première estoit zuingluienne; de laquelle ce ministre lui disoit qu'ils estoint approchés de la calvinienne, qui estoit un peu plus douce. Et interrogé de la prédestination, lui respondit qu'ils tenoint le moyen entre Genesve et Auguste (Augsbourg), mais qu'ils n'empeschoint pas leur peuple de ceste dispute.

De son particulier jugement, il inclinoit plus à l'extreme de Zuingle; et là haut louoit, come celle qui estoit plus approchante de la premiere chrestienté.

Le vendredi après desjuné, à sept heures du matin, septiesme jour d'octobre, nous partimes de Bade; et avant partir, M. de Montaigne beut encore la mesure desdites eaus : ainsy il beut cinq fois. Sur le doubte de leur opération[a], en laquelle il treuve autant d'occasion de bien esperer qu'en nulles autres, soit pour le breuvage, soit pour le being, il conseilleroit autant volantiers ces beings que nuls autres qu'il eust veus jusques lors, d'autant qu'il y a non seulement tant d'aysance et de commodité du lieu et du logis, si propre, si bien party selon la part que chacun en veut, sans subjection ny ampeschement d'une chambre à autre, qu'il y a des pars pour les petits particuliers et autres pour les grands beings, galeries, cuisines, cabinets, chapelles à part pour un trein. Et au logis voisin du nostre, qui se nomme la Cour de la ville, et le nostre la Cour de derriere, ce sont maisons publicques appertenantes à la seigneurie des cantons, et se tiennent par locateres. Il y a audit logis voisin encore quelques cheminées à la françoise. Les maistresses chambres ont toutes des poiles.

L'exaction du payement est un peu tyrannique, comme en toutes nations, et notamment en la nostre, envers les

a. Effet.

estrangiers. Quatre chambres garnies de neuf licts, desqueles les deux avoient poiles et un being, nous coustames un escu par jour chacun des maistres; et des serviteurs, quatre bats, c'est à dire neuf solds, et un peu plus pour chaque; les chevaux six bats, qui sont environ quatorze solds par jour; mais oultre cela ils y adjoustarent plusieurs friponneries, contre leur coustume.

Ils font gardes en leurs villes et aux beings mesmes, qui n'est qu'un village. Il y a toutes les nuicts deux sentinelles qui rondent autour des maisons, non tant pour se garder des ennemis que de peur du feu ou autre remuement. Quand les heures sonnent, l'un d'eux est tenu de crier à haute voix et pleine teste à l'autre, et lui demander quelle heure il est; à quoi l'autre respond de mesme voix nouvelles de l'heure, et adjouste qu'il face bon guet. Les fames y font les buées [a] à descouvert et en lieu publicque, dressant près des eaux un petit fouier de bois où elles font chauffer leur eau; et les font meilleures, et fourbissent aussi beaucoup mieux la vaisselle qu'en nos hostelleries de France. Aux hostelleries, chaque chamberiere a sa charge et chaque valet.

C'est un mal'heur que, quelque diligence qu'on fasse, il n'est possible que des gens du païs, si n'en rencontre de plus habile que le vulgaire, qu'un estrangier soit informé des choses notables de chaque lieu; et ne sçavent ce que vous leur demandez. Je le dis à propos de ce que nous avions esté là cinq jours avec toute la curiosité que nous pouvions, et n'avions ouï parler de ce que nous trouvâmes à l'issue de la ville : une pierre de la hauteur d'un home, qui sembloit estre la piece de quelque pilier, sans façon ny ouvrage, plantée à un couin de maison pour paroitre sur le passage du grand chemin, où il y a une inscription latine que je n'eus moyen de transcrire; mais c'est une dedicace aux empereurs Nerva et Trajan.

Nous vinsmes passer le Rhin à la ville de Keyserstoul [92], qui est des alliées des Souisses, et catholique; et delà suivimes ladite riviere par un très beau plat païs, jusqu'à ce que nous rencontrâmes des saults, où elle se rompt contre des rochers, qu'ils appellent des catharactes, comme celles du Nil. C'est que, audessoubs de Schaffouse, le Rhin ren-

a. Lessives.

contre un fond pleins de gros rochiers, où il se rompt; et audessoubs, dans ces mesmes rochiers, il rencontre une pante d'environ deux piques de haut, où il faict un grand sault, escumant et bruiant estrangement. Cela arreste le cours des basteaux et interrompt la navigation de ladite riviere. Nous vinsmes souper d'une trete à

SCHAFFOUSE, quatre lieues, ville capitale de l'un des cantons des Souisses de la religion que j'ay sus dict, de ceux de Zurich. Partant de Bade, nous laissames Zurich à main droite où M. de Montaigne estoit deliberé d'aller, n'en estant qu'à deux lieues; mais on lui rapporta que la peste y estoit.

A Schaffouse, nous ne vismes rien de rare. Ils y font faire une citadelle qui sera assez belle. Il y a une bute à tirer de l'arbalestre et une place pour ce service, la plus belle, grande et accommodée d'ombrage, de sieges, de galeries et de logis qu'il est possible; et y en a une pareille à l'hacquebute [a]. Il y a des moulins d'eau à sier bois, comme nous en avions veu plusieurs ailleurs, et à broyer du lin et à piller [b] du mil. Il y a aussi un abre de la façon duquel nous en avions veu d'autres, mesme à Bade; mais non pas de pareille grandeur. Des premieres branches, et plus basses, ils se servent à faire le planchier d'une galerie ronde qui a vint pas de diametre; ces branches, il les replient contremont et leur font embrasser le rond de ceste galerie, et se hausser à-mont autant qu'elles peuvent. Ils tondent après l'abre et le gardent de jetter [c] jusques à la hauteur qu'ils veulent donner à ceste galerie, qui est environ de dix pieds. Ils prennent là les autres branches qui viennent à l'abre, lesquelles ils couchent sur certennes clisses pour faire la couverture du cabinet; et depuis les couchent en bas pour les faire joindre à celles qui montent contre-mont et remplissent de verdure tout ce vuide. Ils retondent encor après cela l'abre jusques à sa teste, où ils y laissent espandre ses branches en liberté. Cela rend une très belle forme et est un très bel abre. Outre cela, ils ont faict sourdre à son pied un cours de fontene qui se verse audessus du planchier de ceste galerie.

M. de Montaigne visita les bourguemaistres de la ville qui, pour le gratifier, avecques autres officiers publiques [d]

a. L'arquebuse. — *b.* Piler. — *c.* Pousser. — *d.* Publics.

vindrent soupper à nostre losgis, et y firent presenter du vin à M. d'Estissac et à lui. Ce ne fut sans plusieurs harangues ceremonieuses d'une part et d'autres. Le principal bourguemaistre estoit gentil'homme et nourri page chez feu M. d'Orléans [93], qui avois desja tout oublié son françois. Ce canton fait profession d'estre fort nostre, et en a donné ce tesmoingnage recent, d'avoir refusé à nostre faveur la confederation que feu M. de Savoie recherchoit avec les cantons, de quoy j'ay faict cy dessus mention.

Le samedy 8e d'octobre, nous partismes au matin à huit heures, après desjeuné, de Shaffouse, où il y a très bon logis à la Couronne. Un homme sçavant du païs entretint M. de Montaigne, et entre autres choses, de ce que les habitans de ceste ville ne soint, à la vérité, guiere affectionnés à nostre cour; de manière que toutes les deliberations où il s'estoit trouvé touchant la confédération avec le roy, la plus grande partie du peuple estoit toujours d'avis de la rompre : mais que, par les menées d'aucuns riches, cela se conduisoit autremant. Nous vismes au partir un engin de fer que nous avions veu aussi ailleurs, par lequel on souleve les grosses pierres, sans s'y servir de la force des hommes pour charger les charretes.

Nous passames le long du Rhin, que nous avions à nostre main droite, jusqu'à Stain [94], petite ville alliée des cantons, de mesme religion que Schaffouse. Si est ce qu'en chemin il y avoit force croix de pierre, où nous repassames le Rhin sur un autre pont de bois; et coutoyant la rive, l'aïant à nostre main gauche, passames le long d'une autre petite ville [95], aussi des alliées des cantons catholiques. Le Rhin s'espand là en une merveilleuse largeur [96], comme est nostre Garonne devant Blaye, et puis se resserre jusques à

CONSTANCE, quatre lieues, où nous arrivames sur les quatre heures.

C'est une ville de la grandeur de Chalons, appartenant à l'archiduc d'Austriche, et catholique. Parce qu'elle a esté autrefois, et depuis trente ans, possédée par les luthériens, d'où l'empereur Charles V les deslogea par force [97], les eglises s'en sentent [a] encores aus images. L'evesque, qui est gentil'homme du païs et cardinal [98], demeurant à Rome, en tire bien quarante mille escus de revenu. Il

a. S'en ressentent.

y a des chanoinies, en l'église Nostre Dame, qui valent mille cinq cens florins et sont à des gentilshommes. Nous en vismes un [a] à cheval, venant du dehors, vestu licentieusement comme un homme de guerre; aussi dit-on qu'il y a force luthériens dans la ville.

Nous montasmes au clochier, qui est fort haut, et y trouvasmes un homme attaché pour sentinelle, qui n'en part jamais, quelque occasion qu'il y ait, et y est enfermé. Ils dressent sur le bord du Rhin un grand batimant couvert, de cinquante pas de long et quarante de large ou environ; ils mettront là douze ou quinze grandes roues, par le moyen desquels ils esleveront sans cesse grande quantité d'eau sur un planchié qui sera un estage audessus, et autres roues de fer en pareil nombre; car les basses sont de bois, et releveront [b] de mesme de ce planchié à un autre audessus. Cest'eau, qui estant montée à ceste hauteur, qui est environ de cinquante piés, se dégorgera par un grand et large canal artificiel, et se conduira dans leur ville pour y faire moudre plusieurs moulins. L'artisan qui conduisoit ceste maison, seulement pour sa main [c], avoit cinq mille sept cens florins, et fourni outre cela de vin. Tout au fond de l'eau, ils font un planchier ferme tout au tour, pour rompre, disent-ils, le cour de l'eau, et affin qu'elle s'y puisse puiser plus ayséemant. Ils dressent aussi des engeins par le moyen desquels on puisse hausser et baisser tout ce rouage, selon que l'eau vient à estre haulte ou basse. Le Rhin n'a pas là ce nom : car à la teste de la ville il s'estand en forme de lac, qui a bien quatre lieues d'Allemaigne de large, et cinq ou six de long. Ils ont une belle terrasse, qui reguarde ce grand lac en pouinte, où ils recueillent les marchandises; et à cinquante pas de ce lac, une belle maisonnette où ils tiennent continuellement une santinelle; et y ont attaché une cheine par laquelle ils ferment le pas de l'antrée du pont, ayant rangé force pals qui enferment de deux costés ceste espace de lac, dans lequel espace se logent les bateaus et se chargent. En l'eglise Notre Dame, il y a un conduit qui, audessus du Rhin, se va rendre au fauxbourg de la ville.

Nous reconnumes que nous perdions le païs de Souisse, à ce que, un peu avant que d'arriver à la ville, nous vismes

a. Un chanoine. — *b*. La relèveront. — *c*. Uniquement pour son travail.

plusieurs maisons de gentil'homes; car il ne s'en voit guieres en Souisse. Mais quant aus maisons privées, elles sont, et aus villes et aus champs, par la route que nous avons tenu, sans comparaison plus belles qu'en France; et n'ont faute que d'ardoises; et notamment les hosteleries, et meilleur traitemant; car ce qu'ils ont à dire [a] pour nostre service, ce n'est pas par indigence, on le connoit assez au reste de leur equipage; et n'en est point où chacun ne boive en grands vaisseaux [b] d'argent, la pluspart dorés et labourés, mais ils sont à dire par coustume. C'est un païs très fertile, notamment de vins.

Pour revenir à Constance, nous fumes mal logés à l'Aigle, et y receumes de l'hoste un trait de la liberté et fierté barbare almanesque sur la querelle de l'un de nos homes de pied avec nostre guide de Basle. Et parce que la chose en vint jusques aux juges, ausquels il s'alla pleindre, le prevost du lieu, qui est un gentilhome italien qui est là habitué et marié, et a droit de bourgeoisie il y a longtemps, respondit à M. de Montaigne, sur ce qu'on l'enqueroit si les domestiques serviteurs dudit seigneur seroint crus en tesmoingnage pour nous : il respondit que oui, pourveu qu'il leur donnast congé; mais que soudain après il les pourroit reprendre à son service. C'estoit une subtilité remarquable.

Lendemain, qui fut dimanche, à cause de ce desordre, nous arrestames jusques après disner, et changeames de logis, au Brochet, où nous fumes fort bien. Le fils du capitene de la ville, qui a esté nourri page chez M. de Meru [99], accompaigna tousjours messieurs à leurs repas et ailleurs; si ne sçavoit-il nul mot de françois. Les services de leurs tables se changent souvent. On leur donna la, et souvent depuis, après la nappe levée, d'autres nouveaux services parmy les verres de vin : le premier, des *canaules* [c], que les Guascons appellent; après, du pain d'espice; et pour le tiers, un pain blanc, tandre, coupé à taillades, se tenant pourtant entier; dans les descoupures, il y a force espices et force sel jetté parmy, et audessus aussi de la croute du pain.

Ceste contrée est extresmement pleine de ladreries, et en sont les chemins pleins [d]. Les gens de village servent

a. Ce qui leur manque. — *b.* Vases. — *c.* Gâteaux en forme de couronne. — *d.* Pleins de lépreux ou ladres.

au des-juner de leurs gens des fouasses fort plattes, où il y a du fenouil, et audessus de la fouasse des petits lopins de lard hachés fort menus et des gousses d'ail. Parmi les Allemands, pour honorer un home, ils gaignent tousjours son costé gauche, en quelque assiette qu'il soit; et prennent à offense de se mettre à son costé droit, disant que pour déférer à un home il faut lui laisser le costé droit libre pour mettre la main aux armes.

Le dimenche après disner nous partismes de Constance; et après avoir passé le lac à une lieue de la ville, nous en vinsmes coucher à

SMARDORFF [100], deux lieues, qui est une petite ville catholique, à l'enseigne de Coulogne et logeames à la poste qui y est assise pour le passage d'Italie en Allemaigne, pour l'empereur. Là, comme en plusieurs autres lieus, ils remplissent les paillasses de feuilles de certain arbre qui sert mieus que la paille et dure plus longtemps. C'est une ville entourée d'un gran païs de vignes, où il croît de très-bons vins.

Le lundi 10 d'octobre, nous partismes après desjuner : car M. de Montaigne fut convié par le beau jour de changer de dessein d'aller à Ravesbourg [101] ce jour-là, et se destourna d'une journée pour aller à Linde [102]. M. de Montaigne ne des-junoit jamais; mais on lui apportoit une piece de pain sec qu'il mangeoit en chemin; et estoit par fois eidé des raisins qu'il trouvoit, les vendanges se faisant encores en ce païs-la, le païs estant plein de vignes. Et mesmes autour de Linde, ils les soulevent de terre en treilles, et y laissent force belles routes pleines de verdure, qui sont très belles. Nous passames une ville nommé Bouchorn [103] qui est impériale et catholique, sur la rive du lac de Constance; en laquelle ville toutes les marchandises d'Oulme [104], de Nuremberg et d'ailleurs se rendent en charrois, et prennent delà la route du Rhin par le lac. Nous arrivasmes sur les trois heures après midy à

LINDE [105], trois lieues, petite ville assise à cent pas avant dans le lac, lesquels cent pas on passe sur un pont de pierre : il n'y a que ceste entrée, tout le reste de la ville estant entourné de ce lac. Il a bien une lieue de large, et au delà du lac naissent les montaignes des Grisons. Ce lac et toutes les rivieres de là autour sont basses en hiver, et grosses en esté, à cause des neiges fondues.

En tout ce païs les fames couvrent leur teste de chapeaus ou bonnets de fourrure, come nos calotes; le dessus, de quelque fourrure plus honeste, come de gris [a]; et ne couste un tel bonnet que trois testons[106], et le dedans d'eigneaux [b]. La fenestre [c] qui est au devant de nos calotes, elles la portent en derrière, par où paroit tout leur poil tressé. Elles sont aussi volontiers chaussées de botines ou rouges ou blanches, qui ne leur siesent [d] pas mal.

Il y a exercice de deux religions. Nous fumes voir l'eglise catholique bastie l'an 866, où toutes choses sont en leur entier; et vismes aussi l'église de quoi les ministres se servent. Toutes les villes impériales ont liberté de deux religions, catholique ou luthérienne. Selon la volanté des habitans, ils s'appliquent plus ou moins à cele qu'ils favorisent. A Linde il n'y a que deux ou trois catholiques, à ce que le prestre dit à M. de Montaigne. Les prestres ne laissent pas d'avoir leur revenu libre et de faire leur office, comme aussi des noneins qu'il y a. Ledit sieur de Montaigne parla aussi au ministre, de qui il n'apprint pas grand chose, sauf la haine ordineire contre Zuingle et Calvin. On tient qu'à la vérité il est peu de villes qui n'ayent quelque chose de particulier en leur créance; et sous l'autorité de Martin qu'ils reçoivent pour chef, ils dressent plusieurs disputes sur l'interprétation du sens ès escrits de Martin [107].

Nous lojames à la Couronne, qui est un beau logis. Au lambris du poile [e] il y avoit une forme de cage mesme le lambris, à loger grand nombre d'oiseaus; ell'avoit des allées suspendues et accommodées de fil d'aréchal [f], qui servoient d'espace aus oiseaus, d'un bout à l'autre du poile. Ils ne sont meublés ny fustés [g] que de sapin qui est l'arbre le plus ordinere de leurs forests; mais ils le peignent, vernissent et nettoyent curieusemant [h], et ont mesmes des vergettes de poil de quoi ils espoussetent leurs bancs et tables. Ils ont grande abondance de chous-cabus [i], qu'ils hachent menus tout un instrumant exprès; et ainsi haché, en mettent grande quantité dans des cuves atout du sel, de quoi ils font des potages tout l'hiver.

a. De petit-gris. — *b*. De laine d'agneau. — *c*. L'ouverture. — *d*. Siéent. — *e*. De la salle chauffée d'un poêle. — *f*. De laiton. — *g*. Baissés. — *h*. Soigneusement. — *i*. Choux pommés.

Là M. de Montaigne esséia à se faire couvrir un lict d'un coite, come c'est leur coutume; et se loua fort de cest usage, trouvant que c'estoit une couverture et chaude et legiere. On n'a à son avis à se plaindre que du coucher pour les homes délicats; mais qui porteroit un matelas qu'ils ne connoissent pas là, et un pavillon [a] dans ses coffres, il n'y trouveroit rien à dire [108]; car quant au tretemant de table, ils sont si abondans en vivres, et diversifient leur service en tant de sortes de potages, de sauces, de salades, come hors de nostre usage. Ils nous ont présenté des potages faicts de couins; d'autres de pommes cuites taillées à ruelles sur la souppe, et des salades de chous-cabus. Ils font aussi des brouets, sans pein, de diverses sortes, comme de ris, où chacun pesche en commun (car il n'y a nul service particulier), et cela d'un si bon goust aus bons logis que a pene nos cuisines de la noblesse francèse lui sembloient comparables; et y en a peu qui ayent des sales si parées. Ils ont grande abondance de bon poisson qu'ils mêlent au service de chair; ils y desdeingnent les truites et n'en mangent que le foye [b]; ils ont force gibier, bécasses, levreaux, qu'ils acoutrent d'une façon fort esloignée de la nostre, mais aussi bonne au moins. Nous ne vismes jamais des vivres si tendres com'ils les servent communéemant. Ils meslent des prunes cuites, des tartes de poires et de pommes au service de la viande, et mettent tantost le rosti le premier et le potage à la fin, tantost au rebours. Leur fruict, ce ne sont que poires, pommes qu'ils ont fort bonnes, noix et fromage. Parmi la viande, ils servent un instrumant d'arjant ou d'estein, à quatre logettes, où ils mettent diverses sortes d'episseries pilées; et ont du cumin, ou un grein semblable, qui est piquant et chaut, qu'ils meslent à leur pein; et leur pein est la pluspart faict avec du fenouil. Après le repas, ils remetent sur la table des verres pleins et y font deux ou trois services de plusieurs choses qui esmeuvent l'altération [c].

M. de Montaigne trouvoit à dire trois choses en son voïage : l'une qu'il n'eust mené un cuisinier pour l'instruire de leurs façons et en pouvoir un jour faire la preuve chez lui; l'autre qu'il n'avoit mené un valet allemand ou n'avoit cherché la compaignie de quelque gentilhomme du païs

a. Rideau. — *b.* VAR. : *le froye*, c'est-à-dire *le frai*. — *c.* Excitent la soif.

(car de vivre à la mercy d'un bélitre de guide, il y santoit une grande incommodité); la tierce qu'avant faire le voyage, il n'avoit veu les livres qui le pouvoint avertir des choses rares et remarcables de chaque lieu, ou n'avoit un Munster [109] ou quelque autre dans ses coffres. Il mesloit à la vérité à son jugement un peu de passion du mépris de son païs, qu'il avoit à haine et contre-cœur pour autres considérations; mais tant y a qu'il préferoit les commodités de ce païs-là sans compareson aux francèses, et s'y conforma jusqu'à y boire le vin sans eau. Quant à boire à l'envi, il n'y fut jamais convié que de courtoisie, et ne l'entreprit jamais [110].

La cherté en la haute Allemaigne est plus grande qu'en France; car à nostre conte [a] l'home et cheval despanse pour le moins par jour un escu au soleil [111]. Les hostes content en premier lieu le repas à quatre, cinq ou six bats [112] par table d'hoste. Ils font un autre article de tout ce qu'on boit avant et après ces deux repas et les moindres colations, de façon que les Alemans partent communéement le matin du logis sans boire. Les services qui se font après le repas et le vin qui s'y emploïe, en quoi va pour eus la principale despance, ils en font un conte avec les colations. A la vérité, à voir la profusion de leurs services et notamment du vin, là-mesmes où il est extremement cher et apporté de païs lointain, je treuve leur cherté excusable. Ils vont eux-mesmes conviant les serviteurs à boire et leur font tenir table deux ou trois heures. Leur vin se sert dans des vaisseaux come grandes cruches, et est un crime de voir un gobelet vuide qu'ils ne remplissent soudein, et jamais de l'eau, non pas à ceus mesmes qui en demandent [113]; s'ils ne sont bien respectés. Ils content [b] après l'avoine des chevaus et puis l'estable qui comptend aussi le foin. Ils ont cela de bon qu'ils demandent quasi du premier mot ce qu'il leur faut, et ne guaigne-t-on guiere à marchander. Ils sont glorieux, choleres et yvrognes; mais ils ne sont, disoit M. de Montaigne, ny trahistres ny voleurs.

Nous partimes delà après des-juner et nous randimes sur les deux heures après midi à

VANGUEN [114], deux lieues, où l'inconvéniant du coffre, qui se blessoit, nous arresta par force. Et fumes contreins

a. Compte. — *b*. Comptent.

de louer une charrete pour le lendemain, à trois escus par jour; le charretier qui avoit quatre chevaus, se nourrissant de là. C'est une petite ville impériale qui n'a jamais voulu recevoir compagnie d'autre religion que catholique, en laquelle se font les faulx, si fameuses qu'on les envoïe vendre jusques en Lorrene.

Il en partit lendemein, qui fut le mercredy au matin 12 octobre, et tourna tout court vers Trante[115] par le chemein le plus droit et ordinere, et nous en vinsmes disner à

ISNE[116], deux lieues, petite ville impériale et très plesammant disposée.

M. de Montaigne, come estoit sa coustume, alla soudein trouver un docteur théologien de ceste ville, pour prendre langue, lequel docteur disna avec eux. Il trouva que tout le peuple estoit lutérien, et vit l'église lutérienne qui a usurpé, comme les autres qu'ils tiennent ès villes impériales, des églises catholiques. Entr'autres propos qu'ils eurent ensamble sur le sacrement, M. de Montaigne s'avisa qu'aucuns calvinistes l'avoient averty en chemein que les Lutériens mesloient aux antiennes opinions de Martin[117] plusieurs erreurs estranges, comme l'ubiquisme, maintenant le corps de Jésus-Christ estre partout com'en l'hostie[118], par où ils tomboient en mesme inconvéniant de Zuingle, quoi que ce fût par diverses voies : l'un par trop espargner la présance du corps, l'autre par la trop prodiguer (car à ce conte le sacrement n'avoit nul priviliege sur le corps de l'Eglise, ou assemblée de trois homes de bien); et que leurs principaux argumans estoient : 1° que la divinité estoit inséparable du corps, parquoi, la divinité estant partout, que le corps l'estoit aussi. Secondement, que Jésus-Christ devant estre tousjours à la dextre du pere, il estoit partout, d'autant que la dextre du père, qui est la puissance, est partout. Ce docteur nioit fort de parolle ceste imputation, et s'en défendoit come d'une calomnie; mais par effect, il semble à M. de Montaigne qu'il ne s'en couvroit guere bien.

Il fit compagnie à M. de Montaigne à aler visiter un monastere très beau et sumptueux[119], où la messe se disoit; et y entra et assista sans tirer le bonnet, jusques à ce que MM. d'Estissac et Montaigne eussent faict leurs oraisons. Ils alarent voir dans une cave de l'abbaïe une pierre longue et ronde, sans autre ouvrage, arrachée, comme il semble, d'un pilier, où, en lettres latines fort visibles ceste inscription est : « que les empereurs Pertinax et Antoninus Verus ont refaict les chemins et les ponts, à unze mille pas de Campidonum [120] », qui est Kempten, où nous alames coucher. Ceste pierre pouvoit estre là comme sur le chemin du rabillage [a]; car ils tiennent que ladite ville d'Isne n'est pas fort antienne. Toutefois ayant reconnu les avenues dudit Kempten d'une part et d'autre, outre qu'il n'y a nul pont, nous ne pouvions reconnetre nul rabillage digne de tels ouvriers. Il y a bien quelques montagnes antrecoupées, mais ce n'est rien de grande manufacture.

KEMPTEN, trois lieues, une ville grande come Sainte-Foy [121], très belle et peuplée et richement logée [b]. Nous fumes à l'Ours, qui est un très beau logis. On nous y servit de grands tasses d'arjant de plus de sortes (qui n'ont usage que d'ornemant, fort labourées [c] et semées d'armoiries de divers seigneurs) qu'il ne s'en tient en guiere de bones maisons. Là se tesmoigna ce que disoit ailleurs M. de Montaigne : que ce qu'ils oblient du nostre c'est qu'ils le méprisent; car aïant grand'foison de vesselle d'estain, escurée com' à Montaigne, ils ne servirent que des assiettes de bois, très polies à la vérité et très belles. Sur les sieges en tous ce païs, ils servent des cussins pour se seoir, et la plupart de leurs planchiers lambrissés sont voutés com'en demy croissant, ce qui leur donne une belle grace. Quant au linge de quoy nous nous pleignions au commencement, onques puis nous n'en eumes faute; et pour mon maistre je n'ay jamais failli à en avoir pour lui en faire des rideaus au lict. Et si une serviette ne lui suffisoit, on lui en changeoit à plusieurs fois.

En ceste ville, il y a tel marchand qui faict traficque de cent mille florins de toiles. M. de Montaigne, au partir de Constance, fût alé à ce canton de Souisse [122], d'où viennent les toiles à toute la crestienté [123], sans ce que, pour revenir à Linde, il y avoit pour quatre ou cinq heures de trajet du lac.

Ceste ville est lutherienne, et ce qu'il y a d'estrange, c'est que, com' à Isne, là aussi l'église catholique y est servie très

a. Dans le voisinage des travaux de réfection qu'elle indique. — *b*. Située. — *c*. Travaillées.

solemnellement : car le lendemein, qui fut jeudy matin, un jour ouvrier, la messe se disoit en l'abbaye hors la ville, com'elle se dict à Nostre Dame de Paris le jour de Pasques, avec musicque et orgues, où il n'y avoit que les religieus. Le peuple, au dehors des villes impériales, n'a pas eu ceste liberté de changer de religion. Ceus-là vont les festes à ce service. C'est une très belle abbaïe. L'abbé la tient en titre de principauté, et lui vaut cinquante mille florins de rante. Il est de la maison d'Estain [124]. Tous les religieux sont de nécessité gentilshommes. Hildegarde, femme de Charlemaigne, la fonda en 783, et y est enterrée et tenue pour sainte; ses os ont été déterrés d'une cave où ils étoient pour être enlevés [a] en une chasse.

Le mesme jeudy matin, M. de Montaigne alla à l'église des luthériens, pareille aus autres de leur secte et huguenotes, sauf qu'à l'endret de l'autel, qui est à la teste de la nef, il y a quelques bancs de bois qui ont des accoudoirs audessus, afin que ceux qui reçoivent leur cène, se puissent mettre à genous, com'ils font. Il y rencontra deux ministres vieus, dont l'un preschoit en allemant à une assistance non guiere grande. Quand il eut achevé, on chanta un psalme en allemant, d'un chant un peu esloigné du nostre. A chaque verset il y avoit des orgues qui y ont esté mises freschement, très belles, qui respondoient en musique; autant de fois que le prescheur nommoit Jésus-Christ, et lui et le peuple tiroient le bonnet. Après le sermon, l'autre ministre s'alla mettre contre cet autel le visage tourné vers le peuple, aïant un livre à la mein, à qui s'alla presenter une jeune fame, la teste nue et les poils [b] espars, qui fit là une petite reverance à la mode du païs, et s'arresta là seule debout. Tantost après un garson, qui estoit un artisan, atout [c] une espée au costé, vint aussi se presenter et se mettre à costé de ceste fame. Le ministre leur dict à tous deux quelques mots à l'oreille, et puis commanda que chacun dit le pate-nostre, et après se mit à lire dans un livre. C'estoient certenes regles pour les gens qui se marient; et les fit toucher à la mein l'un de l'autre sans se baiser.

Cela faict, il s'en vinct, et M. de Montaigne le print; ils devisarent long-tamps ensamble; il mena ledit sieur en sa maison et étude, belle et bien accommodée; il se nome

a. Élevés, dressés. — *b.* Les cheveux. — *c.* Avec.

Johannes Tilianus, Augustanus [125]. Ledit sieur [a] demandoit une confession nouvelle, que les lutheriens ont faite, où tous les docteurs et princes qui la soutiennent sont signés, mais elle n'est pas en latin [126]. Com'ils sortoint de l'eglise, les violons et tabourins sortoint de l'autre costé qui conduisoint les mariés. A la demande qu'on lui fit, s'ils permettoint les danses; il respondit : « Pourquoi non ? ». A cela : pourquoi aux vitres et en ce nouveau batimant d'orgues ils avoint fait peindre Jésus-Christ et force images ? — que ils ne défandoint pas les images pour avertir les hommes, pourveu que l'on ne les adorast pas. A ce : pourquoi donq ils avoint osté les images anciennes des églises ? — que ce n'estoient pas eus, mais que leurs bons disciples les Zuingliens, incités du malin esprit, y estoint passés avant eus, qui avoint fait ce ravage, comme plusieurs autres : qui est ceste mesme response que d'autres de ceste profession avoint faict audit sieur; mesme le docteur d'Isne [127], à qui, quand il demanda s'il haïssoit la figure et l'effigie de la croix, il s'écria soudain : « Comant serois-je si athéiste de haïr ceste figure si heureuse et glorieuse aus chrestiens ! » que c'estoit des opinions diaboliques. Celui-là mesme dict tout détrousséemant [b] en dinant : qu'il aimeroit mieux ouir çant messes, que de participer à la cène de Calvin.

Audict lieu on nous servit des lièvres blancs. La ville est assise sur la riviere d'Isler [128]; nous y disnames ledit jeudy, et nous en vinmes par un chemin montueus et stérile, coucher à

FRIENTEN [129], quatre lieues, petit village catholique, comme tout le reste de ceste contrée, qui est à l'archiduc d'Austriche.

J'avois oblié de dire sur l'article de Linde qu'à l'entrée de la ville il y a un grand mur qui tesmoingne une grande antiquité, où je n'aperçeu rien d'escrit. J'antan que son nom en alemant signifie Vieille Muraille [130], qu'on m'a dict venir de là.

Le vendredy au matin, quoique que ce fût un bien chetif logis, nous n'y laissasmes pas d'y trouver force vivres. Leur coustume est de ne chauffer jamais ny leurs linceuls pour se coucher, ny leurs vestemans pour se lever; et s'offencent si on alume du feu en leur cuisine pour cest

a. Montaigne. — *b*. Tout de go.

effet, ou si on s'y sert de celui qui y est; et est l'une des plus grandes querelles que nous eussions par des logis. Là, mesmes au milieu des montagnes et des forêts, où dix mille pieds de sapin ne coustent pas cinquante sols, ils ne vouloient permettre non plus qu'ailleurs que nous fissions du feu.

Vendredy matin nous en partimes et reprimes à gauche le chemin plus dous, abandonnant le santier des montaignes qui est le droit vers Trante [131]. M. de Montaigne estant d'avis de faire le detour de quelques journées pour voir certaines belles villes d'Allemaigne, et se repentant de quoi, à Vanguen [132], il avoit quitté le dessein d'y aller, qui estoit le sien premier, et avoit pris cest'autre route. En chemin nous rencontrames, come nous avions faict ailleurs en plusieurs lieux, des moulins à eau, qui ne reçoivent l'eau que par une goutiere de bois qui prand l'eau au pied de quelque haussure, et puis eslevée bien haut hors de terre et appuyée, vient degorger sa course, par une pante fort drette qu'on lui donne, au bout de ceste gouttiere, et vinsmes disner à

FRIESSEN [133], une lieue. C'est une petite ville catholique appartenante à l'évesque d'Auguste [134]. Nous y trouvasmes force gens du trein de l'archiduc d'Austriche qui estoit en un chasteau voisin de là [135] avec le duc de Baviere.

Nous mismes là sur la riviere de Lech les coffres, et moi avec d'autres, pour les conduire à Augsbourg sur un floton [a] qu'ils noment; ce sont des pieces de bois jointes ensamble qui s'estandent quand on est à port.

Il y a là une abbaïe; on y montra à messieurs un calice et un'estole qu'on tient en reliquere d'un seint qu'ils noment Magnus, qu'ils disent avoir esté fils du roi d'Escosse et disciple de Colombanus. En faveur de ce Magnus, Pepin fonda ce monastere et l'en fit premier abbé, et y a ce mot escrit au haut de la nef, et au-dessus dudict mot des notes de musique pour lui donner le son : *Comperta virtute beati Magni fama, Pipinus princeps locum quem sanctus incoluit regia largitate donavit* [b]. Charlemagne l'enrichit depuis, comme il est aussi escrit audict monastere.

Après disner, vinsmes les uns et les autres coucher à

a. Radeau. — *b*. « Le roi Pépin, ayant appris par la renommée la vertu du bienheureux *Magnus*, a doté, avec une largesse royale, le lieu que le saint habitait. »

CHONGUEN [136], quatre lieues, petite ville du duc de Baviere, et par conséquent exactement catholique; car ce prince, plus que nul autre en Allemaigne, a maintenu son ressort pur de contagion et s'y opiniastre.

C'est un bon logis à l'Estoile, et de nouvelle cérimonie : on y ranjea les salieres en une table carrée de couin en couin et les chandeliers aux autres couins, et en fit-on une croix à Saint-André. Ils ne servent jamais d'œufs, au moins jusques lors, si ce n'est durs, coupés à quartiers dans des salades qu'ils y ont fort bones et des herbes fort fresches; ils servent du vin nouveau communéement soudein après qu'il est faict; ils battent les bleds dans les granges à mesure qu'ils en ont besoin, et battent le bled du gros bout du fléau.

Le samedy alames disner à

LANSPERGS [137], quatre lieues, petite ville au duc de Baviere, assise sur ladite riviere de Lech, très belle pour sa grandeur, ville, fauxbourg et chateau. Nous y arrivasmes un jour de marché, où il y avoit un grand nombre de peuple, et au milieu d'une fort grande place une fonteine qui élance par cent tuiaus l'eau à une pique de hauteur et l'esparpille d'une façon très artificielle, où on contourne les tuiaus là où l'on veut. Il y a une très belle église. Et à la ville et au fauxbourg qui sont contre-mont, une droite coline, com'est aussi le chasteau.

M. de Montaigne y alla trouver un colliege de jésuites qui y sont fort bien accomodés d'un bastiment tout neuf [138], et sont après bastir une belle église. M. de Montaigne les entretint selon le loisir qu'il en eut. Le comte de Helfestein commande au chasteau. Si quelqu'un songe autre religion que la romene, il faut qu'il se taise.

A la porte qui sépare la ville du fauxbourg, il y a une grande inscription latine de l'an 1552, où ils disent en ces mots que *Senatus populusque* [a] de ceste ville ont basti ce monument à la mémoire de Guillaume et de Louys, frères, ducs *utriusque Boïariæ* [b]. Il y a force autres devises en ce lieu mesme, comme ceste-cy : *Horridum militem esse decet, nec auro cælatum, sed animo et ferro fretum* [c]; et à la teste,

a. « Le sénat et le peuple ». — *b.* « Des deux Bavières ». — *c.* « Il sied qu'un soldat soit rude et non pas couvert d'or ciselé, mais fort de son courage et de son fer ».

cavea stultorum mundus [a]. Et en un autre andret fort apparent des mots extraits de quelque historien latin, de la victoire que le consul Marcellus perdit contre un roi de ceste nation [139] : *Carolami Boïorumque Regis cum Marcello Cos, pugna qua eum vicit*, etc. [b] [139]. Il y a eu plusieurs autres bones devises latines aux portes privées. Ils repeingnent souvent leurs viles, ce qui leur donne un visage tout fleurissant, et à leurs églises. Et com'à point nomé à la faveur de nostre passage, depuis trois ou quatre ans elles estoient quasi toutes renouvelées où nous fusmes; car ils mettent les dates de leur ouvrage. L'horologe de ceste ville, come d'autres plusieurs de ce païs-là, sone les quarts d'heure; et dict-on que celui de Nuremberg sonne les minutes.

Nous en somes partis après disner, par une longue pleine de pascage fort unie, come la pleine de la Bausse, et nous rendismes à

Augsbourg, quatre lieues, qui est estimée la plus belle ville d'Allemaigne [140], come Strasbourg la plus forte.

Le premier apprest étrange, et qui montre leur propreté, ce fut de trouver à nostre logis les degrés de la vis [c] de nostre logis tout couverts de linges, par dessus lesquels il nous falloit marcher, pour ne pas salir les marches de leur vis qu'on venoit de laver et fourbir, come ils font tous les samedis. Nous n'avons jamais aperceu d'araignée, ny de fange en leur logis; en aucuns il y a des rideaux pour estandre au devant de leurs vitres, qui veut. Il ne se trouve guiere de tables aus chambres, si ce n'est celes qu'ils attachent au pié de chaque lict, qui pandent là atout [d] des gons, et se haussent et se baissent, come on veut. Les pieds des licts sont élevés de deux ou trois pieds au dessus du corps du lict, et souvent au niveau du chevet; le bois en est fort beau et labouré [e]; mais nostre noyer surpasse de beaucoup leur sapin. Ils servaient là aussi les assietes d'estein très luisantes, au dessous de celles de bois par dedein; ils metent souvent contre la paroy, à côté des licts, du linge et des rideaus, pour qu'on ne salisse leur muraille en crachant. Les Alemans sont fort

a. « Le monde n'est qu'une cage de fous ». — *b.* « Combat de Carolame (ou Carloman), roi des Boïens, avec le consul Marcellus, où ce dernier fut défait ». — *c.* De l'escalier en spirales. — *d.* Avec. — *e.* Travaillé.

amoureux d'armoiries; car en tous les logis, il en est une miliasse que les passans jantils-hommes du païs y laissent par les parois, et toutes leurs vitres en sont fournies. L'ordre du service y change souvent; ici les ecrevisses furent servies les premieres, qui partout ailleurs se servoint avant l'issue, et d'une grandeur estrange. En plusieurs hosteleries, des grandes, ils servent tout à couvert. Ce qui fait si fort reluire leurs vitres, c'est qu'ils n'ont point de fenestres attachées à nostre mode, et que leurs chassis se remuent quand ils veulent, et fourbissent leurs verrieres fort souvent.

M. de Montaigne, le lendemein qui estoit dimenche matin, fut voir plusieurs eglises, et aux catholicques qui sont en grand nombre, y trouva partout le service fort bien faict. Il y en a six lutheriennes et seize ministres; les deux des six sont usurpées des églises catholiques, les quatre sont basties par eux. Il en vit une ce matin, qui samble une grand'salle de colliege : ny images, ny orgues, ny crois. La muraille chargée de force escris en alemant, des passages de la Bible; deux cheses [a], l'une pour le ministre, et lors il y en avoit un qui preschoit, et au dessous une autre où est celui qui achemine le chant des psalmes. A chaque verset ils attendent que celui là donne le ton au suivant; ils chantent pesle mesle, qui veut, et couvert qui veut. Après cela un ministre qui estoit dans la presse [b], s'en alla à l'autel, où il eut force oresons dans un livre, et à certenes oresons, le peuple se levoit et joingnoit les meins, et au nom de Jésus-Christ faisoit des grandes reverences. Après qu'il eut achevé de lire descouvert, il avoit sur l'autel une serviette, une eguiere et un saucier où il y avoit de l'eau; une femme suivie de douze autres femmes lui présenta un enfant emmailloté, le visage découvert. Le ministre atout ses doigts print trois fois de l'eau dans ce saucier, et les vint lançant sur le visage de l'enfant et disant certenes paroles. Ce faict, deux hommes s'approcherent et chacun d'eus mit deus doigts de la mein droite sur cest enfant : le ministre parla à eus, et ce fut faict.

M. de Montaigne parla à ce ministre en sortant. Ils ne touchent à nul revenu des églises; le Senat en public les païe; il y avoit beaucoup plus de presse [b] en ceste église

a. Chaires. — *b*. Foule.

seule qu'en deux ou trois catholiques. Nous ne vismes nulle belle femme; leurs vestemans sont fort differans les unes des autres. Entre les hommes il est mal-aisé de distinguer les nobles, d'autant que toute façon de gens portent leurs bonnets de velours, et tous des espées au costé.

Nous estions logés à l'enseigne d'un arbre nomé *linde* [a] au païs, joignant le palais des Foulcres [141]. L'un de ceste race mourant quelques anées y a [142], laissa deux millions d'escus de France vaillant à ses héritiers; et ces héritiers, pour prier pour son ame, donnarent aus jesuites qui sont là trente mille florins contans, de quoy ils se sont très bien accommodés [b]. Laditte maison des Foulcres est couverte de cuivre. En general les maisons sont plus belles, grandes et hautes qu'en nulle ville de France, les rues beaucoup plus larges; il [c] l'estime de la grandeur d'Orléans.

Après disner, nous fumes voir escrimer en une sale publicque où il y avoit une grand'presse; et païe-t-on à l'antrée, com'aus bâteleurs, et outre cela les sieges des bancs. Ils y tirarent au pouignard, à l'espée à deux mains, au bâton à deus bouts [143], et au braquemart [144]; nous vimes après des jeus de pris à l'arbaleste et à l'arc, en lieu encore plus magnifique que à Schaffouse.

De là à une porte de la ville par où nous estions entrés, nous vimes que sous le pont où nous estions passés, il coule un grand canal d'eau qui vient du dehors de la ville, et est conduit sur un pont de bois au dessous de celui sur lequel on marche, et au-dessus de la riviere [145] qui court par le fossé de la ville. Ce canal d'eau va bransler certenes roues en grande nombre qui remuent plusieurs pompes, et haussent par deux canaus de plomb l'eau d'une fontene qui est en cest endroit fort basse, en haut d'une tour, cinquante pieds de haut pour le moins. Là elle se verse dans un grand vaisseau de pierre, et de ce vaisseau par plusieurs canaus se ravale en bas, et de-là se distribue par la ville qui est par ce seul moyen toute peuplée de fontenes. Les particuliers qui en veulent un doit pour eus, il leur est permis, en donnant à la ville dix florins de rente ou deux cents florins une fois païés. Il y a quarante ans qu'il se sont ambellis de ce riche ouvrage.

a. « Tilleul ». — *b.* Avec quoi ils se sont bâti une demeure fort commode. — *c.* Montaigne.

Les mariages des catholiques aus luthériens se font ordinairement, et le plus désireus subit les lois de l'autre; il y a mille tels mariages : notre hoste estoit catholique, sa femme luthérienne. Ils nettoient les verres atout[a] une espoussette de poil ammenchée au bout d'un baston; ils disnt qu'il s'y treuve de très baus chevaus à quarente ou cinquante escus.

Le corps de la ville fit cest honneur à messieurs d'Estissac et de Montaigne de leur envoïer presanter, à leur souper, quatorze grands vesseaus pleins de leur vin, qui leur fut offert par sept sergens vestus de livrées, et un honorable officier de ville qu'ils conviarent à souper : car c'est la coustume et aus porteurs on faict donner quelque chose; ce fut un escu qu'ils leur firent donner. L'officier qui souppa avec eus dict à M. de Montaigne, qu'ils estoint trois en la ville ayant charge d'ainsi gratifier les estrangers qui avoint quelque qualité, et qui estoint en ceste cause en souin de sçavoir leurs qualités, pour, suivant cela, observer les ceremonies qui leur sont dues : ils donnent plus de vins aus uns que aus autres. A un duc, l'un des Bourguemaistres en vient presanter : ils nous prindrent pour barons et chevaliers. M. de Montaigne, pour aucunes raisons, avoit voulu qu'on s'y contrefit, et qu'on ne dict pas leurs conditions; et se promena seul tout le long du jour par la ville; il croit que cela mesme servit à les faire honorer davantage. C'est un honneur que toutes les villes d'Allemaigne leur ont faict.

Quand il passa par l'eglise Nostre-Dame, ayant un froit extrême (car les frois commençarent à les picquer au partir de Kempten, et avoint eu jusques lors la plus heureuse saison qu'il est possible), il avoit sans y penser, le mouchoir au nés, estimant aussi qu'einsi seul et très mal accommodé, nul ne se prendroit garde de lui. Quand ils furent plus apprivoisés avec lui, ils lui dirent que les gens de l'église avoint trouvé ceste contenance estrange. Enfin il encourut le vice qu'il fuioit le plus, de se rendre remercable par quelque façon ennemie du goust de ceux qui le voioient; car en tant qu'en lui est il se conforme et range aus modes du lieu où il se treuve; et portoit à Auguste[146] un bonnet fouré par la ville.

Ils disent à Auguste, qu'ils sont exempts non des souris,

a. Avec.

mais des gros rats, de quoy le reste de l'Allemaigne est infecté, et là dessus content force miracle, attribuant ce privilege à l'un de leurs évesques qui est là en terre; et de la terre de sa tumbe, qu'ils vendent à petits lopins comme une noisette, ils disent qu'on peut chasser ceste vermine, en quelque région qu'on la porte.

Le lundi nous fumes voir en l'eglise Nostre-Dame la pompe des noces d'une fille riche de la ville et laide, avec un facteur des Foulcres [147], Vénitian : nous ny vismes nulle belle fame. Les Foulcres qui sont plusieurs, et tous très riches, tiennent les principaux rangs de ceste ville là. Nous vismes aussi deus salles en leur maison : l'une haute, grande, pavée de marbre; l'autre basse, riche de médailles antiques et modernes, avec une chambrette au bout. Ce sont des plus riches pieces que j'aye jamais veues. Nous vismes aussi la danse de cest' assemblée : ce ne furent qu'Allemandes [148] : il les rompent à chaque bout de champ, et ramenent seoir les dames qui sont assises en des bancs qui sont par les costés de la sale, à deus rangs couverts de drap rouge : eus ne se meslent pas à elles. Après avoir fait une petite pose, ils les vont reprendre : ils baisent leurs mains; les dames les reçoivent sans baiser les leurs; et puis leur mettant la mein sous l'aisselle, les embrassent et joignent les joues par le costé, et les dames leur mettent la main droite sur l'espaule. Ils dansent et les entretiennent, tout découvers, et non richement vestus.

Nous vismes d'autres maisons de ces Foulcres en autres endrets de la ville, qui leur est tenue de tant de despenses qu'ils amploïent à l'embellir : ce sont maisons de plaisir pour l'esté. En une nous vismes un horologe qui se remue au mouvement de l'eau qui lui sert de contre-pois. Là même deux grands gardoirs de poissons couvers, de vingt pas en carré, pleins de poisson par tout les quattre costés de chaque gardoir [149]. Il y a plusieurs petits tuiaus, les uns droits, les autres courbés contre-mont : par tous ces tuiaus, l'eau se verse très plesamant dans ces gardoirs, les uns envoiant l'eau de droit fil, les autres s'élançant à la hauteur d'une picque. Entre ces deux gardoirs, il y a place de dix pas de large planchée d'ais; il y a force petites pouintes d'airain qui ne se voient pas. Cependant que les dames sont amusées à voir jouer ce poisson, on ne faict que lacher quelque ressort : soudein toutes ces pouintes élancent de l'eau menue et roide jusques à la teste d'un home, et remplissent les cotillons des dames et leurs cuisses de ceste frecheur. En un autre endroict où il y a un tuyau de fontene plesante, pendant que vous la regardez, qui veut, vous ouvre le passage à des petits tuiaus imperceptibles qui vous jettent de cent lieues l'eau au visage à petits filets, et là il y a ce mot latin : *Quæsisti nugas, nugis gaudeto repertis* [a]. Il y a aussi une voliere de vint pas en carré, de douze ou quinze pieds de haut, fermée partout d'areschal [b] bien noué et entrelassé; au dedans dix ou douze sapins, et une fontene : tout cela est plein d'oiseaus. Nous y vismes des pigeons de Pologne, qu'ils appellent d'Inde, que j'ai veu ailleurs : ils sont gros, et ont le bec comme une perdris. Nous vismes aussi le mesnage d'un jardinier qui prevoyant l'orage des froidures, avoit transporté en une petite logette couverte, force artichaus, chous, létues, epinars, cicorée et autres herbes qu'il avoit cueillées, come pour les manger sur le champ; et leur mettant le pied dans certene terre, esperoit les conserver bones et freches deux ou trois mois. Et de vray, lors il avoit çant artichaus nullement fletris, et si les avoit ceuillis il y avoit plus de six sepmenes. Nous vismes aussi un instrumant de plomb courbe, ouvert de deus costés et percé. Si, l'ayant une fois rempli d'eau, tenant les deux trous en haut, on vient tout soudein et dextrement à le renverser, si que l'un boit dans un vesseau plein d'eau, l'autre dégoutte au dehors [150] : ayant acheminé cest escoulement, il avient pour eviter le vuide, que l'eau ramplit tousjours le canal et dégoutte sans cesse. Les armes des Foulcres, c'est un escu mi-party : à gauche, une flur de lis d'azur en champ d'or; à drete une flur de lis d'or à champ d'azur, que l'empereur Charles V leur a données en les anoblissant.

Nous alames voir des jans qui conduisoient de Venise au duc de Saxe deux autruches; le masle est le plus noir et a le col rouge, la femelle plus grisarde, et pondoit force œufs. Il les menoint à pied, et disent que leurs bestes se lassoint moins qu'eus et leur échapoint tous les coups, mais ils les tiennent attachés par un colier qui les sangle par les reins au-dessus des cuisses, et à un autre au-dessus des espaules, qui entoure

a. « Tu cherchais des bagatelles, en voici : réjouis-toi ». — *b*. Archal, laiton.

tout leur corps, et ont des longues laisses par où ils les arrestent ou contournent à leur poste [a].

Le mardy, par une singuliere courtoisie des seigneurs de la ville, nous fumes voir une fausse porte [b] qui est en ladite ville, par laquelle on reçoit à toutes heures de la nuit quiconque y veut entrer soit à pied, soit à cheval, pourveu qu'il dise son nom, et à qui il a son adresse dans la ville, ou le nom de l'hostellerie qu'il cherche. Deus hommes fideles, gagés de la ville, president à cet' entrée. Les gens de cheval païent deux bats pour entrer, et les gens de pied un. La porte qui respont au dehors, est une porte revestue de fer : à costé, il y a une piece de fer qui tient à une cheine, laquelle piece de fer on tire. Ceste cheine, par un fort long chemein et force detours, respond à la chambre de l'un de ces portiers, qui est fort haute, et bat une clochette. Le portier en chemise, par certein engin qu'il retire et avance, ouvre ceste premiere porte à plus de cent bons pas de sa chambre. Celui qui est entré se trouve dans un pont de quarante pas ou environ, tout couvert, qui est au dessus du fossé de la ville; le long duquel se meuvent les engins qui vont ouvrir ceste premiere porte, laquelle tout soudein est renfermée sur ceux qui sont entrés. Quand ce pont est passé, on se trouve dans une petite place où on parle à ce premier portier, et dict-on son nom et son adresse. Cela oui, cestui-ci, atout [c] une clochette, avertit son compaignon qui est logé un etage au-dessous en ce portal, où il y a grand logis; cestui-ci avec un ressort, qui est en une galerie joignant sa chambre, ouvre en premier lieu une petite barriere de fer, et après, avec une grande roue, hausse le pont levis, sans que de tous ces mouvemans on en puisse rien apercevoir : car ils se conduisent par les pois du mur et des portes, et soudein tout cela se referme avec un grand tintamarre. Après le pont, il s'ouvre une grand'-porte, fort espesse, qui est de bois et renforcée de plusieurs grandes lames de fer. L'estrangier se trouve en une salle, et ne voit en tout son chemin nul à qui parler. Après qu'il est là enfermé, on vient lui ouvrir une autre pareille porte; il entre dans une seconde salle où il y a de la lumiere : là il treuve un vesseau [d] d'airain qui pend en bas par une cheine; il met là l'argent qu'il

a. A leur guise. — *b.* Poterne. — *c.* Avec. — *d.* Vase.

doit pour son passage. Cet arjant se monte à mont [a] par le portier : s'il n'est contant, il le laisse là trenper jusques au lendemein; s'il est satisfait, selon la coustume, il lui ouvre de mesme façon encore une grosse porte pareille aus autres, qui se clot soudein qu'il est passé, et le voilà dans la ville. C'est une des plus artificielles choses qui se puisse voir. La Reine d'Angleterre [151] a envoïé un ambassadeur exprès pour prier la seigneurie de descouvrir l'usage de ces engins : ils disent qu'il l'en refusarent. Sous ce portal, il y a une grande cave à loger cinq cens chevaus à couvert pour recevoir secours, ou envoyer à la guerre sans le sceu du commun de la ville.

Au partir de là, nous allames voir l'église de Sainte-Croix qui est fort belle. Ils font là grand feste du miracle qui avint il y a près de cent ans, qu'une fame n'aïant voulu avaler le corps de Nostre Seigneur, et l'ayant osté de sa bouche et mis dans une boîte enveloppé de cire, se confessa; et trouva-t-on le tout changé en cher [b]. A quoy ils allèguent force tesmoingnages; et ce miracle escrit en plusieurs lieus en latin et en allemant. Ils montrent sous du cristal ceste cire, et puis un petit lopin de rougeur de cher. Cest église est couverte de cuivre, come la maison des Foulcres [152]; et n'est pas cela fort rare. L'église des Luteriens est toute joingnante ceste-cy; com' aussy ailleurs, ils sont logés et se sont bastis, come dans les cloitres des églises catholicques. A la porte de ceste église, ils ont mis l'image de Nostre Dame tenant Jesus-Christ, avec autres saints et des enfants, et ce mot : *Sinite parvulos venire ad me*, etc. [c].

Il y avoit en nostre logis un engin de pieces de fer qui tomboint jusques au fons d'un puis fort profond à deux endrets, et puis par le haut un garçon branslant un certein instrument, en faisant hausser et baisser, deux ou trois pieds de haut, ces pieces de fer, elles alloint batant et pressant l'eau au fond de ce puis l'une après l'autre; et poussant de leurs bombes l'eau, la contreignent de rejaillir par un canal de plomb qui la rend aus cuisines et partout où on en a besoin. Ils ont un blanchisseur gagé à repasser tout soudein ce qu'on a noirci en leurs parois.

a. En haut. — *b.* Chair. — *c.* « Laissez venir à moi les petits enfants. » *Évangile selon saint Luc*, c. 18, v. 16.

On y servoit des pastés et petits et grans, dans des vesseaus [a] de terre de la coleur et entieremant de la forme d'une croute de pasté. Il se passe peu de repas où on ne vous presente des dragées et boîte de confitures; le pain le plus excellant qu'il est possible; les vins bons, qui en ceste nation sont plus souvent blancs; il n'en croit pas autour d'Augsbourg, et les font venir de cinq ou six journées de là. De cent florins que les hostes amploïent en vin, la republique en demande soixante, et moitié moins d'un autre home privé qui n'en achete que pour sa provision. Ils ont encore en plusieurs lieus la coutume de mettre des parfums aus chambres et aus poiles.

La ville estoit premierement toute Zuinglienne. Depuis, les catholicques y estant rapelés, les Luteriens preindrent l'autre place; ils sont à cette heure plus de catholiques en autorité, et beaucoup moins en nombre. M. de Montaigne y visita aussi les jesuites, et trouva de bien sçavans.

Mercredy matin 19 d'octobre, nous y desjeunasmes. M. de Montaigne se plaignoit fort de partir, estant à une journée du Danube sans le voir, et la ville d'Oulm [153], où il passe, et d'un bain à une demie journée au delà qui se nomme Sourbronne [154]. C'est un being en plat païs, d'eau fraiche qu'on échauffe pour s'en servir à boire ou à beigner : ell'a quelque picqure au goust qui la rend agréable à boire, propre aus maus de teste et d'estomac; un being fameux et où on est très magnifiquemant logé par loges fort bien accommodées, comme à Bade, à ce qu'on nous dict : mais le temps de l'hyver se avançoit fort, et puis ce chemin estoit tout au rebours du nostre, et eût fallu revenir encore sur nos pas à Auguste : et M. de Montaigne fuïoit fort de repasser mesme chemin. Je laissai un escusson des armes de M. de Montaigne au devant de la porte du poile où il estoit logé, qui estoit fort bien peint, et me cota deux escus au peintre, et vint solds au menuisier. Elle est beignée de la rivière de Lech, *Lycus*.

Nous passames un très-beau païs et fertile de bleds et vinsmes coucher à

BRONG [155], cinq lieues, gros village en très belle assiete, en la duché de Bavieres, catholicque.

Nous en partîmes lendemein qui fut jeudy 20 d'octobre,

a. Vases.

et après avoir continué une grand'-pleine de bled (car ceste contrée n'a point de vins), et puis une prairie autant que la veue se peut estandre, vinsmes disner à

MUNICH, quatre lieues, grande ville environ come Bourdeaus, principale du duché de Bavieres, où ils [156] ont leur maistresse demeure sur la riviere d'Yser [157], *Ister*. Elle a un beau chasteau et les plus belles écuries que j'aye jamais veues en France ny Italie, voutées, à loger deux cens chevaux [a]. C'est une ville fort catholicque, peuplée, belle et marchande.

Depuis une journée au dessus d'Auguste, on peut faire estat, pour la despense, à quatre livres par jour, homme et cheval, et quarante solds homme de pied, pour le moins. Nous y trouvames des rideaus en nos chambres et pouint de ciels [b] et toutes choses au demourant fort propres. Ils nettoïent leurs planchiers atout de la sieure de bois qu'ils font bouillir. On hache partout en ce païs là des raves et naveaus, avec même soin et presse com'on bat les bleds; sept ou huict hommes ayant en chaque mein des grands couteaux y battent avec mesure dans des vesseaus, come nos treuils [c] : cela sert, come leurs chous cabus, à mettre saler pour l'hiver. Ils remplissent de ces deus fruits là non pas leurs jardins, mais leurs terres aus chans, et en font mestives [d].

Le duc [158] qui y est à presant a epousé la sœur de M. de Lorraine [159], et en a deux enfans males grandets et une fille [160]. Ils sont deux freres en mesme ville [161]; ils estoint allés à la chasse, et dames et tout, le jour que nous y fûmes.

Le vendredy matin nous en partimes, et au travers des forets dudit duc, vismes un nombre infiny de bestes rousses à tropeaux, come moutons, et vinmes d'une trete à

KINIEF [162], chétif petit village, six lieues, en ladite duché.

Les jesuites, qui gouvernent fort en ceste contrée, ont mis un grand mouvemant, et qui les fait haïr du peuple, pour avoir faict forcer les prestres de chasser leurs concubines, sous grandes peines; et à les en veoir pleindre, il

a. C'est une note de Montaigne. *Elle* est un mot ajouté par Meusnier de Querlon. — *b*. Ciels de lit. — *c*. Pressoirs. — *d*. Moissons (mot encore usité dans ce sens par les paysans du S.-O. et de l'O. de la France).

samble qu'antiennemant cela leur fust si toleré qu'ils en usoint comme de chose legitime; et sont encor après à faire là-dessus des remonstrances à leur duc.

Ce sont là les premiers eufs qu'on nous eût servy en Allemaigne en jour de poisson, ou autremant, sinon en des salades, à quartiers. Aussi on nous y servit des gobelets de bois à douilles et cercles, parmi plusieurs d'arjant. La damoiselle d'une maison de genti'home, qui estoit en ce village, envoïa de son vin à M. de Montaigne.

Le samedy bon matin, nous en partimes; et après avoir rancontré à nostre mein droite la riviere Yser [163], et un grand lac au pied des mons de Baviere [164], et avoir monté une petite montaigne d'une heure de chemin [165], au haut de laquelle il y a une inscription qui porte qu'un duc de Baviere avoit faict percer le rocher il y a cent ans ou environ, nous nous engoufframes tout à faict dans le vantre des Alpes, par un chemin aysé et commode et amusément [a] entretenu, le beau temps et serein nous y aidant.

A la descente de ceste petite montaigne, nous rencontrames un très-beau lac d'une lieue de Gascogne de longueur et autant de largeur, tout entourné de très-hautes et inaccessibles montaignes; et suivant toujours ceste route, au bas des mons, rancontrions parfois de petites pleines de prairies très-plesantes, où il y a des demeures; et vinsmes d'une traite coucher à

MITEVAL [166], petit village au duc de Baviere, assez bien logé le long de la riviere d'Yser. On nous y servit les premieres chataignes que on nous avoit servi en Allemaigne, et toutes crues. Il y a là une étuve en l'hostellerie où les passants ont accoutumé de se faire suer, pour un bats et demy. J'y allai cependant que messieurs soupoint. Il y avoit force Allemans qui s'y faisoint corneter [b] et seigner.

Lendemain dimanche matin, 23 d'octobre, nous continuames ce sentier entre les mons, et rencontrames sur icelui une porte et une meison qui ferme le passage [167]. C'est l'antrée du païs de Tirol, qui appartient à l'archiduc d'Austriche; nous vinsmes disner à

SECFELDEN [168], petit village et abbaïe, trois lieues, plesante assiette; l'église y est assez belle, fameuse d'un tel

a. Sans doute faut-il lire *curieusement*. — *b*. Ventouser.

miracle. En 1384, un quidam, qui est nommé ès tenans et aboutissans, ne se voulant contenter, le jour de Pasques, de l'hostie commune, demanda la grande [169], et l'ayant en la bouche, la terre s'entr'ouvrit sous lui, où il fut englouty jusques au col; et s'ampouigna [a] au couin de l'autel; le prestre lui ota cette hostie de la bouche. Ils montrent encore le trou, couvert d'une grille de fer, et l'autel qui a reçeu l'impression des doigts de cest home, et l'hostie qui est toute rougeastre, comme des gouttes de sang. Nous y trouvames aussi un escrit recent, en latin, d'un Tyrolien qui, ayant avalé quelques jours avant un morceau de cher qui lui etoit arreté au gosier, et ne le pouvant avaler ni randre par trois jours, se voua et vint en ceste église où il fut soudein guery.

Au partir de là, nous trouvames en ce haut où nous estions, aucuns beaus villages; et puis estans devalés une descente de demie heure, rencontrames au pied d'icelle une belle bourgade bien logée [b], et au dessus, sur un rocher coupé et qui semble inaccessible, un beau chasteau [170] qui commande le chemin de ceste descente, qui est étroit et entaillé dans le roc; il n'y a de longueur un peu moins qu'il n'en faut à une charrete commune, comme il est bien d'ailleurs en plusieurs lieus entre ces montagnes; en maniere que les charretiers qui s'y embarquent ont accoutumé de retenir [c] les charretes communes d'un pied pour le moins.

Delà nous trouvames un vallon d'une grande longueur, au travers duquel passe la riviere d'Inn, qui va se rendre à Vienne [171] dans le Danube. On l'appelle en latin *Ænus*. Il y a cinq ou six journées par eau d'Insprug jusques à Vienne. Ce vallon sambloit à M. de Montaigne representer le plus agreable païsage qu'il eust jamais veu; tantôt se resserrant, les montaignes venant à se presser, et puis s'eslargissant à cette heure, de nostre costé, qui estions à mein gauche de la riviere, et gaignant du païs à cultiver et à labourer dans la pente mesme des mons qui n'estoint pas si droits; tantost de l'autre part; et puis descouvrant des plaines à deux ou trois etages l'une sur l'autre, et tout plein de belles meisons de gentil'homes et des eglises; et tout cela enfermé et emmuré de tous costés de mons d'une hauteur infinie.

a. S'agrippa avec ses mains. — *b*. Située. — *c*. Peut-être faut-il lire *rétrécir*.

Sur nostre costé nous découvrimes sur une montaigne de rochers [172] un crucifix, en un lieu où il est impossible que nul home soit alé sans artifice de quelques cordes, par où il se soit devalé d'en haut. Ils disent que l'empereur Maximilien, aïeul de Charles V, allant à la chasse, se perdit en ceste montaigne [173], et pour tesmoignage du dangier qu'il avoit echappé, fit planter ceste image. Ceste histoire est aussi peinte en la ville d'Auguste [174], en la salle qui sert aus tireurs d'arbalestes.

Nous nous rendismes au soir à

INSPRUG [175], trois lieues, ville principale du comté de Tirol, *Ænopontum* [176] en latin. Là se tient Fernand [177], archiduc d'Austriche; une très belle petite ville et très bien bastie dans le fond de ce vallon, pleine de fontaines et de ruisseaus, qui est une commodité fort ordinaire aus villes que nous avons veu en Allemagne et Souisse. Les maisons sont quasi toutes batties en forme de terrasse.

Nous logeames à la Rose, très bon logis; on nous y servit des assietes d'etain. Quant aus serviettes à la francèse, nous en avions des-jà eu quelques journées auparavant. Autour des licts il y avoit des rideaux en aucuns; et pour monstrer l'humeur de la nation, ils estoint beaus et riches, d'une certaine forme de toile, coupée et ouverte en ouvrages, courts au demeurant et etroits, some de nul usage pour ce à quoy nous nous en servons, et un petit ciel de trois doigts de large, a tout force houpes. On me donna pour M. de Montaigne des linceuls où il y avoit tout au tour quatre doigts de riche ouvrage de passemant blanc. Comme en la pluspart des autres villes d'Allemaigne, il y a toute la nuict des gens qui crient les heures qui ont sonné, parmi les rues. Partout où nous avons esté ils ont ceste coutume de servir du poisson parmi la chair [a]; mais non pourtant au contraire, aus jours de poisson, mesler de la cher, au moins à nous [178].

Le lundy nous en partismes costoïant ladite riviere d'Inn à notre mein gauche, le long de ceste belle pleine. Nous alames disner à

HALA [179], deux lieues, et fimes ce voïage seulement pour la voir. C'est une petite ville come Insprug [180], de la grandeur de Libourne ou environ, sur ladite riviere, que nous

a. Viande.

repassames sur un pont. C'est delà où se tire le sel qui fournit à toute l'Allemaigne; et s'en faict toutes les sepmeines neuf çans peins à un escu la piece. Ces peins sont de l'epesseur d'un demy muy et quasi de ceste forme; car le vaisseau qui leur sert de moule est de ceste sorte. Cela appartient à l'archiduc; mais la despense en est fort grande. Pour le service de ce sel, je vis là plus de bois ensamble que je n'en vis jamais ailleurs : car sous plusieurs grandes poiles de lames de fer, grandes de trente bons pas en rond, ils font bouillir cest' eau salée, qui vient là de plus de deux grandes lieues, de l'une des montaignes voisines, de quoy se faict leur sel. Il y a plusieurs belles églises, et notamment celles des jesuites, que M. de Montaigne visita, et en fit autant à Insprug; d'autres [a] qui sont magnifiquement logés et accommodés.

Après disner revismes encore ce costé de riviere, d'autant qu'une belle maison [181] où l'archiduc Fernand d'Austriche se tient est en cest endroit, auquel M. de Montaigne vouloit baiser les meins. Et y estoit passé au matin; mais il l'avoit trouvé empesché [b] au conseil, à ce que lui dit un certein comte. Après disner nous y repassames et le trouvames dans un jardin; au moins nous pansames l'avoir entreveu. Si est-ce que ceus qui alarent vers lui pour lui dire que messieurs estoint là et l'occasion, rapportarent qu'il les prioit de l'excuser; mais que le lendemein il seroit plus en commodité; que toutefois, s'ils avoint besouin de sa faveur, ils le fissent entendre à un certein comte milanois. Ceste fredur [c], joint qu'on ne leur permit pas seulemant de voir le chasteau, offença un peu M. de Montaigne; et come il s'en plaignoit ce mesme jour à un officier de la maison, il lui fust respondu que ledit prince avoit respondu qu'il ne voïoit pas volontiers les François et que la maison de France estoit ennemie de la sienne.

Nous revinmes à

INSPROUG, deux lieues. Là nous vismes en une église dix-huit effigies de bronze très belles des princes et princesses de la maison d'Austriche [182].

Nous allasmes aussi assister à une partie du souper du cardinal d'Austriche [183] et du marquis de Burgaut [184], enfants dudit archiduc et d'une concubine, de la ville d'Au-

a. D'autres religieux. — *b*. Retenu, occupé. — *c*. Froideur.

guste [185], fille d'un marchand, de laquelle ayant eu ces deux fils et non autres, il l'espousa pour les légitimer; et ceste mesme année ladite fame est trespassée. Toute la cour en porte encore le dueil. Leur service fut à peu près comme de nos princes; la salle estoit tendue et le dais et les chèses de drap noir. Le cardinal est l'aîné, et crois qu'il n'a pas vingt ans [186]. Le marquis ne boit que du bouché [a], et le cardinal du vin fort meslé [b]. Ils n'ont point de nef [c], mais sont à demourant [d], et le service des viandes à nostre mode. Quand ils viennent à se seoir [e], c'est un peu loing de table, et on la leur approche toute chargée de vivres, le cardinal audessus; car le dessus est tousjours le costé droit.

Nous vismes en ce palais des jeux de paulme et un jardin assez beau. Cest archiduc est grand bastisseur et deviseur de telles commodités. Nous vismes chez lui dix ou douze pieces de campaigne, portant [f] comme un gros œuf d'oïe, montées sur roues, le plus dorées et enrichies qu'il est possible, et les pieces mesmes toutes dorées; elles ne sont que de bois, mais la bouche est couverte d'une lame de fer et tout le dedans doublé de mesme lame; un seul home en peut porter une au col, et leur faict tirer non pas si souvent, mais quasi aussi grands coups que de fonte [g].

Nous vismes en son chasteau, aus champs, deux bœufs d'une grandeur inusitée, tout gris, à la tête blanche, que M. de Ferrare lui a donné; car ledit duc de Ferrare a espousé une de ses seurs, celui de Florance l'autre, celui de Mantoue une autre [187]. Il y en avoit trois à Hala [188], qu'on nommoit les trois Reines [189]; car aus filles de l'empereur on done ces titres là, comme on en appelle d'autres contesses ou duchesses, à cause de leurs terres; et leur donne-t-on le surnom des royaumes que jouit l'empereur. Des trois, les deux sont mortes; la troisiesme y est encore que M. de Montaigne ne fut voir; elle est renfermée come religieuse; et a là recueilli et estably les jesuites.

Ils tiennent là, que ledit archiduc ne peut pas laisser ses biens à ses enfants et qu'ils retournent aus successeurs; mais ils ne nous surent faire entandre la cause, et ce qu'ils disent de la fame, d'autant qu'elle n'estoit point de lignée

a. Du vin bouché (et non pas, comme le croit Lautrey, une boisson faite d'eau, de sucre et de cannelle). — *b.* Mêlé d'eau. — *c.* Long vase contenant le couvert d'un prince. — *d.* A découvert. — *e.* S'asseoir. — *f.* Lançant une balle. — *g.* Que si elles étaient en fonte (en bronze).

convenable, puis qu'il l'épousa, chacun tient qu'elle estoit légitime, et les enfants il n'y a pas d'apparence; tant y a qu'il faict grand amas d'escus pour avoir de quoy leur donner.

Le mardy nous partismes au matin et reprismes nostre chemin, traversant ceste pleine et suivant le santier des montaignes. A une lieue du logis montames une petite montaigne d'une heure de hauteur, par un chemin aysé. A mein gauche nous avions la veue de plusieurs autres montaignes, qui, pour avoir l'inclination[a] plus étendue et plus molle, sont ramplies de villages, d'églises, et la pluspart cultivées jusqu'à la cime, très plesantes à voir pour la diversité et variété des sites. Les noms de main droite étoint un peu plus sauvages et n'y avoit qu'en des endroits rares où il y eût habitation. Nous passames plusieurs ruisseaus ou torrans, aiant les cours divers; et sur nostre chemin, tant au haut qu'au pied de nos montaignes, trouvames force gros bourgs et villages et plusieurs belles hostelleries, et entr'autres choses deus chateaus et mesons de jantils-homes sur nostre main gauche.

Environ quatre lieues d'Insbroug[190], à nostre main droite, sur un chemein fort étroit[191], nous rencontrames un tableau de bronze richement labouré[b], ataché à un rochier avec ceste inscription latine[192] : « Que l'empereur Charles cinquiesme revenant d'Espagne et d'Italie, de recevoir la couronne impériale, et Ferdinand, roi de Hongrie et de Boheme, son frere, venant de Pannonie, s'entrecherchans, après avoir esté huit ans sans se voir, se rencontrarent en cest endroit, l'an 1530, et que Ferdinand ordonna qu'on y fit ce mémoire », où ils sont représantés s'embrassant l'un l'autre. Un peu après, passant audessous d'un portal qui enferme le chemin, nous y trouvames des vers latins faisant mantion du passage dudict empereur et logis en ce lieu là, ayant prins le roi de France[193] et Rome[194].

M. de Montaigne disoit s'agréer fort en ce détroit, pour la diversité des objects qui se presantoint, et n'y trouvions incommodité que de la plus espesse et insupportable poussiere que nous eussions jamais santy, qui nous accompaigna en cest entre-deus des montaignes[195]. Dix heures après M. de Montaigne disoit que c'estoit là l'une de ses tretes. Il est vrai que sa coustume est, soit qu'il aye à arrester en

a. La pente. — *b*. Travaillé.

chemin ou non, de faire manger l'avoine à ses chevaus avant partir au matin du logis.

Nous arrivames [a], et lui, tousjours à jeun, de grand nuict à

STERZINGUEN[196], sept lieues. Petite ville dudit comté de Tirol, assés jolie, audessus de laquelle à un quart de lieue, il y a un beau chasteau neuf.

On nous servit là les peins tout en rond, sur la table, jouins l'un à l'autre. En toute l'Allemaigne, la moustarde se sert liquide et est du goust de la moustarde blanche de France. Le vinaigre est blanc partout. Il ne croit pas du vin en ces montaignes, oui bien du bled en quasi assez grand'abondance pour les habitans; mais on y boit de très bons vins blancs. Il y a une extreme sureté en tous ces passages, et sont extrememant fréquentés de marchands, voituriers et charretiers. Nous y eusmes, au lieu du froid de quoy on decrie ce passage, une chaleur quasi insupportable.

Les femmes de ceste contrée portent des bonnets de drap tout pareils à nos toques, et leurs poils tressés et pandans comme ailleurs. M. de Montaigne, rancontrant une jeune belle garse [b] en un'église, lui demanda si elle ne sçavoit pas parler latin, la prenant pour un escolier. Il y avoit là des rideaus aus licts qui estoint de grosse toile teinte en rouge, mi-partie par le travers de quattre en quattre dois, l'une partie estant de toile pleine, l'autre les filets tirés. Nous n'avons trouvé nulle chambre ny salle, en tout notre voyage d'Allemaigne, qui ne fût lambrissée, estant les planchiers fort bas.

M. de Montaigne eut ceste nuict la colicque deus ou trois heures, bien serré, à ce qu'il dit le lendemein; et ce lendemein à son lever fit une pierre de moienne grosseur, qui se brisa ayséement. Elle estoit jaunastre par le dehors, et brisée, au dedans plus blanchastre. Il s'estoit morfondu [c] le jour auparavant et se trouvoit mal. Il n'avoit eu la colicque depuis celles de Plommieres. Cette-ci lui osta une partie du soupçon en quoy il estoit, que il lui étoit tombé audit Plommieres plus de sable en la vessie qu'il n'en avoit randu, et creignoit qu'il s'y fust arresté là quelque matiere

a. Peut-être faut-il lire : *Dix heures après M. de Montaigne disoit que c'estoit là l'une de ses tretes : il est vrai que sa coustume est, soit qu'il aye à arrester en chemin ou non, de faire manger l'avoine à ses chevaux avant partir au matin du logis*, nous arrivâmes... — *b*. Belle jeune fille. — *c*. Enrhumé.

qui se print et colast; mais voiant qu'il avoit rendu ceste ci, il trouve raisonnable de crère [a] qu'elle se fût attaché aus autres, s'il y en eust eu. Dès le chemin, il se pleignoit de ses reins, qui fut cause, dict-il, qu'il alongea ceste trete, estimant estre plus soulagé à cheval qu'il n'eût esté ailleurs [197]. Il appella en ceste ville le maistre d'école, pour l'entretenir de son latin; mais c'estoit un sot de qui il ne put tirer nulle instruction des choses du païs.

Lendemein, après desjuner, qui fut mercredy 26 d'octobre, nous partimes de là par une plaine de la longueur d'un demy quart de lieu, ayant la rivière d'Eysoc [198] à nostre costé droit. Cest plaine nous dura environ deus lieues, et audessus des montaignes voisines, plusieurs lieus cultivés et habités et souvent entiers [b], dont nous ne pouvions diviner les avenus [c]. Il y a sur ce chemin quattre ou cinq chasteaus. Nous passames après la riviere sur un pont de bois, et la suivimes de l'autre costé. Nous trouvames plusieurs pioniers qui acoutroint les chemins, seulemant parce qu'ils estoint pierreux, environ comme en Perigort. Nous montames après, au travers d'un portal de pierre, sur un haut, où nous trouvames une plaine d'une lieue ou environ; et en decouvrions, de là la riviere, une autre de pareille hauteur; mais toutes deus steriles et pierreuses. Ce qui restoit le long de la riviere au dessous de nous, c'est de très belles prairies.

Nous vinsmes souper d'une traite à

Brixe [199], quatre lieues, très belle petite ville, au travers de laquelle passe cette riviere, sous un pont de bois : c'est un évesché. Nous y vismes deus très belles eglises, et fumes logés à l'Aigle, beau logis. Sa pleine n'est guiere large; mais les montaignes d'autour, mesmes sur nostre mein gauche, s'estandent si mollemant qu'elles se laissent testonner et peigner jusques aux oreilles. Tout se voit ramply de clochiers et de villages bien haut dans la montaigne, et près de la ville, plusieurs belles maisons très plesamment basties et assises.

M. de Montaigne disoit :

« Qu'il s'etoit toute sa vie mesfié du jugemant d'autruy sur le discours des commodités des païs estrangiers, chacun

a. Croire. — *b.* Var. : Souvent *en lieux*. — *c.* Deviner les abords.

ne sçachant gouster que selon l'ordonnance de sa coutume et de l'usage de son village; et avoit faict fort peu d'estat des avertissemans que les voiageurs lui donnoint : mais en ce lieu, il s'esmerveilloit encore plus de leur bestise, aïant et notament en ce voïage, ouï dire que l'entredeus des Alpes en cest endroit estoit plein de difficultés, les meurs des homes estranges, chemins inaccessibles, logis sauvages, l'air insuportable. Quant à l'air, il remercioit Dieu de l'avoir trouvé si dous, car il inclinoit plutost sur trop de chaud que de froid; et en tout ce voïage, jusques lors, n'avions eu que trois jours de froid, et de pluie environ une heure; mais que du demousrant s'il avoit à promener sa fille [200], qui n'a que huit ans, il l'aimeroit autant en ce chemin qu'en allée de son jardin; et quant aus logis, il ne vit jamais contrée où ils fussent si drus semés et si baus, aïant tous-jours logé dans belles villes bien fournies de vivre, de vins, et à meilleure raison [a] qu'ailleurs. »

Il y avoit là une façon de tourner la broche qui estoit d'un engin à plusieur roues, où montoit à force une corde autour d'un gros vesseau de fer. Elle, venant à se débander, on arrestoit son reculement, en maniere que ce mouvement duroit près d'une heure, et lors il le falloit remonter : quant au vent de la fumée, nous en avions veu plusieurs.

Ils ont si grande abondance de fer qu'outre ce que toutes les fenestres sont grillées et de diverses façons, leurs portes, mesmes les contrefenestres [b] sont couvertes de lames de fer. Nous retrouvames là des vignes, de quoy nous avions perdu la vue avant Auguste [201]. Icy autour, la pluspart des maisons sont voutées à tous les etages; et ce qu'on ne sçait pas faire en France, de se servir de tuile creux à couvrir des pantes fort étroites, ils le font en Allemaigne, voire et des clochiers. Leur tuile est plus petit et plus creux, et en aucuns lieus platré sur la jouinture.

Nous partimes de Brixe lendemein matin, et rencontrames ceste mesme vallée fort ouverte, et les costeaux la pluspart du chemin enrichis de plusieurs belles maisons. Aïant la riviere d'Eysoc [202] sur notre mein gauche, passames au travers une petite villette, où il y a plusieurs artisans de toutes sortes, nommée Clause [203], de là vinsmes disner à

COLMAN [204], trois lieues, petit village où l'archiduc a

a. A meilleur compte. — *b.* Contrevents.

une maison de plaisir. Là on nous servit des gobelets de terre peinte parmy ceus d'argent, et y lavoit-on les verres avec du sel blanc; et le premier service fut d'une poile bien nette, qu'ils mirent sur la table a tout un petit instrument de fer, pour l'appuyer et lui hausser la quë. Dans ceste poile, il y avoit des œufs pochés au beurre.

Au partir de là, le chemin nous serra un peu, et aucuns rochers nous pressoint de façon que le chemin se trouvoit estroit pour nous et la rivierre, ensamble nous estions en danger de chocquer, si on n'avoit mis entr'elle et les passans une barriere de muraille, qui dure en divers endroits plus d'une lieue d'Allemaigne. Quoyque la pluspart des montaignes qui nous touchoint là soint des rochiers sauvages, les uns massifs, les autres crevassés et interrompus par l'écoulement des torrens, et autres escailleus qui envoyent au bas pieces infinies d'une etrange grandeur, je crois qu'il y faict dangereux en tems de grande tourmente, comme ailleurs. Nous avons aussi veu des forets entieres de sapins, arrachées de leur pied et amportans avec leur cheute des petites montaignes de terre, tenant à leurs racines. Si est-ce que le païs est si peuplé, qu'au-dessus de ces premieres montaignes nous en voyions d'autres plus hautes cultivées et logées, et avons aprins qu'il y a audessus des grandes et belles plaines qui fournissent de bled aus villes d'au-dessous, et des très riches laboureurs et des belles meisons. Nous passames la riviere sur un pont de bois, de quoy il y en a plusieurs, et la mismes à nostre mein gauche. Nous descouvrimes, entr'autres, un chasteau a une hauteur de montaigne la plus eminente et inaccessible qui se presentast à nostre veue, qu'on dict être à un baron du païs, qui s'y tient et qui a là haut un beau païs et belles chasses. Audelà de toutes ces montaignes, il y en a tous-jours une bordure des Alpes : celles-là, on les laisse en paix. Et brident l'issue de ce detroit, de façon qu'il faut tous-jours revenir à nostre canal et ressortir par l'un des bouts. L'archiduc tire de ce comté de Tirol, duquel tout le revenu consiste en ces montaignes, trois çans mille florins par an; et a mieus de quoi de là, que du reste de tout son bien.

Nous passames sur un pont de pierre, et nous rendismes de bonne heure à

BOLZAN[205], quatre lieues, ville de la grandeur de

Libourne, sur ladite riviere, assez mal plesante au pris des autres d'Allemaigne; de façon que M. de Montaigne s'écria « qu'il connoissoit bien qu'il commançoit à quitter l'Allemaigne : » les rues plus estroites, et point de belle place publicque. Il y restoit encore fontaines, ruisseaus, peintures, et verrières.

Il y a là si grande abondance de vins qu'ils en fournissent toute l'Allemaigne. Le meilleur pain du monde se mange le long de ces montaignes. Nous y vismes l'eglise qui est des belles. Entre autres, il y a des orgues de bois; elles sont hautes, près le crucifix, devant le grand autel; et si [a] celui qui les sonne se tient plus de douze pieds plus bas au pied du pilier où elles sont attachées; et les soufflets sont audelà le mur de l'église, plus de quinze pieds derriere l'organiste, et lui fournissent leur vent par dessous terre. L'ouverture où est cette ville n'est guiere plus grande que ce qu'il lui faut pour se loger; mais les montaignes mesmes sur notre main droite, estandent un peu leur vantre et l'alongent.

De ce lieu M. de Montaigne escrivit à François Hottoman, qu'il avoit veu à Basle [206] : « Qu'il avoit pris si grand plaisir à la visitation d'Allemaigne, qu'il l'abandonnoit à grand regret, quoyque ce fût en Italie qu'il alloit; que les etrangiers avoint à y souffrir come ailleurs de l'exacion des hostes, mais qu'il pensoit que cela se pourroit corriger, qui ne seroit pas à la mercy des guides et truchemans qui les vandent et participent à ce profit. Tout le demourant lui sembloit plein de commodité et de courtoisie, et surtout de justice et de sûreté ».

Nous partimes de Bolzan le vendredy bon matin, et vinmes donner une mesure d'avoine et desjûner à

Brounsol [207], deux lieues, petit village audessus duquel la riviere d'Eysoc [208], qui nous avoit conduit jusques-là, se vient mesler à celle d'Adisse [209], qui court jusqu'à la mer Adriatique, et court large et paisible, non plus à la mode de celles que nous avions rencontré parmy ces montaignes, audessus bruiantes et furieuses. Aussi ceste pleine, jusques à Trante [210], commance de s'elargir un peu, et les montaignes à baisser un peu les cornes en quelques endrets; si est-ce qu'elles sont moins fertiles par leurs flancs que les précédentes. Il y a quelques marets en ce

a. Et pourtant.

vallon qui serrent le chemin, le reste très aysé et quasi tous-jours dans le fons et plein.

Au partir de Brounsol, à deux lieues, nous rencontrames un gros bourg[211] où il y avoit fort grande affluence de peuple à cause d'une foire. Delà un autre village bien basti, nomé Solorme[212], où l'archiduc a un petit chasteau, à nostre mein gauche, en étrange assiette, à la teste d'un rochier.

Nous en vinsmes coucher à

TRANTE[213], cinq lieues, ville un peu plus grande que Aagen[214], non guieres plesante, et ayant du tout perdu les graces des villes d'Allemaigne : les rues la pluspart etroites et tortues.

Environ deux lieues avant que d'y arriver, nous estions entrés au langage italien. Ceste ville est my-partie[a] en ces deux langues; et y a un quartier de ville et eglise qu'on nome des Alemans[215], et un precheur de leur langue. Quant aux nouvelles religions, il ne s'en parle plus depuis Auguste[216]. Elle est assise sur cete riviere d'Adisse[217]. Nous y vismes le dome, qui semble estre un batimant fort antique[218]; et bien près de là, il y a une tour quarrée[219], qui tesmoingue une grande antiquité. Nous vismes l'église nouvelle, Notre-Dame, où se tenoit notre concile[220]. Il y a en ceste eglise des orgues qu'un home privé y a données, d'une beauté excellente, soublevées en un batiment de marbre[221], ouvré et labouré[b] de plusieurs excellentes statues, et notamment de certains petits enfans qui chantent[222]. Ceste eglise fut batie, com'elle dict, par Bernardus Clesius, Cardinalis, l'an 1520, qui estoit evesque de ceste ville et natif de ce mesme lieu[223]. C'estoit une ville libre et sous la charge et empire de l'evesque. Depuis, à une nécessité de guerre contre les Vénitiens[224], ils apelarent le comte de Tirol à leurs secours, en récompense de quoy il a retenu certaine authorité et droit sur leur ville[225]. L'évesque et luy contestent, mais l'evesque jouit, qui est pour le presant le cardinal Madruccio.

M. de Montaigne disoit : « qu'il avoit remarqué des citoyens qui ont obligé les villes de leurs naissances, en chemin, les Foulcres[226] à Auguste[227], ausquels est deu la pluspart de l'ambellissemant de cete ville, car ils ont

a. Partagée. — *b.* Orné.

rempli de leurs palais tous les carrefours, et les eglises de plusieurs ouvrages, et ce cardinal Clesius : car outre ceste esglise et plusieurs rues qu'il redressa à ses despens, il fit un très beau batimant au chasteau de la ville [228] ». Ce n'est pas au dehors grand chose, mais audedans c'est le mieus meublé et peint et enrichi et plus logeable qu'il est possible de voir. Tous les lambris dans le fons ont force riches peintures et devises; la bosse fort dorée et labourée [a]; le planchier [b] de certaine terre, durcie et peinte comme marbre, en partie accommodé à nostre mode, en partie à l'allemande, avec des poiles. Il y en a un entr'autres faict de terre brunie d'airein, faict à plusieurs grands personnages, qui reçoivent le feu en leurs mambres, et un ou deus d'iceus près d'un mur, rendent l'eau qui vient de la fontene de la court fort basse audessous : c'est une belle piece. Nous y vismes aussi, parmy les autres peintures du planchier, un triomphe nocturne aux flambeaus [229], que M. de Montaigne admira fort. Il y a deux ou trois chambres rondes; en l'une, il y a une inscription que « ce Clesius, l'an 1530, estant envoyé, au couronnemant de l'empereur Charles V qui fut faict par le pape Clemant VII, le jour de Sainct Mathias, ambassadeur de la part de Ferdinand, roi de Hongrie et Boëme, comte de Tirol, frère dudit empereur, lui estant evesque de Trante, il fut faict cardinal »; et a faict mettre autour de la chambre et pendre contre le mur les armes et noms des gentilshommes qui l'accompagnarent à ce voïage, environ cinquante, tous vassaus de cest evesché, et comtes ou barons [230]. Il y a aussi une trappe en l'une des dites chambres, par où il pouvoit se couler en la ville, sans ses portes. Il y a aussi deux riches cheminées. C'estoit un bon cardinal. Les Foulcres [231] ont bati, mais pour le service de leur postérité [232]; celui-ci pour le public : car il y a laissé ce chasteau meublé de mieux de cent mille escus de meubles, qui y sont encore, aus evesques successeurs; et en la bourse publicque des evesques suivans, çant cinquante mille talers [233] en argent contant, de quoy jouissent sans interest du principal; et si [c] ont laissé son eglise Nostre-Dame imparfaicte [d], et lui assez chetisvement enterré. Il y a entr'autres choses plusieurs tableaus au naturel et force Cartes. Les évesques suivans

a. Travaillée, ornée. — *b*. Le plafond. — *c*. Et pourtant. — *d*. Inachevée.

ne se servent d'autres meubles en ce chasteau, et en a pour les deux sesons d'hiver et d'esté, et ne se peuvent aliener.

Nous sommes à cette heure aux mille d'Italie, desquels cinq mille reviennent à un mille d'Allemaigne; et on conte vingt-quatre heures-faict partout [a], sans les mi partir [234]. Nous logeames à la Rose, bon logis.

Nous partimes de Trante, samedy après disner, et suivimes un pareil chemin dans cette vallée eslargie et flanquée de hautes montaignes inhabitées, aiant laditte riviere d'Adisse [235] à nostre mein droite. Nous y passames un chasteau de l'archiduc qui couvre le chemin, comme nous avons trouvé ailleurs plusieurs pareilles clostures qui tiennent les chemins sujects et fermés; et arrivames qu'il estoit desjà fort tard (et n'avions encore que jusques lors tasté de serein, tant nous conduisions regléement nostre voïage) à

ROVERE[236], quinze milles, ville appartenant audict archiduc.

Nous retrouvâmes là, quant au logis, nos formes; et y trouvames à dire, non-sulement la netteté des chambres et meubles d'Allemaigne et leurs vitres, mais encore leurs poëles; à quoi M. de Montaigne trouvoit beaucoup plus d'aisance qu'aus cheminées. Quant aus vivres, les écrevisses nous y faillirent; ce que M. de Montaigne remerquoit, pour grand' merveille, leur en avoir esté servi tous les repas depuis Plommieres, et près de deux cens lieues de païs. Ils mangent là, et le long de ces montaignes, fort ordinairement des escargots beaucoup plus grands et gras qu'en France, et non de si bon goust. Ils y mangent aussi des truffes qu'ils pelent et puis les mettent à petites leches [b] à huile et au vinaigre, qui ne sont pas mauvaises. A Trente on en servit qui estoint gardées un an. De nouveau, et pour le goust de M. de Montaigne, nous y trouvames force oranges, citrons et olives. Aus licts, des rideaux découpés, soit de toile ou de cadis [c], à grandes bandes, et ratachés de louin en louin. M. de Montaigne regrettoit aussi ces licts qui se mettent pour couverture en Allemaigne. Ce ne sont pas licts tels que les notres, mais de duvet fort délicat, enfermé dans de la futaine bien blanche, aus

a. VAR. : *par jour.* — *b. Lèches* ou *laiches :* petites tranches minces (terme dialectal usité encore dans le S.-O. et dans l'O. de la France). — *c.* Serge de laine grossière.

bon logis. Ceus de dessous en Allemaigne mesme ne sont pas de ceste façon, et ne s'en peut-on servir à couverture sans incommodité.

Je croy à la vérité que, s'il eut été sul avec les siens, il fut allé plustost à Cracovie ou vers la Grèce par terre, que de prendre le tour vers l'Italie; mais le plaisir qu'il prenoit à visiter les païs inconnus, lequel il trouvoit si dous que d'en oublier la foiblesse de son aage et de sa santé, il ne le pouvoit imprimer à nul de la troupe, chacun ne demandant que la retraite. Là où il avoit accoutumé de dire « après avoir passé une nuict inquiette, quand au matin il venoit à se souvenir qu'il avoit à voir ou une ville ou une contrée, il se levoit avec desir et allegresse ». Je ne le vis jamais las ny moins se plaingnant de ses douleurs, ayant l'esprit, et par le chemin et en logis, si tendu à ce qu'il rencontroit et recherchant toutes occasions d'entretenir les etrangiers, que je crois que cela amusoit son mal.

Quand on se pleingnoit à luy de ce qu'il conduisoit souvent la troupe par chemins divers et contrées, revenant souvent bien près d'où il étoit party ce qu'il faisoit, ou recevant l'advertissement de quelque chose digne de voir, ou changeant d'avis selon les occasions, il respondoit : « qu'il n'aloit, quant à luy, en nul lieu que là où il se trouvoit, et qu'il ne pouvoit faillir ny tordre sa voïe, n'aïant nul project que de se promener par des lieux inconnus; et pourveu qu'on ne le revit pas retumber sur mesme voie et revoir deus fois mesme lieu, qu'il ne faisoit nulle faute à son dessein. Et quant à Rome, où les autres visoint, il la desiroit d'autant moins voir que les autres lieus, qu'elle estoit connue d'un chacun et qu'il n'avoit [a] laquais qui ne leur peust dire nouvelles de Florence et de Ferrare ». Il disoit aussi : « qu'il lui sembloit estre à mesmes [b] ceus qui lisent quelque plaisant conte, d'où il leur prent creinte qu'il vieigne bientost à finir, ou un beau livre; lui de mesme prenoit si grand plesir à voïager à son aise, s'il pouvoit se randre seul [237] ».

Le dimanche au matin, aïant envie de reconnoitre le lac de Garde, qui est fameus en ce païs là et d'où il vient fort excellent poisson, il loua trois chevaus pour lui et les seigneurs de Caselis et de Mattecoulon, à vingt B.[c] la

a. Il n'y avait. — *b*. Comme. — *c*. B : batz. Le batz valait de 13 à 17 cent.

piece; et M. d'Estissac en loua deux autres pour lui et le sieur du Hautoy, et, sans aucun serviteur, laissant leurs chevaus en ce logis (à Rovere) pour ce jour, ils s'en allarent disner à

TORBOLÉ [238], huict milles, petit village de la jurisdiction de Tirol. Il est assis à la teste de ce grand-lac. A l'autre costé de ceste teste, il y a une villette et un chasteau nomé la Riva [239], là où ils se firent porter sur le lac, qui est cinq milles aller et autant à revenir; et firent le chemin avec cinq tireux [a] en trois heures ou environ. Ils ne virent rien audit la Riva que une tour qui semble estre fort ancienne [240], et par rencontre, le seigneur du lieu, qui est le seigneur Hortimato Madruccio, frère du cardinal, pour cest heure, evesque de Trante [241]. Le prospect [b] du lac contre bas est infini, car il a trente cinq milles de long. La largeur et tout ce qu'ils en pouvoint decouvrir n'estoit que desdits cinq milles. Ceste teste est au comté de Tirol, mais tout le bas d'une part et d'autre, à la seigneurie de Venise, où il y a force belles eglises et tout plein de beaus parcs d'oliviers, orangiers, et autres tels fruitiers. C'est un lac suject à une extreme et furieuse agitation quand il y a orage. L'environ du lac ce sont montaignes plus rechignées et seches que nulles autres du chemin que nous eussions vues, à ce que lesdits sieurs raportoint; ajoutant qu'au partir de Rovere ils avoint passé la riviere d'Adisse [242] et laissé à mein gauche le chemin de Verone, et estoint antrés en un fons où ils avoint trouvé un fort long village et une petite villette; que c'estoit le plus aspre chemin qu'ils eussent veu, et le prospect le plus farouche, à cause de ces montaignes qui ampeschoient ce chemin.

Au partir de Torbolé revindrent souper à

ROVERE [243], huit milles. Là ils mirent leurs bahus [c] sur de ces zattes [d], qu'on appeloit flottes en Allemaigne, pour les conduire à Verone sur laditte riviere d'Adisse, pour un fleurin [e], et j'eus la charge landemein de ceste conduite. On nous y servit à soupper des œufs pochés pour le premier service, et un brochet, parmi grand foison de toute espèce de cher.

a. Tireurs (d'aviron). — *b*. Perspective. — *c*. Coffres. — *d*. Radeaux, trains de bois. — *e*. Florin.

Landemein, qui fut lundy matin, ils en partirent grand matin; et suivant ceste vallée assés peuplée, mais guieres fertile et flanquée de hauts monts escailleus et secs, ils vindrent disner à

BOURGUET [244], quinze milles, qui est encore du comté de Tirol; ce comté est fort grand. A ce conte [a], M. de Montaigne s'informant si c'estoit autre chose que ceste vallée que nous avions passée, et le haut des montaignes qui s'estoient presentées à nous, il lui fut respondu : « qu'il y avoit plusieurs tels entre-deus de montaignes aussi grands et fertiles, et autres belles villes, et que c'estoit comm'une robe que nous ne voyons que plissée; mais que si elle estoit espandue ce seroit un fort grand pays que le Tyrol ». Nous avions tousjours la riviere à nostre mein droite.

Delà, partant après disner, suivimes mesme sorte de chemin jusques à Chiusa, qui est un petit fort que les Vénitiens ont gaigné, dans le creus d'un rocher sur ceste riviere d'Adisse [245], du long duquel nous descendismes par une pente roide de roc massif, où les chevaus assurent mal-ayséement leurs pas, et au travers dudict fort, où l'Estat de Venise, dans la juridiction duquel nous étions entrés un ou deux milles après estre sortis du Bourguet, entretient vingt-cinq soldats.

Ils vinrent coucher à

VOLARNE [246], douze milles, petit village et miserable logis, comme sont tous ceux de ce chemin jusques à Verone. Là, du chasteau du lieu, une damoiselle, fille, sœur du seigneur absent, envoya du vin à M. de Montaigne.

Lendemein matin, ils perdirent du tout les montaignes à mein droite, et laissaient louin à costé de leur mein gauche des collines qui s'entre-tenoint. Ils suivirent long-temps une plaine stérile, et puis approchant de ladite riviere, un peu meilleur et fertile de vignes juchées sur des arbres, comme elles sont en ce païs là; et arrivarent le jour de Tousseints, avant la messe, à

VERONE, douze milles, ville de la grandeur de Poitiers, et ayant einsin [b] une cloture [c] vaste sur ladite riviere d'Adisse qui la traverse, et sur laquelle elle'a trois ponts.

a. Compte. — *b.* De même. — *c.* Un quai.

Je m'y rendis aussi avec mes bahus. Sans les *boletes de la Sanità* [a], que ils avoint prinses à Trante et confirmées à Rovere, ils ne fussent pas entrés en la ville, et si n'estoit nul bruit de dangier de peste; mais c'est par coutume, ou pour friponner quelque quatrin [247] qu'elles coutent.

Nous fûmes voir le dome où il (Montaigne) trouvoit la contenance des hommes étrange, un tel jour, à la grand messe; ils devisoint au chœur mesmes de l'eglise, couverts, debout, le dos tourné vers l'autel, et ne faisant contenance de penser au service que lors de l'elevation. Il y avoit des orgues et des violons qui les accompagnoint à la messe. Nous vismes aussi d'autres églises, où il n'y avoit rien de singulier, ny, entre autres choses, en ornemant et beauté des femmes.

Ils furent, entre autres, en l'eglise Saint-George [248], où les Allemans ont force tesmoignages d'y avoir esté, et plusieurs ecussons. Il y a, entre autres, une inscription, portant que certains gentilshomes allemans, aiant accompaigné l'empereur Maximilien à prandre Verone sur les Venitians [249], ont là mis je ne sçay quel ouvrage [250] sur un autel. Il (Montaigne) remerquoit cela, que ceste seigneurie meintient en sa ville les tesmoingnages de ses pertes; come aussi elle meintient en son entier les braves sepultures des pauvres seigneurs de l'Escale [251]. Il est vray que nostre hoste du Chevalet, qui est un très bon logis, où nous fumes superfluemant traités de vivres au conte [b] d'un quart plus qu'en France, jouit pour sa race de l'une de ces tumbes [252]. Nous y vismes le chasteau [253] où ils [c] furent conduits partout par le lieutenant du castellan [d]. La seigneurie y entretient soixante soldats; plus, à ce qu'on lui [e] dit là mesmes, contre ceux de la ville, contre les etrangiers.

Nous vîmes aussi une religion [f] de moines, qui se nomment Jésuates de Saint Jerosme [254]. Ils ne sont pas prestres ni ne disent la messe ou preschent, et sont la pluspart ignorans; et font estat d'estre excellans distillateurs d'eau nafes [g] et pareilles eaux [255]. Et là et ailleurs ils sont vestus de blanc, et petites berretes [h] blanches, une robe

a. « Bulletins de santé. » — *b.* Au compte, au prix. — *c.* Montaigne et sa compagnie. — *d.* Gouverneur du château. — *e.* A Montaigne. — *f.* Un couvent. — *g.* Eau de naffe (eau de fleurs d'oranger distillées). — *h.* Barrettes, calottes.

enfumée par dessus; force beaus jeunes hommes. Leur eglise fort bien accommodée, et leurs refectoere, où leur table estoit des-jà couverte pour souper. Ils virent là certenes vieilles masures très antiennes du temps des Romains, qu'ils disent avoir esté un amphitheatre, et les raprisent [a] avec autres pieces qui se découvrent audessous. Au retour de là, nous trouvames qu'ils nous avoint parfumé leurs cloitres et nous firent antrer en un cabinet plein de fioles; et de vesseaus de terre, et nous y parfumarent. Ce que nous y vismes de plus beau et qu'il disoit estre le plus beau batimant qu'il eut veu en sa vie, ce fut un lieu qu'ils appellent l'Arena [256]. C'est un amphitéatre en ovale, qui se voit quasi tout entier, tous les sieges, toutes les vôtes [b] et circonférance, sauf la plus extreme de dehors : somme qu'il y en a assez de reste pour decouvrir au vif la forme et service de ces batimans. La seigneurie y fait employer quelques amandes des criminels, et en refaict quelque lopin; mais c'est bien loin de ce qu'il faudroit à la remettre en son antier; et doute fort que toute la ville vaille ce rabillage. Il est en forme ovale; il y a quarante-trois degrés de rangs [c], d'un pied ou plus de haut chacun, et environ six cens pas de rondeur en son haut. Les gentilshommes du païs s'en servent encore pour y courre aux joutes et autres plesirs publiques.

Nous vismes aussi les Juifs, et il (Montaigne) fut en leur sinagogue et les entretint fort de leurs cerimonies. Il y a des places bien belles et beaus marchés. Du chasteau, qui est en haut, nous découvrions dans la pleine Mantoue qui est à vingt milles à mein droite de nostre chemin. Ils n'ont pas faute d'inscriptions; car il n'y a rabillage de petite goutiere où ils ne facent mettre, et en la ville et sur les chemins, le nom du Podesta [257], et de l'artisan [258]. Ils ont de commun avec les Allemans qu'ils ont tous des armoiries, tant marchans qu'autres; et en Allemaigne, non les villes sulemant, mais la pluspart des bourgs ont certaines armes propres.

Nous partimes de Verone, et vismes, en sortant, l'eglise de Nostre-Dame des miracles, qui est fameuse de plusieurs accidens étranges, en considération desquels on la rebastit de neuf, d'une très belle figure ronde [259]. Les clochiers

a. Reprisent, rapiècent. — *b*. Voûtes. — *c*. De rang, de suite.

de là sont couverts en plusieurs lieus de brique couchée de travers. Nous passames une longue plaine de diverse façon, tantost fertile, tantost autre, ayant les montaignes bien louin à nostre mein gauche, et aucunes à droite, et vinsmes, d'une traite souper à

VINCENZA [260], trante milles. C'est une grande ville, un peu moins que Verone, où y a tout plein de palais de noblesse [261].

Nous y vismes lendemain plusieurs eglises, et la foire qui y tenoit lors; en une grande place, plusieurs boutiques qui se batissent de bois sur le champ pour cest effect.

Nous y vismes aussi des jesuates qui y ont un beau monastere ; et vismes leur boutique d'eaus, de quoy ils font boutique et vente publicque; et en eusmes deus [a] de senteur pour un escu : car ils en font des medicinales pour toutes maladies. Leur fondateur est P. Urb. [262] S. Jan Colombini, gentilhome sienois, qui le fonda l'an 1367. Le cardinal de Pelneo [263] est pour ceste heure leur protecteur. Ils n'ont des monasteres qu'en Italie, et y en ont trente. Ils ont une très belle habitation. Ils se foitent, disent-ils, tous les jours : chacun a ses chenettes en sa place de leur oratoire, où ils prient Dieu sans vois [264], et y sont ensamble à certeines heures.

Les vins vieus failloient déjà lors, qui me metoit en peine à cause de sa colique [265], de boire ces vins troubles, autremant bons toutefois. Ceux d'Allemaigne se faisoient regretter, quoy qu'ils soint pour la pluspart aromatisés, et ayent diverses santeurs qu'ils prennent à friandis, mesmes de la sauge; et l'apelent vin de sauge, qui n'est pas mauvais, quand on y est accoutumé; car il est au demûrant bon et genereus.

Delà nous partimes jûdy après disner, et par un chemin très uni, large, droit, fossoyé de deus pars, et un peu relevé, aïant de toutes pars un terroir très fertile, les montaignes comme de coutume, de loin à nostre veuë, vinmes coucher à

PADOUE, dix-huit milles.

Les hostelleries n'ont nulle comparaison en nulle sorte de traitemant à ceux [b] d'Allemaigne. Il est vrai qu'ils sont

a. Deux [flacons]. — *b.* Aux logis.

moins chers d'un tiers et approchent fort du point de France.

Elle est bien fort vaste, et à mon avis a sa cloture [a] de la grandeur de Bordeaus pour le moins. Les rues estroites et laides, fort peu peuplées, peu de belles maisons; son assiette fort plaisante dans une pleine descouverte bien loin tout au tour. Nous y fusmes tout le lendemain et vismes les escoles d'escrime, du bal, de monter à cheval, où il y avoit plus de cens gentilshomes françois; ce que M. de Montaigne contoit à grand incommodité pour les jeunes hommes de notre païs qui y vont, d'autant que ceste société les acoustume aus meurs et langage de leur nation, et leur oste le moïen d'acquerir des connoissances étrangeres. L'eglise Saint-Anthoine lui samble belle; la voute n'est pas d'un tenant, mais de plusieurs enfonçures en dome. Il y a beaucoup de rares sculptures de marbre et de bronse. Il y regarda de bon œil le visage du cardinal Bembo [266] qui montre la douceur de ses mœurs et je ne sçay quoy de la gentillesse de son esprit. Il y a une salle, la plus grande, sans pilliers, que j'aïe jamais veue [267] où se tient leur justice; et à l'un bout est la teste de Titus Livius [268] maigre, rapportant [b] un home studieus et malancholicq, ancien ouvrage auquel il ne reste [c] que la parole. Son epitaphe aussi y est [269], lequel ayant trouvé, ils l'ont ainsi élevé pour s'en faire honneur, et avecque raison. Paulus, le jurisconsulte [270] y est aussi sur la porte de ce palais, mais il (Montaigne) juge que ce soit un ouvrage recent. La maison qui est au lieu des anciennes Arènes [271] n'est pas indigne d'estre veue et son jardin. Les escoliers y vivent à bonne raison à sept escus pour mois le mestre et six le valet, aux plus honnestes pensions.

Nous en partîmes le samedy bien matin et par une très belle levée le long de la riviere [272], aïant à nos costés des pleines très fertiles de bleds et fort ombragées d'arbres, entre-semés par ordre dans les champs où se tiennent leurs vignes, et le chemin fourny de tout plein de belles maisons de plaisance et entre autres d'une maison de ceus de la race Contarene [273], à la porte de laquelle il y a une inscription que le roy y logea revenant de Pologne [274]. Nous nous rendismes à

a. Son enceinte. — *b*. Représentant. — *c*. Il ne reste à désirer, il ne manque.

La Chaffousine[275], vingt milles, où nous disnames. Ce n'est qu'une hostellerie où l'on se met sur l'eau pour se rendre à Venise. Là abordent tous les bateaux le long de ceste riviere, avec des engins et des poulies que deux chevaux tournent à la mode de ceux qui tournent les meules d'huile. On emporte ces barques atout[a] des roues qu'on leur met au dessous, par dessus un planchier de bois pour les jetter dans le canal qui va se rendre en la mer où Venise est assise.

Nous y dinasmes, et nous estans mis dans une gondole, vismes[b] souper à

Venise, cinq milles.

Lendemain, qui fut dimenche matin, M. de Montaigne vit M. de Ferrier[c] [276], ambassadeur du roi, qui lui fit fort bonne chere, le mena à la messe et le retint à disner avec lui.

Le lundy M. d'Estissac et lui y disnarent encore. Entres autres discours dudict ambassadeur, celui-là lui sembla estrange : qu'il n'avoit commerce avecq nul home de la ville, et que c'estoit un humeur de gens si soupçonneuse que, si un de leurs gentilshommes avoit parlé deux fois à lui, ils le tienderoint pour suspect[277]; et aussi cela que la ville de Venise valoit quinze çans mille escus de rente à la seigneurie[278]. Au demeurant les raretés de ceste ville sont assez connues. Il (Montaigne) disoit l'avoir trouvée autre qu'il ne l'avoit imaginée et un peu moins admirable[279]; il la reconnut et toutes ses particularités avec extreme diligence. La police, la situation, l'arsenal, la place de Saint-Marc et la presse des peuples etrangiers, lui samblarent les choses plus remarquables.

Le lundy à souper, 6 de novembre[d], la signora Veronica Franca, gentifame venitienne, envoïa vers lui pour lui presenter un petit livre de lettres qu'elle a composé[280]; il fit donner deux escus audit home.

Le mardy après disner il eut la colicque qui lui dura

a. Avec. — b. Vînmes. — *c. Ce vieillard, qui a passé septante-cinq ans, à ce qu'il dit, jouit d'un eage sain et enjoué ; ses façons et ses discours ont je ne sçais quoi de scholastique, peu de vivacité et de pouinte ; ses opinions panchent fort évidamment, en matière de nos affaires, vers les innovations calviniennes.* Note du manuscrit de la propre main de Montaigne. — *d.* Var. : *7 de novembre.*

deus ou trois heures, non pas des plus extremes à le voir, et avant souper, il rendit deux grosses pierres, l'une après l'autre.

Il n'y trouva pas ceste fameuse beauté qu'on attribue aus dames de Venise, et vit les plus nobles de celles qui en font traficque; mais cela lui sembla autant admirable que nulle autre chose, d'en voir un tel nombre, comme de cent cinquante ou environ [281], faisant une dépense en meubles et vestemans de princesses; n'ayant autre fons à se maintenir que de ceste traficque; et plusieurs de la noblesse de là, mesme avoir des courtisanes à leurs despens, au veu et au sceu d'un chacun. Il louoit pour son service une gondole pour jour et nuict, à deux livres, qui sont environ dix-sept solds, sans faire nulle despense au barquerol [a]. Les vivres y sont chers comme à Paris; mais c'est la ville du monde où on vit à meilleur conte [b], d'autant que la suite des valets nous y est du tout inutile, chacun y allant tout seul, et la despense des vestemans de mesme; et puis, qu'il n'y faut nul cheval.

Le samedy, dousiesme de novembre, nous en partimes au matin et vismes [c] à

La Chaffousine [282], cinq milles; où nous nous mîmes homes et bagage dans une barque pour deux escus. Il (Montaigne) a accoutumé creindre l'eau; mais ayant opinion que c'est le seul mouvement qui offense son estomac, voulant assaïer si le mouvement de ceste riviere qui est eguable [d] et uniforme, attendu que des chevaux tirent ce bateau, l'offenceroit, il l'essaïa et trouva qu'il n'y avoit eu nul mal [283]. Il faut passer deux ou trois portes dans ceste riviere, qui se ferment et ouvrent aus passans.

Nous vinmes coucher par eau à

Padoue, vingt milles.

M. de Caselis laissa là sa compagnie et s'y arresta en pension [284] pour sept escus par mois, bien logé et traité. Il eust peu avoir un lacquais pour cinq escus; et si [e], ce sont des plus hautes pensions où il y avoit bonne compagnie, et notamment le sieur de Millau, fils de M. de Salignac [285]. Ils n'ont communément point de valets et seulement un

a. Gondolier (de l'italien *barcaruolo*). — *b*. Compte. — *c*. Vînmes. — *d*. Égal. — *e*. Et pourtant.

garçon du logis, ou des fames, qui les servent; chacun une chambre fort propre : le feu de leur chambre et la chandelle, ils se le fournissent. Le traitemant, comme nous vismes, fort bon; on y vit à très grande raison [a], qui est à mon avis la raison que plusieurs etrangers s'y retirent, de ceux mesmes qui n'y sont plus escoliers. Ce n'est pas la coutume d'y aller à cheval par la ville ny guiere suivy. En Allemaigne je remarquois que chacun porte espée au costé, jusques aux manœuvres; aus terres de ceste seigneurie, tout au rebours, personne n'en porte.

Dimanche après disner, 13 de novembre, nous en partimes pour voir des beings qu'il y avoit sur la main droite. Il (Montaigne) tira droit à Abano. C'est un petit village près du pied des montaignes, au dessus duquel, trois ou quatre cens pas, il y a lieu un peu soublevé, pierreux. Ce haut, qui est fort spacieus, a plusieurs surjons de fontenes chaudes et bouillantes qui sortent du rochier; elles sont trop chaudes entour leur source pour s'y baigner et encore plus pour en boire. La trace autour de leur cours est toute grise, comme de la cendre bruslée ; elles laissent force excremans [b], qui sont en forme d'eponges dures; le goust en est peu salé et souffreux. Toute la constrée est enfumée; car les ruisseaux qui escoulent par-ci par-là dans la plaine emportent bien loin cete chaleur et la senteur. Il y a là deus ou trois maisonnettes assez mal accommodées pour les malades, dans lesquelles on dérive des canals de ces eaus pour en faire des bains aus meisons. Non seulemant il y a de la fumée où est l'eau, mais le rochier mesme fume par toutes ses crevasses et jointures et rend chaleur partout, en maniere qu'ils en ont percé aucuns endroits où un homme se peut coucher, et de ceste exhalation se mettre en sueur; ce qui se faict soubdeinement. Il (Montaigne) mit de ceste eau en la bouche, après qu'elle fut fort reposée pour perdre sa chaleur excessive; il leur trouva le goust plus salé qu'autre chose.

Plus à main droite nous decouvrions l'abbaïe de Praïe [286], qui est fort fameuse pour sa beauté, richesse et courtoisie à recevoir et traiter les etrangiers. Il (Montaigne) n'y voulut pas aller, faisant état que toute ceste contrée et

a. A très bon compte. — *b.* Dépôts.

notamment Venise, il avoit à la revoir à loisir; et n'estimoit rien ceste visite; et ce qui lui avoit fait entreprendre, c'estoit la faim extreme de voir ceste ville. Il disoit qu'il n'eust sceu arrester ny à Rome, ny ailleurs en Italie en repos, sans avoir reconnu Venise; et pour cest effaict se seroit detourné de son chemin. Il a laissé à Padoue, sur cest esperance, à un maistre François Bourges, françois, les œuvres du Cardinal Cusan [287], qu'il avoit acheté à Venise.

De Abano, nous passames à un lieu nommé Sainct-Pietro, lieu bas [288] : et avions toujours les montaignes [289] à nostre main droite fort voisines. C'est un païs de preries et pascages qui est de mesmes tout enfumé en divers lieus de ces eaus chaudes, les unes brulantes, les autres tiedes, autres froides; le goust un peu plus mort et mousse [a] que les autres, moins de senteur de souffre, et, quasi point du tout, un peu de salure. Nous y trouvames quelques traces d'antiques bastimans. Il y a deux ou trois cheftives maisonnettes autour pour la retraite des malades ; mais à la vérité, tout cela est fort sauvage; et ne serois d'avis d'y envoïer mes amis. Ils disent que c'est la seigneurie qui n'a pas grand soin de cela, et creint l'abord des seigneurs etrangiers. Ces derniers beings lui firent resouvenir, disoit-il, de ceus de Preissac près d'Ax [290]. La trace de ces eaus est toute rougeastre. Et mit [b] sur sa langue de la boue; il n'y trouva nul goust; il croit qu'elles soint plus ferrées [c].

De là nous passames le long d'une très belle maison d'un gentilhome de Padoue [291], où estoit M. le cardinal d'Este [292], malade des gouttes, il y avoit plus de deux mois, pour la commodité des beins et plus pour le voisinage des dames de Venise, et tout jouingnant de là vinmes coucher à

BATAILLE [293], huit milles, petit village sur le canal Del Fraichine [294], qui n'ayant pas de profondeur, deux ou trois pieds parfois, conduit pourtant des batteaux fort étranges. Nous fumes là servis de plats de terre et assiettes de bois à faute d'etain; autrement assez passablemant.

Le lundy matin, je m'en partis devant avec le mulet. Ils [d] allèrent voir des beings qui sont à cinq cens pas de là, par la levée le long de ce canal; il n'y a, à ce qu'il

a. Émoussé, fade. — *b*. Montaigne. — *c*. Ferrugineuses. — *d*. Montaigne et ses compagnons.

(Montaigne) rapportoit, qu'une maison sur le being avec dix ou douze chambres. En may et en avril, ils disent qu'il y va assez de gens, mais la pluspart logent audit bourg ou à ce chateau du seigneur Pic, où logeoit M. le cardinal d'Este. L'eau des beings descend d'une petite croupe de montaigne et coule par des canals en ladite maison et au dessous; ils n'en boivent point et boivent plustost de celle de S. Pierre qu'ils envoïent querir. Elle (l'eau) descend de ceste mesmes croupe par des canaux tout voisins de l'eau-douce et bonne; selon qu'elle prand plus longue ou courte course, elle est plus ou moins chaude. Il fut pour voir la source jusques en haut; ils ne la lui surent montrer et le païerent [a] qu'elle venoit sous terre. Il lui trouve à la bouche peu de goust, comme à celle de S. Pierre, peu de senteur de souffre, peu de salure; il pense que qui en boiroit en recevroit mesme effaict que de celles de S. Pierre. La trace qu'elle faict par ses conduits est rouge. Il y a en ceste maison des beins et d'autres lieus où il dégoute seulemant de l'eau, sous laquelle on présente le membre malade, on lui dict que communément c'est le front pour les maus de teste.

Ils ont aussi en quelques endrets de ces canals faict de petites logettes de pierres où on s'enferme, et puis ouvrant le souspirail de ce canal, la fumée et la chaleur font incontinant fort suer; ce sont étuves seches, de quoy ils en ont de plusieurs façons. Le principal usage est de la fange; elle se prand dans un grand being qui est au-dessous de la maison, au descouvert, atout [b] un instrumant dans quoy on l'a mise pour la porter au logis qui est tout voisin. Là, ils ont plusieurs instrumans de bois propres aus jambes, aus bras, cuisses et autres parties pour y coucher et enfermer lesdits mambres, ayant rampli ce vesseau de bois tout de cette fange; laquelle on renouvelle selon le besoin. Ceste boue est noire comme cele de Barbotan [295], mais non si graneleuse [c] et plus grasse, chaude d'une moïene chaleur, et qui n'a quasi point de santeur. Tous ces beings-là n'ont pas grande commodité si ce n'est le voisinage de Venise; tout y est grossier et maussade.

Ils partirent de Bataille après desjuner et suivirent ce canal qu'on nomme le canal à deus chemins, qui sont

a. Le payèrent de cette raison. — *b*. Avec. — *c*. VAR. : *gravaleuse*.

élevés d'une part et d'autre. En cest endroit on a fait des routes par le dehors de la hauteur desdicts chemins sur lesquelles les voyageurs passent ; les routes par le dedans se vont baisser jusques au niveau du fonds de ce canal; là il se faict un pont de pierre qui joint ces deux routes, sur lequel pont coule ce canal par le dessus d'une voute à l'autre. Sur ce canal, il y a un pont fort haut, soubs lequel passent les basteaux qui suivent le canal et audessus ceux qui veulent traverser ce canal. Il y a un autre gros ruisseau tout au fond de la plaine qui vient des montaignes duquel le cours traverse le canal. Pour le conduire, sans interrompre ce canal, a esté fait ce pont de pierre sur lequel court le canal, et au-dessous duquel coule ce ruisseau et le tranche sur un planchier revestu de bois par les flancs, en maniere que ce ruisseau est capable de porter basteaus; il aroit assez de place et en largeur et en hauteur. Et puis sur le canal d'autres basteaus y passant continuellemant et sur la voute du plus haut des pons, des coches. Il y avoit trois routes l'une sur l'autre.

De là, tenant tousjours ce canal à main droite, nous côtoyames une vilete [a] nommée Montselisse [296], basse, mais de laquelle la closture va jusques en haut d'une montaigne, et enferme un vieus chateau qui appartenoit aus anciens seigneurs de ceste ville, ce ne sont à cette heure que ruines. Et laissant là les montaignes à droite, suivismes le chemin à gauche, relevé, beau, plein et qui doit estre en la saison plein d'ombrages; à nos costés des pleines très fertiles, aïant, suivant l'usage du païs, parmy leurs champs de bleds, force abres rangés par ordre où pandent leurs vignes. Les bœufs fort grands et de couleur gris, sont là si ordinaires que je ne trouvai plus estrange ce que j'avois remarqué de ceux de l'archiduc Fernand. Nous nous rancontrames sur une levée; et des deus parts des marests qui ont de largeur plus de quinze milles et autant que la veue se peut estandre. Ce sont autrefois esté des grands estangs, mais la seigneurie s'est essaïé de les assécher pour en tirer du labourage en quelques endrets, ils en sont venus à bout, mais fort peu. C'est à présent une infinie étendue de païs boueus, sterile et plein

a. Bourgade.

de cannes [a]. Ils y ont plus perdu que gagné à lui vouloir faire changer de forme.

Nous passames la riviere d'Adisse [297], sur nostre main droite, sur un pont planté sur deus petits bateaux capables de quinse ou vint chevaux, coulant le long d'une corde attachée à plus de cinq cens pas de là dans l'eau, et, pour la soutenir en l'air, il y a plusieurs petits bateaux jetés entre deux, qui atout des fourchetes soutienent ceste longue corde.

De là nous vinmes coucher à

ROVIGO, vint et cinq milles, petite vilete [b] appertenant encore à ladite seigneurie [298].

Nous logeames au dehors. Ils commençarent à nous y servir du sel en masse, duquel on en prend come du sucre. Il n'y a point moindre foison de viandes qu'en France, quoyqu'on aïe acoustumé de dire; et de ce qu'ils ne lardent point leur rosti, toutesfois ne lui oste guiere de saveur. Leurs chambres, à faute de vitres et closture des fenestres, moins propres qu'en France; les licts sont mieux faicts, plus unis, atout force de materas [c]; mais ils n'ont guiere que des petits pavillons mal tissus, et sont fort espargnants de linsuls [d] blancs. Qui iroit sul ou à petit trein n'en auroit point. La cherté come en France, ou un peu plus.

C'est là la ville de la naissance de ce bon *Célius*, qui s'en surnomma *Rodoginus* [299]. Elle est bien jolie, et y a une très belle place; la riviere d'Adisse [300] passe au milieu.

Mardy au matin, 15 de novembre, nous partismes de là, et après avoir faict un long chemin sur la chaussée, comme celle de Blois, et traversé la riviere d'Adisse, que nous rencontrames à nostre mein droite, et après celle du Pô, que nous trouvames à la gauche, sur des pons pareils au jour précédent, sauf que sur ce planchier il y a une loge qui s'y tient, dans laquelle on paie les tribus en passant, suivant l'ordonnance qu'ils ont là imprimée et prescripte : et au milieu du passage arrestent leur bateau tout court, pour conter et se faire payer avant que d'aborder [301]. Après estre descendus dans une pleine basse, où il samble qu'en temps bien pluvieus le chemin seroit inaccessible, nous nous rendimes d'une trete, au soir, à

a. Bambous. — *b*. Bourgade. — *c*. Avec force matelas. — *d*. Draps de lit.

FERRARE, vingt milles. Là, pour leur foy et bollette [a], on nous arresta longtemps à la porte, et ainsi à tous. La ville est grande come Tours, assise en un païs fort plein [b], force palais; la pluspart des rues larges et droites; fort peuplée.

Le mercredy au matin, MM. d'Estissac et de Montaigne alarent baiser les meins au duc [302]. On lui fit entendre leur dessein : il envoya un seigneur de sa cour les recueillir et mener en son cabinet, où il estoit avec deus ou trois. Nous passames au travers de plusieurs chambres closes où il y avoit plusieurs gentilshommes bien vestus. On nous fit tous entrer. Nous le trouvames debout contre une table, qui les attendoit. Il mit la mein au bonnet quand ils entrarent, et se tint toujours descouvert tant que M. de Montaigne parla à luy, qui fut assez longtemps. Il luy demanda premieremant s'il entendait la langue? et lui ayant esté respondu que ouy, il leur dit en italien très eloquent, qu'il voyoit très volontiers les gentilshommes de ceste nation, estant serviteur du roy tres crestien et très obligé. Ils eurent quelques autres propos ensamble et puis se retirarent, le seigneur duc ne s'étant jamais couvert.

Nous vismes en un'église [303] l'effigie de l'Arioste, un peu plus plein de visage qu'il n'est en ses livres; il mourut aagé de cinquante neuf ans, le 6 de juing 1533. Ils y servent le fruit sur des assiettes. Les rues sont toutes pavées de briques. Les portiques, qui sont continuels à Padoue et servent d'une grande commodité pour se promener en tout temps et à couvert sans crotes, y sont à dire. A Venise les rues pavées de mesme matiere, et si pandant [c] qu'il n'y a jamais de boue. J'avoy oublié à dire de Venise, que, le jour que nous en partimes, nous trouvames sur nostre chemin plusieurs barques aïant tout leur vantre chargé d'eau douce : la charge du bateau vaut un escu rendue à Venise, et s'en sert-on à boire ou à teindre les draps. Estant à Chaffousines, nous vismes comment atout [d] des chevaus, qui font incessamment tourner une roue, il se puise de l'eau d'un ruisseau et se verse dans un canal, duquel canal lesdits bateaux la reçoivent, se presentans audessous.

Nous fumes tout ce jour-là à Ferrare, et y vismes plu-

a. Pour les passeports et bulletins de santé. — *b*. Plan, plat. — *c*. En pente. — *d*. Avec.

sieurs belles églises, jardins et maisons privées, et tout ce qu'on dit estre remerquable, entre autres, aux jésuates, un pied de rosier qui porte fleur tous les mois de l'an; et lors mesmes s'y en trouva une qui fut donnée à M. de Montaigne. Nous vismes ausi le bucentaure que le duc avoit faict faire pour sa nouvelle femme [304], qui est belle et trop jeune pour lui [305], à l'envie de celuy de Venise, pour la conduire sur la riviere du Pô [306]. Nous vismes aussi l'arsenal du duc, où il y a une piece longue de trente-cinq pans [a] [307], qui porte un pied de diametre [308].

Les vins nouveaus troubles que nous beuvions, et l'eau, tout ainsi trouble qu'elle vient de la riviere, luy [b] faisoient peur pour sa colicque. A toutes les portes des chambres de l'hostellerie, il y a escrit : *Ricordati della bolleta* [c]. Soudain qu' [d] on est arrivé, il faut envoyer son nom au magistrat, et le nombre d'hommes, qui mande qu'on les loge, autremant on ne les loge pas.

Le jeudy matin nous en partimes et suivimes un païs plein [e] et très fertile, difficile aux gens de pied en temps de fange, d'autant que le païs de Lombardie est fort gras, et puis, les chemins estant fermés de fossés de tous costés, ils n'ont de quoy se garantir de la boue à cartier [f] : de maniere que plusieurs du païs marchent atout [g] ces petites echasses d'un demy pied de haut. Nous nous rendismes au soir, d'une traite, à

BOULONGNE [309], trente milles, grande et belle ville, plus grande et plus peuplée de beaucoup que Ferrare. Au logis où nous logeames, le seigneur de Montluc [310] y estoit arrivé une heure avant, venant de France, et s'arresta en ladite ville pour l'escole des armes et des chevaus.

Le vendredy nous vismes tirer des armes le Vénitian qui se vante d'avoir trouvé des inventions nouvelles en cest art là, qui commandent à toutes les autres; comme de vray, sa mode de tirer est en beaucoup de choses differante des communes. Le meilleur de ses escoliers estoit un jeune home de Bordeaus, nomé Binet [311]. Nous y vismes un clocher carré [312], ancien, de tele structure qu'il est tout pendant [h] et semble menasser sa ruine. Nous y vismes aussi

a. Empans. — *b*. A Montaigne. — *c*. Souvenez-vous du bulletin (de santé.) — *d*. Aussitôt que. — *e*. Plan, plat. — *f*. En s'écartant du chemin. — *g*. Avec. — *h*. Penché.

les escoles des sciences [313], qui est le plus beau batiment que j'aye jamais veu pour ce service.

Le samedy après disner nous vismes des comediens, de quoy il (Montaigne) se contenta fort, et y print, ou de quelque autre cause, une douleur de teste qu'il n'avoit senti il y avoit plusieurs ans; et si, en ce tamps là, il disoit se trouver en un indolance de ses reins plus pure qu'il n'avoit accoustumé il y avoit longtamps, et jouissoit d'un benefice de ventre tel qu'au retour de Bannières : sa douleur de teste luy passa la nuict. C'est une ville toute enrichie de beaus et larges portiques et d'un fort grand nombre de beaus palais. On vit comme à Padoue, et à très bonne raison [a]; mais la ville un peu moins paisible pour les parts antienes [b] qui sont entre des parties d'aucunes races [c] de la ville, desqueles l'une [314] a pour soy les Francès de tout temps, l'autre [315] les Espaignols qui sont là en très grand nombre. En la place, il y a une très belle fontaine [316]. Le dimanche, il (Montaigne) avoit délibéré de prendre son chemin à gauche vers Imola, la Marche d'Ancône et Lorette, pour jouindre à Rome; mais un Alemant luy dict qu'il avoit esté volé des bannis [d] sur le duché de Spolete. Ensin, il print à droite vers Florence. Nous nous jettames soudin dans un chemin aspre et païs montueux, et vinsmes coucher à

LOYAN [317], sese milles, petit village assez mal commode. Il n'y a en ce village que deux hosteleries qui sont fameuses entre toutes celles d'Italie, de la trahison qui se faict aus passans, de les paistre de belles promesses de toute sorte de commodités avant qu'ils mettent pied à terre, et s'en mocquer quand ils les tiennent à leur mercy : de quoy il y a des proverbes publiques.

Nous en partismes de bon matin lendemain, et suivismes jusqu'au soir un chemin qui à la verité est le premier de nostre voïage qui se peut nommer incommode et farouche, et parmi les montaignes les plus difficiles qu'en nulle autre part de ce voïage : nous vismes [e] coucher à

SCARPERIE [318], vingt et quattre milles, petite villete [f] de la Toscane, où il se vend force estuis et ciseaus, et semblable marchandise.

a. A très bon compte. — *b.* Factions anciennes. — *c.* Familles. — *d.* Bandits. — *e.* Vînmes. — *f.* Bourgade.

Il (Montaigne) avoit là tous les plaisirs qu'il est possible, au débat des hostes. Ils ont ceste coustume d'envoïer au-devant des etrangers sept ou huit lieues, les éconjurer de prandre leur logis. Vous trouverez souvent l'hoste mesme à cheval, et en divers lieus plusieurs hommes bien vestus qui vous guettent; et tout le long du chemin, lui qui les vouloit amuser, se faisoit plaisamment entretenir des diverses offres que chacun lui faisoit, et il n'est rien qu'ils ne promettent [319]. Il y en eut un qui lui offrit en pur don un lievre, s'il vouloit seulemant visiter sa maison. Leur dispute et leur contestation s'arreste aux portes des villes, et n'osent plus dirent mot. Ils ont cela en general de vous offrir un guide à cheval à leurs despens, pour vous guider et porter partie de vostre bagage jusqu'au logis où vous allez; ce qu'ils font toujours, et païent leur despense. Je ne sçay s'ils y sont obligés par quelque ordonnance à cause du dangier des chemins.

Nous avions faict le marché de ce que nous avions à païer et à recevoir à Loïan, dès Boulongne [320]. Pressés par les jans de l'hoste où nous logeames et ailleurs, il [a] envoioit quelqu'un de nous autres visiter tous les logis, et vivres et vins, et sentir les conditions, avant que descendre de cheval, et acceptoit la meilleure; mais il est impossible de capituler si bien qu'on échappe à leur tromperie : car ou ils vous font manquer [b] le bois, la chandelle, le linge, ou le foin que vous avez oublié à spécifier. Ceste route est pleine de passans; car c'est le grand chemin et ordinaire à Rome.

Je fus là averty d'une sottise que j'avois faite [c], ayant oblié à voir, à dix milles deça Loïan [321], à deus mille du chemin, le haut d'une montaigne, d'où, en tamps pluvieus et orageus de nuict, on voit sortir de la flâme d'une extrême hauteur [322], et disoit la rapporteur qu'à grandes secousses il s'en regorge par fois des petites pièces de monnoie, qui a quelque figure [323]. Il eût fallu voir que c'étoit que tout cela.

Nous partimes lendemain matin de Scarperia, ayant notre hoste pour guide, et passames un beau chemin entre plusieurs collines peuplées et cultivées. Nous détournames en chemin sur la main droite environ deus milles pour

a. Montaigne. — *b*. Peut-être faut-il lire : *marquer*. — *c*. C'est Montaigne qui parle.

voir un palais que le duc de Florence y a basti depuis douze ans [324], où il emploie tous ses cinq sens de nature pour l'ambellir. Il semble qu'exprès il aïe choisy un' assiete incommode, stérile et montueuse, voire et [a] sans fontaines, pour avoir cest honneur de les aller querir à cinq milles de là, et son sable et chaus, à autres cinq milles. C'est un lieu, là, où il n'y a rien de pleine. On a la veue de plusieurs collines, qui est la forme universelle de ceste contrée. La maison s'appelle Pratellino. Le bastimant y est méprisable à le voir de loin, mais de près il est très beau, mais non des plus beaus de nostre France. Ils disent qu'il y a six vingts chambres mublées; nous en vismes dix ou douse des plus belles. Les meubles sont jolis, mais non magnifiques.

Il y a de miraculeus une grotte à plusieurs demures et pieces : ceste partie surpasse tout ce que nous ayons jamais veu ailleurs. Elle est encroutée et formée partout de certene matiere [325] qu'ils disent estre apportée de quelques montagnes, et l'ont cousue a-tout [b] des clous imperceptiblemant. Il y a non-sulemant de la musicque et harmonie qui se faict par le mouvemant de l'eau, mais encore le mouvemant de plusieurs statues et portes à divers actes, que l'eau esbranle, plusieurs animaus qui s'y plongent pour boire, et choses samblables. A un sul mouvement toute la grotte est pleine d'eau, tous les sieges vous rejaillissent l'eau aus fesses; et, fuiant de la grotte, montant contremont les eschaliers du chateau, il sort de deux en deux degrés de cest eschalier, qui veut donner ce plaisir, mille filets d'eau qui vous vont baignant jusques au haut du logis. La beauté et richesse de ce lieu ne se peut représenter par le menu. Audessous du chasteau, il y a, entre autres choses, une allée large de cinquante pieds, et longue de cinq cens pas ou environ, qu'on a rendue quasi égale, à grande despense. Par les deus costés il y a des longs et très beaus acoudouers de pierre de taille de cinq ou de dix en dix pas; le long de ces acoudouers, il y a des surjons de fontaines dans la muraille, de façon que ce ne sont que pouintes de fontaines tout le long de l'allée. Au fons, il y a une belle fontene qui se verse dans un grand timbre [c] par

a. Voire même. — *b.* Avec. — *c.* Bassin, auge (terme dialectal du S.-O. et de l'O. de la France).

le conduit d'une statue de marbre, qui est une femme faisant la buée [a]. Ell' esprint [b] une nape de marbre blanc, du degout [c] de laquelle sort cest' eau, et au-dessous il y a un autre vesseau [d], où il samble que ce soit de l'eau qui bouille, à faire buée. Il y a aussi une table de marbre en une salle du chasteau en laquelle il y a six places, à chacune desqueles on soubleve de ce marbre un couvercle atout un anneau, audessous duquel il y a un vaisseau qui se tient à ladite table. Dans chacun desdits six vesseaux, il sourd un tret de vive fontene, pour y refreschir chacun son verre, et au milieu un grand à mettre la bouteille. Nous y vismes aussi des trous fort larges dans terre, ou on conserve une grande quantité de neige toute l'année, et la couche l'on sur une littiere de herbe de genet, et puis tout cela est recouvert bien haut, en forme de piramide, de glu [e], comme une petite grange. Il y a mille gardoirs [f]. Et se bastit le corps d'un geant [326], qui a trois coudées de largeur à l'ouverture d'un euil ; le demurant proportionné de mesmes, par où se versera une fontene en grand abondance. Il y a mille gardoirs et estancs, et tout cela tiré de deux fontenes par infinis canals de terre. Dans une très belle et grande voliere, nous vismes des petits oiseaus, comme chardonnerets, qui ont à la cuë deus longues plumes, come celles d'un grand chappon. Il y a aussi une singuliere etuve.

Nous y arrestames deux ou trois heures, et puis reprimes nostre chemin et nous rendimes par le haut de certenes collines, à

FLORENCE, dix sept milles, ville moindre que Ferrare en grandeur, assise dans une plaine, entournée de mille montaignettes fort cultivées. La riviere d'Arne [327] passe au travers et se trajette atout des pons. Nous ne trouvasmes nuls fossés autour des murailles.

Il (Montaigne) fit ce jour là deus pierres et force sable, sans en avoir eu autre resantiment que d'une legiere douleur au bas du ventre.

Le mesme jour nous y vismes l'écurie du grand duc, fort grande, voutée, où il n'y avoit pas beaucoup de chevaus de prix : aussi n'y estoit-il pas ce jour-là. Nous vismes là un

a. La lessive. — *b*. Exprime, tord. — *c*. Dégouttement. — *d*. Vase, récipient. — *e*. Gleu ou chaume de seigle. — *f*. Viviers.

mouton de fort etrange forme; aussi un chameau, des lions, des ours, et un animal de la grandeur d'un fort grand mastin de la forme d'un chat, tout martelé de blanc et de noir, qu'ils noment un tigre [328]. Nous vismes l'eglise Sainct-Laurent, où pendent encore les enseignes que nous perdismes sous le mareschal Strozzi, en la Toscane [329]. Il y a en cest' eglise plusieurs pieces en plate peinture [a] [330] et très belles statues excellentes [331], de l'ouvrage de Michel Ange. Nous y vismes le dome, qui est une tres grande eglise, et le clochier tout revestu de marbre blanc et noir [332] : c'est l'une des plus belles choses du monde et plus somptueuses.

M. de Montaigne disoit jusques lors n'avoir jamais veu nation où il est si peu de belles femmes que l'Italiene [333]. Les logis, il les trouvoit beaucoup moins commodes qu'en France et Allemaigne; car les viandes n'y sont ny en si grande abondance à moitié qu'en Allemaigne, ny si bien appretées. On y sert sans larder et en l'un et en l'autre lieu; mais en Allemaigne elles sont beaucoup mieus assaisonnées, et diversité [b] de sauces et de potages. Les logis en Italie de beaucoup pires; nulles salles; les fenétres grandes et toutes ouvertes, sauf un grand contrevent de bois qui vous chasse le jour, si vous en voulez chasser le soleil ou le vent : ce qu'il trouvoit bien plus insupportable et irrémédiable que la faute des rideaux d'Allemaigne. Ils n'y ont aussi que de petites cahutes atout [c] des chetifs pavillons [d], un, pour le plus, en chaque chambre, atout [e] une carriole au dessous; et qui haïroit à coucher dur s'y trouveroit bien ampesché. Égale ou plus grande faute de linge. Les vins communéement pires; et à ceux qui en haïssent une douceur lâche, en ceste saison insupportable. La cherté, à la vérité, un peu moindre. On tient que Florence soit la plus chere ville d'Italie. J'avoy fait marché [334] avant que mon maistre arrivât à l'hostellerie de l'Ange, à sept reales [335] pour homme et cheval par jour, et quatre reales pour homme de pied.

Le mesme jour nous vismes un palais du duc [336], où il prend plesir à besoingner lui-mesmes, à contrefaire des pierres orientales et à labourer [f] le cristal : car il est prince

a. Peintures exécutées sur une surface plane, fresques. — *b.* [Il y a] diversité. VAR. : *diversifiées*. — *c.* Avec. — *d.* Rideaux. — *e.* Avec. — *f.* A travailler le cristal.

souingneus un peu de l'archemie [a] et des ars méchaniques, et surtout grand architecte.

Lendemain M. de Montaigne monta le premier au haut du dome, où il se voit une boule d'airain doré qui semble d'embas de la grandeur d'une bale, et quand on y est, elle se treuve capable de quarante hommes [337]. Il vit là que le marbre de quoy ceste eglise est encroutée [b], mesme le noir, commence deja en beaucoup de lieus à se dementir, et se fend à la gelée et au soleil, mesmes le noir; car cest ouvrage est tout diversifié et labouré [c], ce qui lui fit craindre que ce marbre ne fût pas naturel. Il y vouloit voir les maisons des Strozzes et des Gondis, où ils ont encore de leurs parens. Nous vismes aussi le palais du duc [338], où Cosimo son pere a faict peindre [339] la prinse de Siene [340] et nostre bataille perdue [341] : si est-ce qu'en divers lieux de ceste ville, et notamment audit palais aus anciennes murailles, les fleurs de lis tiennent le premier rang d'honneur [342].

MM. d'Estissac et de Montaigne furent au disner du grand duc : car là on l'appelle ainsi [343]. Sa femme [344] estoit assise au lieu d'honneur; le duc audessous; audessous du duc, la belle seur de la duchesse; audessous de ceste-cy, le frere de la duchesse, mary de ceste-cy [345]. Cest duchesse est belle à l'opinion italienne [346], un visage agréable et impérieux, le corsage gros, et de tétins à leur souhait. Elle lui sembla bien avoir la suffisance d'avoir angeolé [d] ce prince, et de le tenir à sa dévotion long-temps. Le duc est un gros homme noir, de ma taille [347], de gros membres, le visage et contenance pleine de courtoisie, passant tousjours descouvert au travers de la presse de ses jans, qui est belle. Il a le port sein, et d'un homme de quarante ans. De l'autre costé de la table estoient le cardinal [348], et un autre jeune de dix-huit ans [349], les deux frères du duc. On porte à boire à ce duc et à sa femme dans un bassin, où il y a un verre plein de vin descouvert, et une bouteille de verre pleine d'eau; ils prennent le verre de vin et en versent dans le bassin autant qu'il leur semble, et puis le ramplissent d'eau eus-mesmes, et rasséent le verre dans le bassin que leur tient l'échanson. Il mettoit assez d'eau; elle quasi point. Le vice des Allemans de se servir de verres

a. L'alchimie. — *b*. Incrustée. — *c*. Travaillé. — *d*. Enjôlé.

lieu de la ville, sous couleur de quelque réformation du batimant et forme de leur église.

Le samedy 26 après disner nous suivismes un pareil visage de païs et vinsmes souper à

BUONCOUVENT [367], douze milles, Castello [a] de la Toscane : ils appellent einsi des villages fermés qui pour leur petitesse ne méritent pouint le nom de ville.

Dimanche bien matin nous en partimes et parce que M. de Montaigne desira de voir Montalcin [368] pour l'accouintance que les François y ont eu [369], il se destourna de son chemin à mein droite, et avec MM. d'Estissac, de Mattecoulon et du Hautoi, ala audict Montalcin, qu'ils disent estre une ville mal-bastie de la grandeur de Saint-Emilion [370], assise sur une montaigne des plus hautes de toute la contrée, toutesfois accessible. Ils rencontrarent que la grand'messe se disoit, qu'ils ouïrent. Il y a, à un bout, un chasteau où le duc tient ses garnisons; mais à son avis (de Montaigne) tout cela n'est guiere fort, estant le dict lieu commandé d'une part par une autre montaigne voisine de cens pas aus terres de ce duc. On maintient la mémoire des François en si grande affection qu'on ne leur en faict guiere souvenir que les larmes ne leur en viennent aux yeux, la guerre mesme leur semblant plus douce, avec quelque forme de liberté, que la paix qu'ils jouissent sous la tyrannie. Là M. de Montaigne s'informant s'il n'y avoit point quelques sepulchres des François, on lui respondit qu'il y en avoit plusieurs en l'église S. Augustin; mais que par le commandemant du duc on les avoit ensevelis.

Le chemin de ceste journée fut montueus et pierreux, et nous rendit au soir à

LA PAILLE [371], vingt-trois milles. Petit village de cinq ou six maisons au pied de plusieurs montaignes steriles, et mal plaisantes.

Nous reprimes nostre chemin lendemain bon matin le long d'une fondriere fort pierreuse, où nous passames et repassames çant fois un torrant qui coule tout le long. Nous rencontrames un grand pont [372] basti par ce pape Gregoire [373], où finissent les terres du duc de Florance; et entrames en celles de l'église. Nous rencontrames

a. Redoute (c'est du latin *castellum*).

Aquapendente, qui est une petite ville; et se nomme je crois einsi à cause d'un torrent, qui tout jouignant de-là se precipite par des rochiers en la pleine. Delà passames S. Laurenzo qui est un Castello [a], et par Bolseno [374], qui l'est aussi, tournoïant autour du lac qui se nome Bolseno, long de trente milles et large de dix milles, au milieu duquel se voit deus rochers comme des isles, dans lesquels on dict estre des monasteres. Nous nous rendismes d'une traite par ce chemin montueus et sterile à

MONTEFIASCON [375], vingt-six milles. Villette assise à la teste de l'une des plus hautes montaignes de toute la contrée. Elle est petite, et monstre avoir beaucoup d'ancienneté.

Nous en partimes matin, et vinmes à traverser une belle plaine et fertile, où nous trouvames Viterbo, qui avoit une partie de son assiette couchée sur une croupe de montaigne. C'est une belle ville de la grandeur de Sanlis [376]. Nous y remarquames beaucoup de belles maisons, grande foison d'ouvriers, belles rues et plaisantes; en trois endroits d'icelle, trois très-belles fontaines. Il (Montaigne) s'y fust arresté pour la beauté du lieu, mais son mulet qui alloit devant etoit desja passé outre. Nous commenceames là à monter une haute coste de montaigne, au pied de laquelle, en deçà, est un petit lac qu'ils nomment de Vico. Là, par un bien plaisant vallon entourné de petites collines où il y a force bois, commodité un peu rare en ces contrées-là, et de ce lac, nous nous vinmes rendre de bonne heure à

ROSSIGLIONE [377], dix-neuf milles. Petite ville et chasteau au duc de Parme [378], comme aussi il se treuve sur ces routes plusieurs maisons et terres appartenant à la case [b] Farnèse.

Les logis de ce chemin sont des meilleurs, d'autant que c'est le grand chemin ordinaire de la poste. Ils prennent cinq juilles [379] pour cheval à course [c] et à louer, deus milles pour poste; et à ceste mesme reison [d], si vous les voulez pour deux ou trois postes ou plusieurs journées, sans que vous vous mettez en nul soin du cheval : car de

a. Redoute (c'est du latin *castellum*). — *b*. A la maison. — *c*. VAR. : *à journée*. — *d*. A ce même compte.

lieu en lieu les hostes prennent charge des chevaus de leurs compaignons; voire, si le vostre vous faut[a], ils font marché que vous en puissiez reprendre un autre ailleurs sur vostre chemin. Nous vismes par experience qu'à Siène, à un Flamant qui estoit en nostre compaignie, inconnu, estrangier, tout seul, on fia un cheval de louage pour le mener à Rome, sauf qu'avant partir on païe le louage; mais au demeurant le cheval est à vostre mercy, et sous votre foi que vous le metrez où vous promettez.

M. de Montaigne se louoit de leur coustume de disner et de souper tard, selon son humeur : car on n'y disne aux bonnes maisons qu'à deus heures après midy, et soupe à neuf heures; de façon que, où nous trouvasmes des comédians, ils ne commencent à jouer qu'à six heures, aux torches, et y sont deus ou trois heures, et après on va souper. Il (Montaigne) disoit que c'estoit un bon païs pour les paresseux, car on s'y lève fort tard [380].

Nous en partîmes lendemain trois heures avant le jour, tant il avoit envie de voir le pavé de Rome, il trouva que le serin donnoit autant de peine à son estomac le matin que le soir, ou bien peu moins, et s'en trouva mal jusqu'au jour [381], quoique la nuit fut sereine. A quinse milles nous découvrismes la ville de Rome, et puis la reperdismes pour longtemps. Il y a quelques villages en chemin et hostelleries. Nous rencontrames aucunes contrées de chemins relevés et pavés d'un fort grand pavé, qui sembloit à voir quelque chose d'ancien, et plus près de la ville, quelques masures évidemmant très-antiques, et quelques pierres que les papes y ont fait relever pour l'honneur de l'antiquité. La plus part des ruines sont de briques, tesmoins les termes de Diocletian, et d'une brique petite et simple, comme la nostre, non de ceste grandeur et espaisseur qui se voit aus antiquités et ruines anciennes en France et ailleurs. Rome ne nous faisoit pas grand'monstre à la reconnoistre de ce chemin. Nous avions loin sur nostre main gauche, l'Apennin, le prospect [b] du païs mal plesant, bossé [c], plein de profondes fandasses, incapable dy recevoir nulle conduite de gents de guerre en ordonnance : le terroir nud sans arbres, une bonne partie stérile, le païs fort ouvert tout autour, et plus de dix milles à la ronde, et

a. Manque. — *b*. La vue, devant nous. — *c*. Bosselé, escarpé.

quasi tout de ceste sorte, fort peuplé de maisons. Par là nous arrivames sur les vint heures, le dernier jour de novembre, feste de Saint André, à la porte del Popolo, et à

ROME, trante milles. On nous y fit des difficultés, comme ailleurs, pour la peste de Gennes [382].

Nous vinmes loger à l'Ours où nous arrestames encore lendemain, et le deuxieme jour de décembre prîmes des chambres de louage chez un Espaignol, vis-à-vis de Santa Lucia della Tinta [383]. Nous y estions bien accommodés de trois belles chambres, salle, garde manger, escuirie, cuisine, à vingt escus par mois : sur quoi l'hoste fournit de cuisinier et de feu à la cuisine. Les logis y sont communéemant meublés un peu mieus qu'à Paris, d'autant qu'ils ont grand foison de cuir doré, de quoi les logis qui sont de quelque pris sont tapissés. Nous en pusmes avoir un à mesme pris que du nostre, au Vase d'Or, assez près de là, mublé de drap d'or et de soie, come celui des rois; mais outre ce que les chambres y estoint sujettes [a], M. de Montaigne estima que ceste magnificence estoit nonsulement inutile, mais encore pénible pour la conservation de ces meubles, chaque lict estant du pris de quatre ou cinq cens escus. Au nostre, nous avions faict marché d'estre servis de linge à peu près come en France; de quoi, selon la coutume du païs, ils sont un peu plus espargneus.

M. de Montaigne se faschoit d'y trouver un si grand nombre de François qu'il ne se trouvoit en la rue quasi personne qui ne le saluoit en sa langue [384]. Il trouva nouveau le visage d'une si grande court et si pressée de prélats et gens d'église, et lui sembla plus peuplée d'homes riches, et coches, et chevaus de beaucoup, que nulle autre qu'il eust jamais veue. Il disoit que la forme des rues en plusieurs choses, et notamment pour la multitude des hommes lui représentoit plus Paris que nulle autre où il eust jamais été.

La ville est, d'à-ceste-heure, toute plantée le long de la riviere du Tibre deça et delà. Le quartier montueus, qui estoit le siege de la vieille ville, et où il faisoit tous les jours mille proumenades et visites, est scisi [b] de quelques églises

a. Communicantes. — *b.* Coupé (latin *scissus*).

et aucunes maisons rares et jardins de cardinaus. Il jugeoit par bien claires apparences, que la forme de ces montaignes et des pentes estoit du tout changée de l'ancienne par la hauteur des ruines; et tenoit pour certain qu'en plusieurs endroits nous marchions sur le feste [a] des maisons toutes entieres. Il est aisé à juger, par l'arc de Severe [385], que nous sommes à plus de deus picques au dessus de l'ancien planchier; et de vrai, quasi partout, on marche sur la teste des vieus murs que la pluye et les coches decouvrent.

Il combattoit ceus qui lui comparoint la liberté de Rome à celle de Venise, principalement par ces argumens : que les maisons mesmes y étoint si peu sûres que ceux qui y apportoint des moïens un peu largement estoint ordinairemant conseillés de donner leur bourse en garde aus banquiers de la ville, pour ne trouver leur coffre crocheté, ce qui estoit avenu à plusieurs : *Item*, que l'aller de nuit n'estoit guiere bien assuré : *Item*, que ce premier mois, de décembre, le général des cordeliers fut demis soudainement de sa charge et enfermé, pour, en son sermon, où estoit le pape et les cardinaus, avoir accusé l'oisiveté et pompes des prelats de l'Eglise, sans en particulariser autre chose, et se servir seulement, avec quelque aspreté de voix, de lieus communs et vulgaires sur ce propos : *Item*, que ses coffres avoint esté visités à l'entrée de la ville pour la douane, et fouillés jusques aus plus petites pieces de ses hardes, là où en la pluspart des autres villes d'Italie, ces officiers se contentoint qu'on les leur eust simplement presenté : Qu'outre cela on lui avoit pris tous les livres qu'on y avoit trouvé pour les visiter [386]; à quoi il y avoit tant de longueur qu'un homme qui auroit autre chose à faire les pouvoit bien tenir pour perdus; joing que les regles y estoint si extraordineres que les heures de Nostre-Dame, parce qu'elles estoint de Paris, non de Rome, leur estoint suspectes et les livres d'aucuns docteurs d'Allemaigne contre les hérétiques, parce qu'en les combatants ils faisoint mantion de leurs erreurs. A ce propos il louoit fort sa fortune, de quoi n'estant aucunemant adverty que cela lui deust arriver, et estant passé au travers de l'Allemaigne, veu sa curiosité, il ne s'y trouva nul livre défandu. Toutefois aucuns sei-

a. Faîte.

gneurs de la lui disoint, quand il s'en fust trouvé, qu'il en fust été quitte pour la perte des livres.

Douze ou quinze jours après nostre arrivée, il se trouva mal, et pour une inusitée défluxion de ses reins qui le menassoit de quelque ulcere, il se depucela [a] par l'ordonnance d'un medecin françois du cardinal de Rambouillet [387], aydé de la dextérité de son apothicaire, à prendre un jour de la casse à gros morceaus au bout d'un cousteau trempé premierement un peu dans l'eau, qu'il avala fort ayséemant, et en fit deus ou trois selles. Lendemain il prit de la terebentine de Venise, qui vient, disent-ils, des montaignes de Tirol, deus gros morceaus enveloppés dans un oblie [b], sur un culier [c] d'argent, arrosé d'une ou deus gouttes de certain sirop de bon goust; il n'en sentit autre effaict que l'odeur de l'urine à la violette de mars. Après cela il print à trois fois, mais non tout de suite, certaine sorte de breuvage qui avoit justemant le goust et couleur de l'amandé [388] : aussi lui disoit son medecin, que ce n'estoit autre chose; toutefois il pense qu'il y avoit des quatre-semances-froides [389]. Il n'y avoit rien en ceste derniere prise de malaysé et extraordinaire, que l'heure du matin : tout cela trois heures avant le repas. Il ne sentit non plus à quoi lui servit cest almandé [d], car la mesme disposition lui dura encore après; et eut depuis une forte colicque, le vint et troisieme decembre, de quoi il se mit au lit environ midy; et y fut jusques au soir, qu'il rendit force sable, et après une grosse pierre dure, longue et unie, qui arresta [e] cinq ou six heures au passage de la verge. Tout ce temps, depuis ses beings, il avoit un grand benefice [f] de ventre, par le moyen duquel il pansoit estre défendu de plusieurs pires accidens. Il déroboit lors plusieurs repas, tantost à disner, tantost à souper.

Le jour du Noel, nous fumes ouir la messe du Pape à Saint-Pierre, où il eut place commode pour voir toutes les cerimonies à son ayse. Il y a plusieurs formes particulieres : l'Evangile et l'épistre s'y disent premieremant en latin et secondement en grec, comme il se faict encore le jour de Pasques et le jour de Saint-Pierre. Le pape [390] donna à communier à plusieurs autres; et officioint avec lui à ce

a. Se décida pour la première fois. — *b.* Une oublie, ou pain à cacheter. — *c.* Une cuiller. — *d.* Amandé. — *e.* Resta. — *f.* Relâchement.

service les cardinaus Farnese, Medicis [391], Caraffa [392] et Gonzaga. Il y a un certain instrumant à boire le calice [a], pour prouvoir [b] la sureté du poison. Il lui sembla nouveau; et en ceste messe et autres, que le pape et cardinaus et autres prelats y sont assis, et, quasi tout le long de la messe, couverts, devisans et parlans ensamble. Ces ceremonies semblent estre plus magnifiques que devotieuses.

Au demourant il lui sembloit qu'il y avoit nulle particularité en la beauté des femmes, digne de ceste préexcellance que la réputation donne à ceste ville sur toutes les autres du monde; et au demeurant que, comme à Paris, la beauté plus singuliere se trouvoit entre les meins de celles qui la mettent en vante.

Le 29 de decembre, M. d'Abein [393], qui estoit lors ambassadeur, gentil home studieus et fort amy de longue main de M. de Montaigne, fut d'advis qu'il baisast les pieds du pape. M. d'Estissac et lui se mirent dans le coche dudict ambassadeur. Quand il fut en son audiense, il les fit appeller par le camerier du pape. Ils trouvarent le pape, et avecques lui l'ambassadeur tout seul, qui est la façon; il a près de lui une clochette qu'il sonne, quand il veut que quelqu'un veingne à lui. L'ambassadeur assis à sa mein gauche descouvert; car le pape ne tire jamais le bonnet à qui que ce soit, ny nul ambassadeur n'est près de lui la teste couverte. M. d'Estissac entra le premier, et après lui M. de Montaigne, et puis M. de Mattecoulon, et M. du Hautoi. Après un ou deux pas dans la chambre, au coin de laquelle le pape est assis, ceus qui entrent, qui qu'ils soient, mettent un genouil à terre, et atendent que le pape leur donne la benediction, ce qu'il faict; après cela ils se relèvent et s'acheminent jusques environ la mi-chambre. Il est vrai que la pluspart ne vont pas à lui de droit fil, tranchant le travers de la chambre, eins [c] gauchissant un peu le long du mur, pour donner [d], après le tour, tout droit à lui. Estant à ce mi chemin, ils se remettent encor un coup sur un genouil, et reçoivent la seconde benediction. Cela faict, ils vont vers lui jusques à un tapis velu, estandu à ses pieds, sept ou huit pieds plus avant. Au bord de ce

a. C'est un chalumeau fait de trois petits tuyaux d'or. — *b.* Pourvoir (latin *providere*), se précautionner contre le poison. — *c.* Mais. — *d.* Aller.

tapis ils se mettent à deux genous. Là l'ambassadeur qui les presentoit se mit sur un genouil à terre, et retroussa la robe du pape sur son pied droit, où il y a une pantoufle rouge, atout [a] une croix blanche audessus. Ceux qui sont à genous se tiennent en ceste assiete jusques à son pied, et se penchent à terre, pour le baiser. M. de Montaigne disoit qu'il avoit haussé un peu le bout de son pied. Ils se firent place l'un à l'autre, pour baiser, se tirant à quartier [b], tous-jours en ce pouint. L'ambassadeur, cela faict, recouvrit le pied du pape, et, se relevant sur son siege, il lui dit ce qu'il lui sembla pour la recommandation de M. d'Estissac et de M. de Montaigne. Le pape, d'un visage courtois, admonesta M. d'Estissac à l'estude et à la vertu, et M. de Montaigne de continuer à la dévotion qu'il avoit tousjours portée à l'Eglise [394] et service du roi très-chrestien, et qu'il les serviroit volontiers où il pourroit : ce sont services de phrases italiennes. Eus ne lui dirent mot; eins [c] aiant là receu une autre benediction, avant se relever, qui est signe du congé, reprindrent le mesme chemin. Cela se faict selon l'opinion d'un chacun : toutefois le plus commun est de se sier [d] en arriere à reculons, ou au moins de se retirer de costé, de maniere qu'on reguarde tous-jours le pape au visage. Au mi-chemin come en allant, ils se remirent sur un genou, et eurent une autre benediction, et à la porte, encore sur un genou, la derniere benediction.

Le langage du pape est italien, sentant son ramage boulognois [395], qui est le pire idiome d'Italie; et puis de sa nature il a la parole mal aysée [396]. Au demourant, c'est un très beau vieillard, d'une moyenne taille et droite, le visage plein de majesté, une longue barbe blanche, âgé lors de plus de quatre-vingt ans [397], le plus sein pour cest aage et vigoureus qu'il est possible de desirer, sans goutte, sans colicque, sans mal d'estomac, et sans aucune subjection : d'une nature douce, peu se passionnant des affaires du monde, grand bastisseur; et en cela il lairra à Rome et ailleurs un singulier honneur à sa memoire; grand aumonier, je dis hors de toute mesure. Entre autres tesmoignages de cela, [il n'est nulle fille à marier à laquelle il n'aide pour la loger, si elle est de bas-lieu; et conte-l'on en cela sa libé-

a. Avec. — *b.* Se plaçant ensuite à l'écart. — *c.* Mais. — *d.* Se mouvoir (latin *ciere*).

ralité pour argent contant [a]. Outre cela] [398], il a basti des collieges pour les Grecs, pour les Anglois, Escossois, François, pour les Allemands, et pour les Polacs [b], qu'il a dotés de plus de dix mille escus chacun de rente à perpétuité, outre la despense infinie des bastimans. Il l'a faict pour appeler à l'eglise les enfans de ces nations-là, corrompus de mauvaises opinions contre l'église; et là les enfans sont logés, nourris, habillés, instruicts et accommodés de toutes choses, sans qu'il y aille un quatrin [399] du leur, à quoy que ce soit. Les charges publiques penibles, il les rejette volantiers sur les espaules d'autrui, fuïant à se donner peine. Il preste tant d'audiances qu'on veut. Ses responses sont courtes et resolues, et perd-on temps de lui combattre sa response par nouveaus argumans. En ce qu'il juge juste, il se croit; et pour son fils mesme [400], qu'il eime furieusemant, il ne s'ebranle pas contre ceste siene justice [401]. Il avanse ses parans [mais sans aucun interest [c] des droits de l'église qu'il conserve inviolablemant. Il est très-magnifique en bastimans publiques [d] et réformation des rues de ceste ville]; et à la vérité, a une vie et des mœurs auxquels il n'y a rien de fort extraordinere ny en l'une ny en l'autre part, [toutefois inclinant beaucoup plus sur le bon].

Le dernier de decembre eux deus [402] disnarent chez M. le cardinal de Sans [403], qui observe plus de cerimonies romeines que nul autre François. Les *benedicite* et les *grâces* fort longues y furent dites par deus chapelins, s'antrerespondans l'un l'autre à la façon de l'office de l'eglise. Pandant son disné, on lisoit en italien une perifrase [e] de l'Evangile du jour. Ils lavarent avec lui et avant et après le repas. On sert à chacun une serviette pour s'essuïer; et devant ceus à qui on veut faire un honneur particulier, qui tient le siege à costé ou vis-à-vis du maistre, on sert des grans quarrés d'argent qui portent leur salière, de mesme façon que ceux qu'on sert en France aus grans. Audessus de cela il y a une serviette pliée en quatre; sur ceste serviette le pain, le cousteau, la forchette, et le culier [f]. Audessus de tout cela une autre serviette, de laquelle il faut se servir et laisser le demeurant en l'estat qu'il est : car après que vous estes à table, on vous sert, à costé de ce quarré, une assiette

a. Comptant. — *b*. Polonais. — *c*. Dommage. — *d*. Publics. — *e*. Paraphrase. — *f*. La cuiller.

d'argent ou de terre, de laquelle vous vous servez. De tout ce qui sert a table, le tranchant [a] en donne sur des assietes à ceus qui sont assis en ce rang-là, qui ne mettent point la mein au plat, et ne met-on guiere la mein au plat du mestre. On servit aussi à M. de Montaigne, comme on faisoit ordïneremant chez M. l'ambassadeur, quand il y mangeoit, à boire en ceste façon : c'est qu'on lui presantoit un bassin d'argent, sur lequel il y avoit un verre avec du vin et une petite bouteille de la mesure de celle où on met de l'ancre pleine d'eau. Il prend le verre de la mein droite, et de la gauche ceste bouteille, et verse autant qu'il lui plaît d'eau dans son verre, et puis remet ceste bouteille dans le bassin. Quand il boit, celui qui sert lui presante ledit bassin au-dessous du menton, et lui remet après son verre dans ledict bassin. Ceste cerimonie ne se faict qu'à un ou deux pour le plus au dessous du maistre. La table fut levée soudein après les *grâces*, et les chaises arrangées tout de suite le long d'un costé de la salle, où M. le cardinal les fit soir après lui. Il y survint deus hommes d'église, bien vestus, atout je ne sçay quels instrumans dans la mein, qui se mirent à genouil devant lui, et lui firent entendre je ne sçay quel service qui se faisoit en quelque église. Il ne leur dit du tout rien; mais comme ils se relevarent après avoir parlé et s'en alloint, il leur tira un peu le bonnet.

Un peu après il les mena dans son coche à la salle du Consistoire, où les cardinaus s'assemblarent pour aller à vespres. Les cardinaus ne se mirent point à genou à sa benediction, comme faict le peuple, mais la receurent avec une grande inclination de la teste.

Le troisieme jour de janvier 1581, le pape passa devant nostre fenestre. Marchoint devant lui environ deus çans chevaus de personnes de sa court de l'une et de l'autre robbe. Auprès de lui estoit le cardinal de Medicis qui l'entretenoit couvert et le menoit disner chez lui. Le pape avoit un chapeau rouge, son accoustrement blanc et capuchon de velours rouge, comme de coustume, monté sur une hacquenée blanche, harnachée de velours rouge, franges et passemant d'or. Il monte à cheval sans secours d'escuyer, et si [b], court son 81[e] an [404]. De quinse en quinse pas il donnoit sa benediction. Après lui marchoient trois

a. L'écuyer tranchant. — *b*. Et pourtant.

cardinaus et puis environ cent hommes d'armes, la lance sur la cuisse, armés de toutes pieces, sauf la teste. Il y avoit aussi une autre hacquenée de mesme parure, un mulet, un beau coursier blanc et une lettiere [a] qui le suivoint, et deus porte-manteaus qui avoint à l'arson de la selle des valises.

Ce mesme jour M. de Montaigne print de la terebentine, sans autre occasion sinon qu'il estoit morfondu [b], et fit force sable après.

L'onsiesme de janvier, au matin, comme M. de Montaigne sortoit du logis à cheval pour aller *in Banchi* [c], il rencontra, qu'on sortoit de prison, Catena, un fameus voleur et capitaine des banis [d], qui avoit tenu en creinte toute l'Italie et duquel il se contoit des meurtres enormes [405], et notamment de deux capucins auxquels il avoit fait renier Dieu, promettant sur ceste condition leur sauver la vie, et les avoir massacrés après cela, sans aucune occasion ny de commodité ny de vengeance. Il s'arresta pour voir ce spectacle [406]. Outre la forme de France, ils font marcher devant le criminel un grand crucifix couvert d'un rideau noir, et à pied un grand nombre d'homes vestus et masqués de toile, qu'on dict estre des gentils homes et autres apparans de Rome, qui se vouent à ce service de accompaigner les criminels qu'on mène au supplice et les corps des trespassés, et en sont une confrérie. Il y en a deus de ceus-là, ou moines, ainsi vestus et couverts, qui assistent le criminel sur la charrette et le preschent, et l'un d'eux lui presente continuellement sur le visage et lui fait baiser sans cesse un tableau où est l'image de Nostre Seigneur; cela faict que [e] on ne puisse pas voir le visage du criminel par la rue. A la potence, qui est une poutre entre deux appuis, on lui tenoit tous-jours cette image contre le visage jusques à ce qu'il fut élancé [f]. Il fit une mort commune, sans mouvemant et sans parole; estoit home noir, de trante ans ou environ. Après qu'il fut estranglé on le detrancha en quatre cartiers. Ils ne font guiere mourir les homes que d'une mort simple et exercent leur rudesse après la mort. M. de Montaigne y remerqua ce qu'il a dict ailleurs [407], combien le peuple s'effraïe des rigueurs qui s'exercent sur

a. Litière. — *b.* Enrhumé. — *c.* « Chez les banquiers. » — *d.* Bandits. — *e.* De telle sorte que. — *f.* Lancé, balancé dans le vide.

les corps mors; car le peuple, qui n'avoit pas santi [a] de le voir estrangler, à chaque coup qu'on donnoit pour le hacher, s'écrioit d'une voix piteuse [b]. Soudain qu'ils sont morts, un ou plusieurs jésuites ou autres se mettent sur quelque lieu hault, et crient au peuple, qui deçà, qui delà, et le preschent pour lui faire gouster cest exemple.

Nous remarquions en Italie, et notamment à Rome, qu'il n'y a quasi pouint de cloches pour le service de l'église, et moins à Rome qu'au moindre village de France [408]; aussi qu'il n'y a pouint d'images, si elles ne sont faites de peu de jours. Plusieurs anciennes églises n'en ont pas une.

Le quatorziesme jour de janvier il (Montaigne) reprint encore de la terebentine sans aucun effet apparent.

Ce mesme jour je vis [409] desfaire [c] deus freres, anciens serviteurs du secrétaire du Castellan [410], qui l'avoint tué quelques jours auparavant de nuict en la ville, dedans le palais mesme dudict seigneur Jacomo Buoncompaigno, fils du pape. On les tenailla, puis coupa le poignet devant le dict palais, et l'ayant coupé, on leur fict mettre sur la playe des chappons qu'on tua et entr'ouvrit soudenemant. Ils furent desfaicts [d] sur un échaffaut et assommés avec une grosse massue de bois et puis soudein égorgés; c'est un supplice qu'on dict par fois usité à Rome; d'autres tenoint qu'on l'avoit accommodé au mesfaict [e], d'autant qu'ils avoint einsi tué leur maistre.

Quant à la grandeur de Rome, M. de Montaigne disoit : « que l'espace qu'environnent les murs, qui est plus des deux tiers vuides, comprenant la vieille et la neufve Rome [411], pourroit égaler la cloture qu'on fairoit autour de Paris [412], y enfermant tous les faubourgs de bout à bout; mais si on conte la grandur par nombre et presse de maisons et habitations, il panse que Rome n'arrive pas à un tiers près de la grandur de Paris; en nombre et grandeur de places publiques et beauté de rues, et beauté de maisons, Rome l'amporte de beaucoup ».

Il trouvoit aussi la froidur de l'hyver fort approchante de celle de Guascogne. Il y eut des gelées fortes autour de Noel, et des vents frois insupportablemant. Il est vray que lors mesme il y tonne, gresle et esclaire [f] souvent.

a. Senti de pitié, été ému. — *b.* Pitoyable. — *c.* Exécuter. — *d.* Exécutés. — *e.* Qu'on avait calqué le supplice sur l'attentat. — *f.* Fait des éclairs.

Les palais ont force suite de mambres les uns après les autres; vous enfilez trois ou quatre salles avant que vous soyez à la maistresse. En certains lieus où M. de Montaigne disna en cerimonie, les buffets ne sont pas où on disne, mais en un'autre premiere salle, et va-t-on vous y querir à boire quand vous en demandez; et là est en parade la vaisselle d'argent.

Judy, vint-sixieme de janvier, M. de Montaigne étant allé voir le mont *Janiculum*, delà le Tibre, et considerer les singularités de ce lieu là, entre autres une grande ruine d'un vieus mur avenue [a] deus jours auparavant, et contempler le sit [b] de toutes les parties de Rome, qui ne se voit de nul autre lieu si cleremant, et delà estant descendu au Vatican pour y voir les statues enfermées aux niches de Belveder, et la belle galerie que le pape dresse des peintures de toutes les parties de l'Italie [413], qui est bien près de sa fin, il perdit sa bourse et ce qui estoit dedans; et estima que ce fût que, en donnant l'aumone à deus ou trois fois, le temps estant fort pluvieus et mal plesant, au lieu de remettre sa bourse en sa pochette, il l'eût fourrée dans les découpres de sa chausse.

Touts ces jours là il ne s'amusa qu'à estudier Rome. Au commencemant il avoit pris un guide françois; mais celui-là, par quelque humeur fantastique, s'étant rebuté, il se piqua, par sa propre estude, de venir à bout de ceste science, aidé de diverses cartes et livres [414] qu'il se faisoit remettre le soir, et le jour alloit sur les lieus mettre en pratique son apprentissage; si que en peu de jours, il eust ayséemant reguidé son guide.

Il disoit « qu'on ne voïoit rien de Rome que le ciel sous lequel elle avoit esté assise et le plan de son gîte; que ceste science qu'il en avoit estoit une science abstraite et contemplative, de laquelle il n'y avoit rien qui tumbast sous les sens; que ceux qui disoint qu'on y voyoit au moins les ruines de Rome en disoint trop; car les ruines d'une si espouvantable machine rapporteroint plus d'honneur et de reverence à sa mémoire; ce n'estoit rien que son sepulcre. Le monde, ennemi de sa longue domination, avoit premierement brisé et fracassé toutes les pieces de ce corps admirable; et, parce qu'encore tout mort, ranversé et défiguré,

a. Advenue, arrivée. — *b.* Site.

il lui faisoit horreur, il en avoit enseveli la ruine mesme; que ces petites montres de sa ruine qui paressent encores au dessus de la biere, c'estoit la fortune qui les avoit conservées pour le tesmoignage de ceste grandeur infinie que tant de siècles, tant de fus [a], la conjuration du monde reiterées à tant de fois à sa ruine, n'avoint peu universelemant esteindre; mais estoit vraisamblable que ces mambres desvisagés qui en restoint, c'estoint les moins dignes, et que la furie des ennemis de ceste gloire immortelle les avoit portés premierement à ruiner ce qu'il y avoit de plus beau et de plus digne; que les bastimans de ceste Rome bastarde qu'on aloit à cette heure atachant à ces masures, quoi qu'ils eussent de quoi ravir en admiration nos siecles presans, lui faisoint resouvenir propremant des nids que les moineaus et les corneilles vont suspendant en France aus voutes et parois des eglises que les Huguenots viennent d'y démolir. Encore craignoit-il à voir l'espace qu'occupe ce tumbeau qu'on ne le reconnût pas du tout, et que la sépulture ne fût elle mesme pour la plupart ensevelie; que cela, de voir une si chetifve descharge, comme de morceaus de tuiles et pots cassés, estre antiennemant arrivé à un morceau de grandur si excessive qu'il égale en hauteur et largeur plusieurs naturelles montaignes [415], (car il le comparoit en hauteur à la mote de Gurson [416] et l'estimoit double en largeur), c'estoit une expresse ordonnance des destinées, pour faire santir au monde leur conspiration à la gloire et à la préeminance de ceste ville, par un si nouveau et extraordinere tesmoignage de sa grandur. Il disoit ne pouvoir aiséemant faire convenir, veu le peu d'espace et de lieu que tiennent aucuns de ces sept mons, et notammant les plus fameus, comme le Capitolin et le Palatin, qu'il y renjast un si grand nombre d'édifices. A voir seulemant ce qui reste du temple de la paix [417], le logis [b] du *Forum Romanum*, duquel on voit encore la chute toute vifve, comme d'une grande montaigne, dissipée en plusieurs horribles rochiers, il ne semble que deus tels bastimans peussent tenir en toute l'espace du mont du Capitole, où il y avoit bien 25 ou 30 tamples, outre plusieurs maisons privées. Mais, à la vérité, plusieurs conjectures qu'on prent de la peinture de ceste ville antienne n'ont guiere de verisimili-

a. Feux. — *b*. La situation. VAR. : *le long.*

tude [a], son plant mesme estant infinimant changé de forme; aucuns de ces vallons estans comblés, voire dans les lieus les plus bas qui y fussent; comme par exemple, au lieu du *Velabrum* [418], qui pour sa bassesse recevoit l'esgout de la ville [419] et avoit un lac, s'est tant eslevé des mons de la hauteur des autres mons naturels qui sont autour delà; ce qui se faisoit par le tas et monceau des ruines de ces grans bastimans; et le *monte Savello* n'est autre chose que la ruine d'une partie du theatre de Marcellus. Il crioit qu'un ancien Romain ne sauroit reconnoistre l'assiette de sa ville quand il la verroit. Il est souvent avenu qu'après avoir fouillé bien avant en terre on ne venoit qu'à rencontrer la teste d'une fort haute coulonne qui estoit encor en pieds au dessous. On n'y cherche point d'autres fondemens aus maisons que de vieilles masures ou voutes, comme il s'en voit au dessous de toutes les caves, ny encor l'appuy du fondement antien ny d'un mur qui soit en son assiette; mais sur les brisures mesmes des vieus bastimans, comme la fortune les a logés, en se dissipant [b], ils ont planté le pied de leurs palais nouveaus, comme sur des gros loppins de rochiers, fermes et assurés. Il est aysé à voir que plusieurs rues sont à plus de trante pieds profond au dessous de celles d'à-ceste-heure. »

Le 28 de janvier, il (Montaigne) eut la colicque qui ne l'empescha de nulle de ses actions ordineres, et fit une pierre assez grossette et d'autres moindres.

Le trantiesme il fut voir la plus antienne cerimonie de religion qui soit parmy les homes, et la considera fort attentivemant et avec grande commodité : c'est la circoncision des Juifs.

Il avoit des-jà veu une autrefois leur synagogue, un jour de samedy le matin, et leurs prieres, où ils chantent désordonéemant, comme en l'église calvinienne, certenes leçons de la bible en hebreu accommodées au temps. Ils ont les cadences de son pareilles, mais un désaccord extreme, pour la confusion de tant de vois de toute sorte d'aages : car les enfans, jusques au plus petit aage sont de la partie, et tous indifféremmant entendent l'hebreu. Ils n'apportent non plus d'attention en leurs prieres que nous faisons aus notres, devisant parmy cela d'autres affaires, et n'apportant

a. Vraisemblance (latin *verisimilitudo*). — *b*. En s'écroulant.

pas beaucoup de reverence à leurs mysteres. Ils lavent les mains à l'entrée, et en ce lieu là ce leur est execration de tirer le bonnet; mais baissent la teste et le genous où leur dévotion l'ordonne. Ils portent sur les espaules ou sur la teste certains linges, où il y a des franges attachées : le tout seroit trop long à déduire. L'après disnée tour à tour leurs docteurs font leçon sur le passage de la bible de ce jour là, le faisant en Italien. Après la leçon, quelque autre docteur assistant, choisit quelqu'un des auditeurs, et par fois deus ou trois de suite, pour argumenter contre celui qui vient de lire, sur ce qu'il a dict. Celui que nous ouïmes, lui sembla avoir beaucoup d'éloquence et beaucoup d'esprit en son argumentation.

Mais, quant à la circoncision, elle se faict aus maisons privées, en la chambre du logis de l'enfant, la plus commode et la plus clere. Là où il fut, parce que le logis estoit incommode, la cerimonie se fit à l'entrée de la porte. Ils donnent aus enfants un parein et une mareine comme nous : le pere nomme l'enfant. Ils les circonscient le huitiesme jour de sa naissance. Le parein s'assit sur une table, et met un oreiller sur son giron : la mareine lui porte là l'enfant et puis s'en va. L'enfant est enveloppé à nostre mode; le parein le développe par le bras, et lors les assistants et celui qui doit faire l'operation, commancent tres-tous à chanter, et accompaignent de chansons toute ceste action qui dure un petit quart d'heure. Le ministre peut estre autre que rabbi [a]; et quiconque ce soit d'entre eus, chacun desire estre appelé à cet office, parce qu'ils tiennent que c'est une grande benediction d'y estre souvent employé : voire ils achettent d'y estre conviés, offrant qui un vestemant, qui quelque autre commodité à l'enfant; et tiennent que celui qui en a circonsy jusques à certain nombre qu'ils sçavent, estant mort, a ce privilege que les parties de la bouche ne sont jamais mangées des vers. Sur la table où est assis ce parein, il y a quant et quant [b] un grand apprest de tous les utils [c] qu'il faut à cest'operation. Outre cela, un homme tient en ses meins une fiolle pleine de vin et un verre. Il y a aussi un brazier à terre, auquel ce ministre chauffe premieremant ses meins, et puis trouvant cest enfant tout destroussé, comme le parein le tient sur son giron la teste

a. Rabbin. — *b*. En même temps. — *c*. Outils.

devers soy, il lui prant son mambre, et retire à soy la peau qui est au dessus, d'une mein, poussant de l'autre la gland [a] et le mambre audedans. Au bout de ceste peau qu'il tient vers laditte gland, il met un instrumant d'argent qui arreste là ceste peau, et empesche que, la tranchant, il ne vienne à offenser la gland et la chair. Après cela, d'un couteau il tranche ceste peau, laquelle on enterre soudein dans de la terre qui est là dans un bassin parmy les autres apprests de ce mystere. Après cela le ministre vient à belles ongles, à froisser encor quelque autre petite pellicule qui est sur ceste gland et la déchire à force, et la pousse en arrière au-delà de la gland. Il samble qu'il y ait beaucoup d'effort en cela et de dolur; toute fois ils n'y trouvent nul dangier, et en tousjours la plaie guerie en quatre ou cinq jours. Le cry de l'enfant est pareil aus nostres qu'on baptise. Soudein que ceste gland est ainsi descouverte, on offre hastivemant du vin au ministre qui en met un peu à la bouche, et s'en va ainsi sucer la gland de cet enfant, toute sanglante, et rand le sang qu'il en a retiré, et incontinant reprent autant de vin jusques à trois fois. Cela faict on lui offre dans un petit cornet de papier, d'une poudre rouge qu'ils disent estre du sang de dragon [420], de quoy il sale et couvre la playe; et puis enveloppe bien propremant le mambre de cest enfant atout [b] des linges taillés tout exprès. Cela faict, on lui donne un verre plein de vin, lequel vin par quelques oreisons qu'il faict, ils disent qu'il benit. Il en prant une gorgée, et puis y trampant le doigt en porte par trois fois atout le doigt quelque goutte à sucer en la bouche de l'enfant; et ce verre après, en ce mesme estat, on l'envoye à la mere et aux fames qui sont en quelque autre endroit du logis, pour boire ce qui reste du vin. Outre cela, un tiers prent un instrument d'argent, rond comme un esteuf [c], qui se tient à une longue queue, lequel instrument est percé de petits trous comme nos cassolettes, et le porte au nés, premierement du ministre, et puis de l'enfant, et puis du parein : ils présuposent que ce sont des odeurs pour fortifiier et éclaircir les esprits à la dévotion [421]. Il a toujours cependant la bouche toute sanglante.

Le 8, et depuis encore le 12, il eut (Montaigne) un

a. Nous disons *le ;* mais Montaigne conserve le genre du mot en latin, où *glans* est féminin. — *b.* Avec. — *c.* Balle de paume.

ombrage de colicque et fict des pierres sans grand dolur.

Le quaresme prenant[a] qui se fit à Rome cest'année là fut plus licentieus, par la permission du pape, qu'il n'avoit esté plusieurs années auparavant : nous trouvions pourtant que ce n'estoit pas grand'chose. Le long du Cours qui est une longue rue de Rome, qui a son nom pour cela, on faict courir à l'envi, tantost quattre ou cinq enfants, tantost des Juifs, tantost des vieillards tout nuds, d'un bout de rue à autre. Vous n'y avez nul plesir que les voir passer devant l'endret où vous estes. Autant en font-ils des chevaus, sur quoi il y a des petits enfants qui les chassent à coups de fouet, et des ânes et des buffles poussés atout[b] des éguillons par des gens de cheval. A toutes les courses il y a un pris proposé qu'ils appellent *el palo* [c] : ce sont des pieces de velours ou de drap. Les gentils homes, en certein endret de la rue où des dames ont plus de veue, courent sur des beaus chevaus la quintaine [422], et y ont bonne grâce : car il n'est rien que ceste noblesse sache si communéement bien faire que les exercices de cheval. L'eschaffaut que M. de Montaigne fit faire leur cousta trois escus. Il estoit aussi assis en un très-beau endret de la rue.

Ce jour-là toutes les belles genti-femmes de Rome s'y virent à loisir : car en Italie, elles ne se masquent pas comme en France [423], et se monstrent tout à descouvert. Quant à la beauté parfaite et rare, il n'est, disoit-il, non plus qu'en France, et sauf en trois ou quattre, il n'y trouvoit nulle excellence; mais communéemant elles sont plus agréables, et ne s'en voit point tant de ledes qu'en France [424]. La teste, elles l'ont sans compareson plus avantageusement accommodée [425], et le bas audessous de la ceinture. Le corps est mieus en France [426] : car icy elles ont l'endret de la ceinture trop lâche, et le portent comme nos femmes enceintes; leur contenance a plus de majesté, de mollesse et de douceur. Il n'y a nulle compareson de la richesse de leurs vetemans aus nostres : tout est plein de perles et de pierreries. Partout où elles se laissent voir en public, soit en coche, en feste ou en theatre, elles sont à part des hommes : toutefois elles ont des danses entrelassées assez

a. Carnaval. — *b.* Avec. — *c. Il palio* (lat. *pallium*) : le manteau, le « poêle », le « pal ».

libremant, où il y a des occasions de deviser et de toucher à la mein.

Les hommes sont fort simplement vestus, à quelque occasion que ce soit, de noir et de sarge [a] de Florence; et parce qu'ils sont un peu plus bruns que nous, je ne sçay comment ils n'ont pas la façon de duc, de contes et de marquis, comme ils sont, vu qu'ils ont l'apparence [b] un peu vile : courtois au demurant, et gracieus tout ce qu'il est possible, quoique die le vulgaire des François, qui ne peuvent appeller gracieus ceus qui supportent mal-aysée-mant leurs débordemans et insolence ordinere. Nous faisons en toutes façons, ce que nous pouvons pour nous y faire décrier [427]. Toutefois, ils ont une antienne affection ou reverance à la France, qui y faict estre fort respectés et bien venus ceus qui meritent tant soit peu de l'estre et qui sulemant se contiennent sans les offenser.

Le jour du jeudy-gras, il (Montaigne) entra au festin du Castellan [428]. Il y avoit un fort grand apprêt, et notamment un amphiteatre très-artificiellemant et richemant disposé pour le combat de la barriere qui fut fait de nuict avant soupper, dans une grange quarrée, avec un retranchement par le milieu, en forme ovale. Entre autres singularités, le pavé y fut peint en un instant de divers ouvrages en rouge, aiant premieremant enduit le planchier de quelque plastre ou chaus, et puis couchant sur ce blanc une piece de parchemin ou de cuir façonnée à piece levée des ouvrages qu'on y vouloit; et puis atout une epoussette teinte de rouge, on passoit par dessus ceste piece et imprimoit-on au travers des ouvertures, ce qu'on vouloit, sur le pavé, et si soudeinemant, qu'en deus heures la nef d'une église en seroit peinte. Au souper, les dames sont servies de leurs maris qui sont debout autour d'elles et leur donnent à boire et ce qu'elles demandent. On y servit force volaille rostie, revestue de sa plume naturelle comme vifve; des chapons cuits tout entiers dans des bouteilles de verres; force lievres, connils [c], et oiseaux vifs emplumés en paste [d]; des plientes [e] de linges admirables. La table des dames, qui estoit de quattre plats, se levoit en pieces; et au dessous de

a. Serge. — *b.* VAR. : *ains d'*apparence. — *c.* Lapins. — *d.* Des oiseaux vivants avec leurs plumes enfermés dans des pâtés. Le mot *emplumés* a été peut-être ajouté par Meusnier de Querlon; il ne figure pas dans les autres éditions. — *e.* Du linge admirablement plié.

celle-là il s'en trouva un'autre toute servie et couverte de confitures.

Ils ne font nulles masquarades pour se visiter. Ils en font à peu de frais pour se promener en publicq, ou bien pour dresser des parties à courre la bague. Il y en eut deus belles et riches compagnies de ceste façon le jour du lundy-gras, à courre la quintaine [429] : surtout ils nous surpassent en abondance de très-beaus chevaus.

(*Ici finit la « dictée » du secrétaire de Montaigne. Tout le reste du* Journal *est écrit de la main de Montaigne.*)

* * *

AÏANT doné congé a celui de mes jans qui conduisoit ceste bele besouigne [a], et la voïant si avancée, quelque incommodité que ce me soit, il faut que je la continue moi-mesme.

Le 16 février, revenant de la station, je rencontray en une petite chapelle, un pretre revestu, abesouigné [b] à guerir un spiritato [c] : c'estoit un home melancholique et come transi. On le tenoit à genous devant l'autel, aïant au col je ne sçay quel drap [430] par où on le tenoit ataché. Le prestre lisoit en sa presance force oresons et exorcismes, commandant au diable de laisser ce cors, et les lisoit dans son breviaire. Après cela il detournoit son propos au patiant, tantost parlant à lui, tantost parlant au diable en sa personne, et lors l'injuriant, le battant à grans coups de pouin, lui crachant au visage. Le patiant repondoit à ses demandes quelques reponses ineptes : tantost pour soi, disant come il santoit les mouvemans de son mal; tantost pour le diable, combien il craignoit Dieu et combien ces exorcismes agissoint contre lui. Après cela qui dura longtemps, le prestre pour son dernier effort se retira à l'autel et print la custode [d] de la mein gauche, où estoit le *Corpus Domini ;* en l'autre mein tenant une bougie alumée, la teste renversée contre bas, si [e] qu'il la faisoit fondre et consomer [f], prononçant cependant des oresons, et au bout des paroles de menasse et de rigur contre le diable, d'une vois la plus haute et magistrale qu'il pouvoit. Come la premiere chandele vint à défaillir près de ses doigts, il en print un'autre, et puis une seconde et puis la tierce. Cela faict, il remit sa custode, c'est à dire le vesseau [g] transparant où estoit le *Corpus Domini*, et vint retrouver le patiant parlant lors à lui come à un home, le fit détacher et le randit aux siens pour le ramener au logis. Il nous dict que ce diable là estoit de la pire forme, opiniâtre et qui couteroit bien à chasser. Et à dix ou douze jantil'homes qui estions là, fit plusieurs contes de ceste sciance et des experiances ordineres qu'il en avoit, et notamment que, le jour avant, il avoit des-

a. Besogne. — *b*. Occupé. — *c*. Un possédé. — *d*. Le saint-ciboire. — *e*. En sorte. — *f*. Consumer. — *g*. Vase.

chargé une fame d'un gros diable, qui, en sortant, poussa hors ceste fame par la bouche des clous, des épingles et une touffe de son poil. Et parce qu'on lui respondit qu'elle n'estoit pas encore du tout rassise, il dit que c'estoit une autre sorte d'esperit plus legier et moins malfaisant, qui s'y etoit remis ce matin-là; mais que ce janre, car il en sçait les noms, les divisions et plus particulieres distinctions, estoit aisé à esconjurer. Je n'en vis que cela. Mon home ne faisoit autre mine que de grinser les dents et tordre la bouche, quand on lui pressantoit le *Corpus Domini;* et remachoit par fois ce mot, *si fata volent* [a]; car il estoit notere et scavoit un peu de latin.

Le premier jour de mars, je fus à la station de S. Sixte [431]. A l'autel principal, le prestre qui disoit la messe etoit audelà de l'autel, le visage tourné vers le peuple : derriere luy il n'y avoit personne. Le pape y vint ce mesme jour, car il avoit quelques jours auparavant faict remuer [b] de ceste Eglise les noneins [432] qui y étoint, pour estre ce lieu là un peu trop escartées, et y avoit faict accommoder tous les povres qui mandioint par la ville, et d'un très bel ornement [433]. Les cardinaus donarent chascun vint escus pour acheminer ce trein; et fut faict des ausmones extremes par autres particuliers. Le pape dota cest hospital de 500 escus par mois.

Il y a à Rome force particulieres devotions et confreries, où il se voit plusieurs grans tesmoignages de piété. Le commun me samble moins devotieus qu'aus bones villes de France, plus serimonieux bien : car en ceste part là ils sont extremes. J'ecris ici en liberté de consciance. En voici deus examples. Un quidam estant avecques une courtisane, et couché sur un lit et parmi la liberté de ceste pratique-là, voila sur les 24 heures l'*Ave Maria* soner : elle se jeta tout soudein du lit à terre, et se mit à genous pour y faire sa priere. Estant avecques un'autre, voilà la bone mere (car notamment les jeunes ont des vieilles gouvernantes, de quoi elles font des meres ou des tantes), qui vient hurter à la porte, et avecques cholere et furie arrache du col de ceste jeune fille un lacet qu'elle avoit, où il pandoit une petite Nostre-Dame, pour ne la contaminer de l'ordure de son peché : la jeune sentit un'extreme contrition d'avoir

a. « Si les destins le veulent ». — *b*. Déguerpir.

oblié de se l'oster du col, comme elle l'avoit acostumé [434].

L'ambassadur du Moscovite [435] vint aussi ce jour-là à ceste station, vestu d'un manteau escarlatte, et soutane de drap d'or, le chapeau en forme de bonnet de nuit de drap d'or fourré, et au dessous une calote de toile d'arjant. C'est le deusieme ambassadur de Moscovie qui soit venu vers le pape [436]. L'autre fut du tamps du pape Pol 3e. On tenoit là que sa charge portoit d'emouvoir le pape à s'interposer à la guerre que le roy de Poloingne [437] faisoit à son maistre, alleguant que c'estoit à luy à soutenir le premier effort du Turc; et si son voisin l'affaiblissoit, qu'il demeureroit incapable à l'autre guerre, qui seroit une grande fenestre au turc pour venir à nous, offrant encore se reduire en quelque différence de relligion qu'il avoit avecq l'Eglise romaine. Il fut logé chez le Castellan [438], come avoit été l'autre du tamps du pape Pol, et nourri aus despans du pape. Il fit grand instance de ne baiser pas les pieds du pape, mais sulemant la mein droite, et ne se vousit [a] randre qu'il ne lui fut tesmoingné que l'Ampereur mesme estoit sujet à cete serimonie : car l'example des roys ne luy suffisoit pas. Il ne savoit parler nulle langue que la siene, et estoit venu sans truchemant [b]. Il n'avoit que trois ou quatre homes de trein, et disoit estre passé avecq grand dangier travesti au travers de la Poloingne. Sa nation est si ignorante des affaires deça qu'il apporta à Venise des lettres de son maistre adressantes au grand gouverneur de la cité de Venise. Interrogé du sans [c] de ceste inscription, il repondit, qu'ils pansoint que Venise fust de la dition [d] du pape, et qu'il y envoïat des gouverneurs, come à Bouloingne et ailleurs. Dieu sache de quel gout ces magnifiques receurent cest'ignorance. Il fit des presans et là et au pape, de subelines [e] et renards noirs, qui est une fourrure encores plus rare et riche.

Le 6 de mars, je fus voir la librerie [f] du Vatican, qui est en cinq ou six salles tout de suite. Il y a un grand nombre de livres attachés sur plusieurs rangs de pupitres; il y en a aussi dans des coffres, qui me furent tous ouverts; force livres escris à la mein, et notammant un Seneque et les Opuscules de Plutarque. J'y vis de remercable la statue

a. Voulut. — *b*. Interprète. — *c*. Sens. — *d*. Domination, juridiction. — *e*. Zibelines. — *f*. Bibliothèque.

du bon Aristide [439] atout [a] une belle teste chauve, la barbe espesse, grand front, le regard plein de douceur et de magesté : son nom est escrit en sa base très antique; un livre de China [440], le charactere sauvage, les feuilles de certene matiere beaucoup plus tendre et pellucide [b] que notre papier; et parce que elle ne peut souffrir la teinture de l'ancre, il n'est escrit que d'un coté de la feuille, et les feuilles sont toutes doubles et pliées par le bout de dehors où elles se tienent. Ils tiennent que c'est la membrane de quelque arbre. J'y vis aussi un lopin de l'antien *papirus*, où il y avoit des characteres inconnus : c'est un' écorce d'arbre. J'y vis le breviaire de S. Grégoire escrit à mein : il ne porte nul tesmoignage de l'année, mais ils tiennent que de mein en mein il est venu de lui. C'est un Missal à peu-près come le nostre; et fut aporté au dernier Concile de Trante [441] pour servir de tesmoingnage de l'année, à nos serimonies. J'y vis un livre de S. Thomas d'Aquin, où il y a des corrections de la mein du propre autheur, qui écrivoit mal, une petite lettre pire que la mienne. *Item* une Bible imprimée en parchemin, de celes que Plantein [442] vient de faire en quatre langues, laquelle le roy Philippes a envoïée à ce pape come il dict en l'inscription de la reliure; l'original du livre que le roy d'Angleterre [443] composa contre Luter, lequel il envoïa, il y a environ cinquante ans, au pape Leon dixiesme, soubscrit de sa propre mein, avec ce beau distiche [444] latin, aussi de sa mein :

Anglorum rex Henricus, Leo décime, mittit
Hoc opus, et fidei testem et amicitiæ [c].

Je leus les prefaces, l'une au pape, l'autre au lectur : il s'excuse sur ses occupations guerrieres et faute de suffisance; c'est un langage latin bon scholastique.

Je la vis (la Bibliothèque) sans nulle difficulté; chacun la voit einsin et en extrait ce qu'il veut; et est ouverte quasi tous les matins; et j'y fus conduit-partout et convié par un jantilhome d'en user quand je voudrois. M. notre ambassadur [445] s'en partoit en mesme tamps sans l'avoir veue, et se plaignoit de ce qu'on lui vouloit faire faire la cour au cardinal Charlet [446], maistre de ceste librerie pour cela; et n'avoit, disoit-il, jamès peu avoir le moïens de voir ce

a. Avec. — *b.* Transparente. — *c.* « Le roi des Anglais Henri t'envoie, Léon X, cet ouvrage, témoin et de sa foi et de son amitié. »

Seneque escrit à la mein, ce qu'il desiroit infinimant. La fortune m'y porta, comme je tenois sur ce tesmoingnage la chose desespérée. Toutes choses sont einsin aisées à certeins biais, et inaccessibles par autres. L'occasion et l'importunité ont leur privilège, et offrent souvant au peuple ce qu'elles refusent aus Roys. La curiosité s'ampeche souvent elle-mesme, come faict aussi la grandur et la puissance.

J'y vis aussi un Virgile écrit à la mein, d'une lettre infiniment grosse et de ce caractere long et etroit [447] que nous voïons ici aus inscriptions du tamps des ampereurs, come environ le siecle de Constantin, qui ont quelque façon gothique et ont perdu ceste proportion carrée qui est aux vieilles escritures latines. Ce Virgile me confirma, en ce que j'ai tousjours jugé, que les premiers vers qu'on met en Æneide sont ampruntés [448] : ce livre ne les a pas. Il y a des Actes des apostres escrits en très belles lettres d'or grecque, ausi vifve et recente que si c'estoit aujourd'hui. Cest lettre est massive et a un cors solide et eslevé sur le papier, de façon que si vous passez la mein pardessus, vous y santez de l'espessur. Je crois que nous avons perdu l'usage de ceste escriture.

Le 13 de mars, un vieil patriarche d'Antioche, Arabe, très bien versé en cinq ou six langues de celes de delà, et n'aïant nulle connoissance de la grecque et autres nostres, avecq qui j'avois pris beaucoup de familiarités, me fit present d'une certene mixtion [a] pour le secours de ma gravelle, et m'en prescrivit l'usage par escrit. Il me l'enferma dans un petit pot de terre, et me dict que je la pouvois conserver dix et vint ans; et en esperoit tel fruit que de la premiere prinse je serois tout à fait gueri de mon mal. Afin que si je perdois son escrit, je le retreuve ici, il faut prendre ceste drogue, s'en alant coucher, aïant legieremant soupé, de la grosseur de deux pois, la mesler à de l'eau tiède; l'aïant froissé sous les dois et laissant un jour vuide entre deux, en prandre par cinq fois.

Disnant un jour à Rome avec nostre ambassadur, où estoit Muret [449] et autres sçavans, je me mis sur le propos de la traduction françoise de Plutarche [450], et contre ceus qui l'estimoint beaucoup moins que je ne fais, je meinte-

a. Mixture.

nois au moins cela : « Que où le traducteur a failli le vrai sans de Plutarque, il y en a substitué un autre vraisemblable et s'entretenant bien aus choses suivantes et précédentes ». Pour me montrer qu'en cela mesme je lui donnois trop, il fut produit deux passages, l'un duquel ils attribuent l'animadversion [a] au fils de M. Mangot, avocat de Paris, qui venoit de partir de Rome [451], en la vie de Solon, environ sur le milieu, où il dict que Solon se vantoit d'avoir affranchi l'Attique, et d'avoir osté les bornes qui faisoint les séparations des héritages. Il a failli, car ce mot grec signifie certenes marques qui se mettoint sur les terres qui estoint engagées et obligées, afin que les acheturs fussent avertis de ceste hypotheque. Ce qu'il a substitué des limites n'a point de sens accommodable, car ce seroit faire les terres non libres, mais commune. Le latin d'Estiene [452] s'est aproché plus près du vrai. Le secont, tout sur la fin du Treté de la nourriture des enfans : « D'observer, dict-il, ces regles, cela se peut plustost souhaiter que conseiller ». Le grec, disent-ils, sone [b] : « cela est plus desirable qu'esperable », et est une forme de proverbe qui se treuve ailleurs. Au lieu de ce sens cler et aisé, celui que le traducteur y a substitué est mol et estrange; parquoy recevant leurs presuppositions du sens propre de la langue, j'avouai de bone foi leur conclusion.

Les églises sont à Rome moins belles qu'en la plupart des bones villes d'Italie, et en general, en Italie et en Allemaigne, communéemant moins belles qu'en France. A Saint Pierre, il se voit à l'entrée de la nouvelle église des enseignes pandues pour trophées : leur escrit porte, que ce sont enseignes gaignées par le roy sur les Huguenots; il ne spécifie pas où et quant. Auprès de la chapelle Gregoriane [453], où il se voit un nombre infini de veux attachés à la muraille, il y en a entr'autres un petit tableau assez chetif et mal peint de la bataille de Moncontour [454]. En la salle audevant la chapelle S. Sixte [455] ou en la paroi, il y a plusieurs peintures des accidens mémorables qui touchent le S. Siege, comme la bataille de Jean d'Austria, navale [456]. Il y a la representation de ce pape [457], qui foule aux pieds la teste de cest ampereur [458] qui venoit [459] pour lui demander pardon et les lui baiser, non pas les paroles

a. La critique. — *b.* Porte à la lettre.

dictes selon l'histoire [460] par l'un et par l'autre. Il y a aussi deus endrets où la blessure de M. l'amiral de Chatillon est peinte et sa mort [461] bien authantiquemant.

Le 15 de mars, M. de Monluc [462] me vint trouver à la pouinte du jour, pour executer le dessein que nous avions faict le jour avant d'aler voir Ostia [463]. Nous passames le Tibre sur le pont Nostre-Dame et sortismes par la porte del Porto, qu'ils nomoint entienemant [a] *Portuensis :* delà nous suivimes un chemin inegal et mediocremant fertile de vin et de bleds; et au bout d'environ huit milles, venant à rejouindre le Tibre, descendimes en une grande pleine de preries et pacages, au bout de laquelle estoit assise une grande ville [464], de quoi il se voit là plusieurs belles grandes ruines qui abordent au lac de Trajan, et qui est un regorgement de la mer Tyrrhene [465], dans lequel se venoint randre les navires; mais la mer n'y done plus que bien peu, et encore moins à un autre lac qui est un peu audessus du lieu, qu'on nomoit l'Arc [b] de Claudius. Nous pouvions disner là avecq le cardinal de Peruse [466] qui y estoit, et il n'est à la vérité rien si courtois que ces seigneurs-là et leurs serviturs. Et me manda ledict sieur cardinal, par l'un de mes jans qui passa soudein par là, qu'il avoit à se pleindre de moi; et ce mesme valet fut mené boire en la sommellerie dudict cardinal, qui ne avoit nulle amitié ny conoissance de moi, et n'usoit en cela que d'une hospitalité ordinere à tous etrangiers qui ont quelque façon; mais je creignois que le jour nous faillit à faire le tour que je voulois faire, aïant fort allongé mon chemin pour voir ces deus rives du Tibre. Là nous passames à bateau un petit rameau du Tibre et entrâmes en l'Isle sacrée, grande d'environ une grande lieue de Gascoingne, pleine de pascages. Il y a quelques ruines et colonnes de mabre, come il y en a plusieurs en ce lieu de Porto, où estoit ceste vieille ville de Trajan; et en fait le pape desenterrer tous les jours et porter à Rome. Quand nous eusmes traversé cest'isle, nous rancontrames le Tibre à passer, de quoi nous n'avions nulle commodité pour le regard des chevaus, et estions à mesme [c] de retourner sur nos pas; mais de fortune voilà arriver à la rive les sieurs du Bellai [467], baron de Chasai [468], de Marivau [469] et autres. Sur quoi je passai l'eau; et vins faire

a. Anciennement. — *b.* Faute de copie pour *lac.* — *c.* Sur le point.

troque [a] avec ces jantils-homes qu'ils prinsent nos chevaus et nous les leurs. Einsin ils retournarent à Rome par le chemin que nous estions venus, et nous par le leur qui estoit le droit d'Ostia.

OSTIA, quinse milles, est assise le long de l'antien canal du Tibre; car il l'a un peu changé et s'en esloingne tous les jours. Nous dejunasmes sur le pouin [b] à une petite taverne. Audelà nous vismes la Rocca, qui est une petite place assez forte où il ne se fait nulle garde. Les papes, et notamment celui-ci, ont faict en ceste coste de mer dresser des grosses tours ou vedettes, environ de mille en mille, pour prouvoir [c] à la descente que les Turcs y faisoint souvant, mesme en tamps de vandanges; et y prenoient betail et hommes. De ces tours, atout [d] un coup de canon, ils s'entravertissent les uns les autres d'une si grande soudeineté que l'alarme en est soudein volée à Rome. Autour d'Ostia sont les salins, d'où toutes les terres de l'Eglise sont proveues [e]; c'est une grande plene de marets où la mer se desgorge.

Ce chemin d'Ostia à Rome, qui est *via Ostiensis*, à tout plein de grandes merques de son antienne beauté, force levées, plusieurs ruines d'acqueducs, et quasi tout le chemin semé de grandes ruines, et plus de deux parts dudict chemin encore pavé de ce gros cartier noir, de quoi ils planchoint [f] leurs chemins. A voir ceste rive du Tibre, on tient aiséemant pour la vraïe ceste opinion : que d'une part et d'autre tout estoit garni d'habitations de Rome jusques à Ostie. Entr'autres ruines, nous rencontrasmes environ à mi chemin sur nostre mein gauche une très bele sepulture d'un prætur romein, de quoi l'inscription s'y voit encore toute entière. Les ruines de Rome ne se voient pour la pluspart que par le massif et espais du bastimant. Ils faisoint de grosses murailles de brique, et puis il les encroutoint [g] ou de lames de marbre ou d'une autre pierre blanche ou de certein cimant [470] ou de gros carreau enduit par dessus. Ceste croute, quasi partout, a esté ruinée par les ans, sur laquelle estoint les inscriptions, par où nous avons perdu la pluspart de la connoissance de teles choses. L'escrit se

a. Troc. — *b.* Sur le pouce. — *c.* Pourvoir, parer. — *d.* Avec. — *e.* Pourvues. — *f.* Pavent. — *g.* Incrustaient, revêtaient.

voit, où le bastimant estoit formé de quelque muraille de taille espoisse et massive.

Les avenues de Rome, quasi partout, se voient pour la pluspart incultes et steriles, soit par le defaut de terroir, ou, ce que je treuve plus vraisamblable, que ceste ville n'a guiere de maneuvres et homes qui vivent du travail de leurs meins. En chemin je trouvai, quand j'y vins, plusieurs troupes d'homes de villages qui venoint des Grisons et de la Savoie, gaigner quelque chose en la saison du labourage des vignes et de leurs jardins; et me dirent que tous les ans c'estoit leur rante. C'est une ville toute cour et toute noblesse; chacun prant sa part de l'oisifveté ecclesiastique. Il n'est nulle rue marchande, ou moins qu'en petite ville; ce ne sont que palais et jardins. Il ne se voit nulle rue de la Harpe ou de St. Denis; il me samble tousjours estre dans la rue de Seine, ou sur le cai [a] des Augustins à Paris. La ville ne change guiere de forme pour un jour ouvrier ou jour de feste. Tout le caresme il se fait des stations; il n'y a pas moins de presse un jour ouvrier [b] qu'un autre; ce ne sont en ces temps que coches, prélats et dames.

Nous revinsmes coucher à

ROME, quinze milles. Le 16 mars, il me print envie d'aler essaïer les etuves de Rome; et fus à celles de St. Marc qu'on estime des plus nobles; j'y fus treté d'une moïenne [c] façon, sul pourtant et avec tout le respect qu'ils peuvent. L'usage y est d'y mener des amies, qui veut, qui y sont frotées avec vous par les garçons. J'y apris que de chaus vifve et orpimant démeslé atout [d] de la lessifve, deus parts de chaus et la tierce d'orpimant [e], se faict ceste drogue et ongant de quoi on fait tumber le poil [471], l'aïant appliqué un petit demi quart d'heure.

Le 17, j'eus ma cholique cinq ou six heures supportable, et randis quelque tamps après une grosse pierre come un gros pinon [f] et de cest forme [g].

Lors nous avions des roses à Rome, et des artichaus; mais pour moi je n'y trouvois nulle chaleur extraordinere, vestu et couvert come chez moi. On y a moins de poisson qu'en France; notamment leurs brochets ne valent du tout

a. Quai. — *b.* De travail. — *c.* VAR. : *curieuse.* — *d.* Avec. — *e.* Deux tiers de chaux et un tiers d'orpiment (sulfure jaune d'arsenic). — *f.* Pignon (amande de la pomme de pin). — *g.* De la forme d'un pignon.

rien et les laisse-t-on au peuple. Ils ont raremant des soles et des truites, des barbehaus [a] fort bons et beaucoup plus grans qu'à Bourdeaus [472], mais chers. Les daurades y sont en grand pris, et les mulets plus grands que les nostres et un peu plus fermes. L'huile y est si excellante que ceste picure qui m'en demure au gosier, quand j'en ai beaucoup mangé, je ne l'ai nullemant ici. On y mange des resins frès tout le long de l'an; et jusques à cest'heure il s'en treuve de très-bons pandus aus treilles. Leur mouton ne vaut rien et est en peu d'estime.

Le 18, l'ambassadur de Portugal [473] fit l'obédiance au pape du royaume de Portugal pour le roi Philippes [474], ce mesme ambassadur qui estoit ici pour le roi trespassé [475] et pour les Etats contrarians au roy Philippes. Je rancontrai au retour de Saint Pierre un home qui m'avisa plesamment de deus choses : que les Portugais foisoint leur obédiance la semmene de la Passion [476], et puis que ce mesme jour la station estoit à Saint Jean *Porta Latina*, en laquelle église certains Portugais, quelques années y a, estoint entrés en une étrange confrerie. Ils s'espousoint masle à masle à la messe, avec mesmes serimonies que nous faisons nos mariages; faisant leurs pasques ensamble; lisoint ce mesme évangile des nopces, et puis couchoint et habitoint ensamble. Les esprits [b] romeins disoint que, parce qu'en l'autre conjonction de masle et femelle, cete seule circonstance la rand legitime, que ce soit en mariage, il avoit semblé à ces fines jans que cest'autre action deviendroit pareillemant juste, qui l'auroit autorisée de serimonies et misteres de l'Eglise. Il fut brulé huit ou neuf Portugais [477] de ceste belle secte.

Je vis la pompe espagnole. On fit une salve de canons au chasteau St. Ange et au palais [c] [478] et fut l'ambassadur conduit par les trompettes et tambours et archiers du pape. Je n'entrai pas audedans voir la harangue et la serimonie. L'ambassadur du Moscovite [479], qui estoit à une fenestre parée pour voir ceste pompe, dict qu'il avoit été convié à voir une grande assemblée; mais qu'en sa nation, quand on parle de troupes de chevaus, c'est tousjours vint et cinq ou trante mille; et se moqua de tout cest apprest, à ce que

a. Barbeaux. — *b.* VAR. : les *esperts* (experts). — *c.* VAR. : *au château St. Ange et au Palais, et fut l'ambassadeur conduit par...*

me dict celui mesmes qui estoit commis à l'antretenir par truchemant.

Le dimanche des Rameaux, je trouvai à vespres en un' église un enfant assis au costé de l'autel sur une chese vestu d'une grande robe de taffetas bleu, neuve, la teste nue, aveq une courone de branches d'olivier, tenant à la mein une torche de cire blanche alumée. C'estoit un garçon de 15 ans ou environ, qui, par ordonnance du pape, avoit esté ce jour là délivré des prisons, qui avoit tué un autre garçon.

Il se voit à St. Jean de Latran du marbre transparent [480].

Lendemein le pape fit les sept eglises [a] [481]. Il avoit des botes du costé de la cher [b], et sur chaque pied une croix de cuir plus blanc. Il mene tousjours un cheval d'Espaigne, une hacquenée et un mulet, et une lettiere [c], toute de mesme parure; ce jour là le cheval en estoit à dire [d]. Son escuyer avoit deux ou trois peres d'esperons dorés en la mein et l'attendoit au bas de l'eschelle Saint-Pierre [e]; il les refusa et demanda sa lettiere, en laquele il y avoit deus chapeaux rouges quasi de mesme façon, pendans attachés à des clous.

Ce jour au soir me furent randus mes *Essais*, chastiés selon l'opinion des docteurs moines. Le *Maestro del Sacro palasso* [f] [482] n'en avoit peu juger que par le rapport d'aucun frater [g] françois, n'entendant nullemant nostre langue; et se contantoit tant des excuses que je faisois sur chaque article d'animadversion [h] que lui avoit laissé ce François, qu'il remit à ma consciance de rabiller [i] ce que je verrois estre de mauvès gout. Je le suppliai, au rebours, qu'il suivît l'opinion de celui qui l'avoit jugé, avouant, en aucunes choses, come d'avoir usé de mot de fortune [483], d'avoir nommé des poètes hæretiques [484], d'avoir excusé Julian [485], et l'animadversion [j] sur ce que celui qui prioit devoit estre exempt de vitieuse inclination pour ce tamps [486]; *item*, d'estimer cruauté ce qui est audelà de mort simple [487]; *item*, qu'il falloit nourrir un enfant à tout faire et autres teles choses [488] : que c'estoit mon opinion, et que c'estoit choses que j'avois mises, n'estimant que ce fussent erreurs; à d'autres niant que le correctur eust entendu ma conception. Ledict *Maestro*, qui est un habil'home, m'excusoit fort et

a. La station des sept églises. — *b*. Du cuir. — *c*. Litière. — *d*. Manquait. — *e*. L'escalier de Saint-Pierre. — *f*. Maître du Sacré Palais. — *g*. Moine. Les Italiens disent *frate*, qu'ils abrègent d'ordinaire en *fra*. — *h*. De critique. — *i*. Corriger. — *j*. La critique.

me vouloit faire santir qu'il n'estoit pas fort de l'avis de ceste reformation, et pledoit fort ingénieusemant pour moi en ma presance contre autre qui me combattoit, italien aussi. Ils me retindrent le livre des histoires de Souisses traduit en François, pour ce sulemant que le traducteur est hæretique, duquel le nom n'est pourtant pas exprimé [489], mais c'est une merveille combien ils connoissent les hommes de nos contrées; et le bon, ils me dirent que la préface estoit condamnée.

Ce mesme jour en l'eglise Saint Jean de Latran, au lieu des pœnitenciers ordineres qui se voient faire cet office en la pluspart des églises, monseignur le cardinal St. Sixte [490] estoit assis à un couin et donoit sur la teste de une baguette longue qu'il avoit en la mein aus passans et aus dames aussi; mais d'un visage souriant et plus courtois, selon leur grandur et beauté.

Le mercredi de la semaine sainte, je fis les sept églises aveq M. de Foix [491], avant disner, et y mismes environ cinq heures. Je ne sçai pourquoi aucuns se scandalisent de voir libremant accuser le vice de quelque particulier prelat, quand il est connu et publicq; car ce jour là, et à St. Jean de Latran, et à l'église Ste. Croix de Jerusalem, je vis l'histoire, escrite au long en lieu très apparant, du pape Silvestre second [492], qui est la plus injurieuse qui se puisse imaginer.

Le tour de la ville, que j'ai fait plusieurs fois du costé de la terre [493], depuis la porte del Popolo jusques à la porte Sant Paulo, se peut faire en trois bones heures ou quatre alant en trousse et le pas; ce qui est delà la riviere [494] se faict en une heure et demie pour le plus.

Entr'autres plesirs que Rome me fournissoit en caresme, c'étoint les sermons. Il y avoit d'excellans precheurs [495], come ce rabi renié [a] qui preche les Juifs le sammedi après disner, en la Trinité [496]. Il y a tousjours soixante Juifs qui sont tenus de s'y trouver. Cestui estoit un fort fameus docteur parmi eus; et par leurs argumans, mesmes leurs rabis, et le texte de la Bible combat leur créance. En ceste sciance et des langues qui servent à cela, il est admirable. Il y avoit un autre precheur qui prechoit au pape et aus cardinaus nomé Padre Toledo [497] (en profondeur de sçavoir, en pertinance et disposition [b], c'est un home très rare); un

a. Rabbin renégat. — *b*. Clarté d'exposition.

autre très éloquent et populere, qui prechoit aux jesuites, non sans beaucoup de suffisance parmi son excellance de langage; les deux derniers sont jesuites.

C'est merveille combien de part ce colliege tient en la chretianté; et croi qu'il ne fut jamais confrerie et cors parmi nous qui tint un tel ranc, ny qui produisit enfin des effaicts tels que fairont ceus ici, si leurs desseins continuent. Ils possedent tantost toute la chretianté. C'est une pepiniere de grans homes en toute sorte de grandur. C'est celui de nos mambres qui menasse le plus les hérétiques de nostre tamps.

Le mot d'un precheur fut que nous faisions les Astrolabes de nos coches. Le plus commun des exercices des Romeins, c'est se promener par les rues; et ordineremant l'entreprinse de sortir du logis se faict pour aler sulemant de rue en rue sans avoir ou s'arrester; et y a des rues plus particulieremant destinées à ce service. A dire vrai, le plus grand fruit qui s'en retire, c'est de voir les dames aux fenestres, et notamment les courtisanes, qui se montrent à leurs jalousies [498], avec un art si traitresse [a] que je me suis souvant esmerveillé come elles piquent ainsi nostre veue; et souvant estant descendu de cheval sur le champ et obtenu d'estre ouvert, je admirois cela, de combien elles se montroint plus beles qu'elles n'estoint. Elles sçavent se presanter par ce qu'elles ont de plus agreable; elles vous presanteront sulemant le haut du visage, ou le bas ou le costé, se couvrent ou se montrent, si qu'il ne s'en voit une sule lede à la fenêtre. Chacun est là à faire des bonetades [b] et des salutations profondes, et à recevoir quelque euillade en passant [499]. Le fruit d'y avoir couché la nuit pour un ecu ou pour quatre, c'est de leur faire ainsi landemein la court en publiq. Il s'y voit aussi quelques dames de qualité, mais d'autre façon, bien aisée à discerner. A cheval on voit mieus; mais c'est affaire ou aus chetifs come moi, ou aus jeunes homes montés sur des chevaus de service qui manient [c]. Les personnes de grade ne vont qu'en coche, et les plus licencieus pour avoir plus de veue contremont ont le dessus du coche entr'ouvert à clairvoises [d]; c'est ce que vouloit dire le precheur de ces astrolabes.

Le jeudy saint au matin, le pape en pontificat se met sur

a. VAR. : *Un' art si traitresse* (Montaigne fait art du féminin, comme en latin *ars*). L'apostrophe de *un'* manque dans Querlon. — *b.* Des saluts en ôtant le *bonnet.* — *c.* Caracolent. — *d.* A claire-voie.

le premier portique de S. Pierre, au second etage, assisté des cardinaux, tenant, lui, un flambeau à la mein. Là, d'un costé, un chanoine de St. Pierre lit à haute vois une bulle latine où sont excommuniés une infinie sorte de jans, entre autres les huguenots, sous ce propre mot, et tous les princes qui détiennent quelque chose des terres de l'Eglise; auquel article les cardinaus de Medicis [500] et Caraffe [501], qui étoint jouignant le pape, se rioint bien fort. Ceste lecture dure une bone heure et demie; car à chaque article que ce chanoine lit en latin, de l'autre costé le cardinal Gonsague [502], aussi descouvert, en lisoit autant en Italien. Après cela le pape jeta ceste torche alumée contre bas au peuple, et par jeu ou autremant le cardinal Gonsague un'autre; car il y en avoit trois alumées. Cela choit sur le peuple; il se faict en bas tout le trouble du monde qui ara [a] un lopin de ceste torche; et s'y bat-on bien rudemant à coup de pouin et de baston. Pendant que cete condamnation se lit il y a aussi une grande piece de taffetas noir qui pant sur l'acoudoir dudict portique, devant le pape. L'excommunication faite, on trousse ce tapis noir, et s'en descouvre un autre d'autres colur; le pape lors done ses benedictions publiques.

Ces jours se montre la Veronique [503] qui est un visage ouvrageus [b] et de colur sombre et obscure, dans un carré [504] come un grand miroir; il se montre aveq grand serimonie du haut d'un popitre [c] qui a cinq ou six pas de large. Le prestre qui le tient a les meins revestues de gans rouges, et y a deus ou trois prestres qui le soutienent. Il ne se voit rien aveq si grande reverance, le peuple prosterné à terre, la pluspart les larmes aus yeux, aveq ces cris de commiseration. Une fame, qu'on disoit estre *spiritata* [d], se tampestoit [e] voïant ceste figure, crioit, tandoit et tordoit les bras. Ces prestres, se promenans autour de ce popitre [f], la vont presentant au peuple, tantost ici, tantost là; et à chaque mouvemant, ceus à qui on la presante s'escrient. On y monstre aussi en mesme tamps et mesme serimonie, le fer de lance dans une bouteille de cristal. Plusieurs fois ce jour se faict ceste montre, aveq un assamblée se peuple si infinie que jusques bien louin au dehors de l'église, autant que la vue peut arriver à ce popitre, c'est une extreme

a. Aura. — *b*. VAR. : *outrageus* (au sens passif du mot). — *c*. Estrade. — *d*. « Possédée ». — *e*. Se démenait, se convulsait. — *f*. Estrade.

presse d'homes et de fames; c'est une vraie cour papale; la pompe de Rome et sa principale grandur est en apparences de devotion. Il faict beau voir l'ardur d'un peuple si infini à la religion ces jours-là; ils ont çant confreries et plus, et n'est guiere home de qualité qui ne soit ataché à quelc'une; il n'y en a aucunes pour les étrangiers. Nos roys sont de celes du Gonfalon. Ces sociétés particulieres ont plusieurs actes de communication religieuse, qui s'exercent principalement le caresme; mais ce jour-ici ils se promenent en troupes, vestus de toile; chaque compaignie a sa façon, qui blanche, rouge, bleue, verte, noire, la pluspart les visages couvers.

La plus noble chose et magnifique que j'ai vue, ny ici ny ailleurs, ce fut l'incroiable nombre du peuple espars ce jour là par la ville aus devotions, et notammant en ces compaignies; car, outre un grand nombre d'autres que nous avions veu le jour et qui estoint venues à S. Pierre, come la nuit commença ceste ville sambloit estre tout'en feu; ces compaignies marchant par ordre vers S. Pierre, chacun portant un flambeau, et quasi tous de cire blanche. Je croi que il passa devant moi douse milles torches pour le moins; car depuis huit heures du soir jusqu'à minuit, la rue fust toujours plene de ceste pompe, conduite d'un si bon ordre et si mesuré qu'encore que ce fussent diverses troupes et parties de divers lieus, il ne s'y vit jamès de breche ou interruption; chaque cors aiant un grand cheur de musique chantant tousjours en alant, et au milieu des rancs une file de Pœnitanciers qui se foitent atout[a] des cordes; de quoi il en avoit cinq çans pour le moins, l'eschine toute escorchée et ensanglantée d'une piteuse façon.

C'est un enigme que je n'entans pas bien encores; mais ils sont tous meurtris et cruelemant blessés, et se tourmantent et batent incessament. Si est-ce qu'à voir leur contenance, l'assurance de leurs pas, la fermeté de leurs paroles (car j'en ai ouis parler plusieurs), et leur visage (car plusieurs estoint descouvers par la rue), il ne paroissoit pas sulemant qu'ils fussent en action penible, voire ny serieuse, et si y en avoit de junes de douse ou trese ans. Tout contre moi, il y en avoit un fort june et qui avoit le visage agréable; une june fame pleignoit de le voir einsin[b] blesser. Il se tourna

a. Avec. — *b*. Ainsi.

vers nous et lui dit en riant : *Basta, disse che fo questo per li lui peccati, non per li miei* [a]. Non sulemant ils ne montrent nulle destresse ou force à ceste action; mais ils le font aveq allegresse, ou pour le moins avec tele nonchalance que vous les voiez s'entretenir d'autres choses, rire, criailler en la rue, courir, sauter, comme il se faict à une si grand presse où les rancs se troublent. Il y a des homes parmi eus qui portent du vin qu'ils leur presantent à boire; aucuns en prennent une gorgée. On leur done aussi de la dragée; et plus souvant ceus qui portent ce vin en metent en la bouche, puis le soufflent et en mouillent le bout de leurs foits, qui sont de corde, et se caillent et cole du sang, en manière que pour le demesler, il les faut mouiller; à aucuns ils sufflent ce mesme vin sur leurs plaies. A voir leurs souliers et chausses, il parest bien que ce sont personnes de fort peu et qui se vandent pour ce service, au moins la pluspart. On me dict bien qu'on greffoit leurs espaules de quelque chose; mais j'y ai veu la plaie si vive, et l'offrande si longue, qu'il n'y a nul medicament qui en sceust oster le santimant; et puis ceux qui le louent, à quoi faire, si ce n'estoit qu'une singerie ?

Ceste pompe a plusieurs autres particularités. Come ils arrivoint à S. Pierre, ils n'y faisoint autre chose, sinon qu'on leur venoit à montrer *el Viso Santo* [b], et puis ressortoint et faisoint place aus autres.

Les dames sont ce jour-là en grande liberté; car toute la nuit les rues en sont pleines, et vont quasi toutes à pied. Toutefois, à la vérité, il samble que la ville soit reformée [505], notamment en ceste desbauche. Toute euillades et apparances amoureuses cessent.

Le plus beau sepulchre, c'est celui de Santa Rotunda [506], à cause des lumineres. Entr'autres choses, il y a un grand nombre de lampes roulant et tournoïant sans cesse de haut en bas.

La veille de Pasques je vis à S. Jean de Latran les chefs de S. Pol et S. Pierre qu'on y montre, qui ont encore leur charnure, teint et barbe, come s'ils vivoint : S. Pierre, un visage blanc un peu longuet, le teint vermeil et tirant sur le sanguin, une barbe grise fourchue, la teste couverte d'une

a. « *Suffit ! dis-toi que je fais cela pour ses péchés, non pour les miens.* » L'italien de Montaigne n'est guère correct. — *b*. La Sainte-Face.

mître papale; S. Paul, noir, le visage large et plus gras, la teste plus grosse, la barbe grise, espaisse. Ils sont en haut dans un lieu exprès. La façon de les montrer, c'est qu'on apele le peuple au son des cloches, et que à secousses, on devale contre bas un rideau au derriere duquel sont ces testes, à costé l'une de l'autre. On les laisse voir le tamps de dire un *Ave Maria*, et soudein on remonte ce rideau; après on le ravale de mesmes, et cela jusques à trois fois; on refaict ceste montre quatre ou cinq fois le jour. Le lieu est élevé de la hauteur d'une pique, et puis de grosses grilles de fer, au travers lesqueles on voit. On allume autour par le dehors plusieurs cierges; mais il est mal aisé de discerner bien cleremant toutes les particularités; je les vis à deux ou trois fois. La polissure de ces faces avoit quelque ressamblance à nos masques.

Le mercredy après Pasques, M. Maldonat [507] qui estoit lors à Rome, s'enquerant à moi de l'opinion que j'avois des mœurs de ceste ville, et notamment en la religion, il trouva son jugemant du tout conforme au mien : que le menu puple estoit, sans compareson, plus devot en France qu'ici; mais les riches, et notammant courtisans, un peu moins. Il me dict davantage qu'à ceus qui lui allegoint que la France estoit toute perdue de heresie, et notammant aux Espaignols, de quoi il y en a grand nombre en son colliege [508], il maintenoit qu'il y avoit plus d'homes vraimant religieus, en la sule ville de Paris, qu'en toute l'Espaigne ensamble.

Ils font tirer leurs basteaux à la corde, contremont [a] la riviere du Tibre, par trois ou quatre paires de buffles.

Je ne sçai come les autres se trouvent de l'air de Rome; moi je le trouvois très plesant et sein. Le sieur de Vielart [509] disoit y avoir perdu sa subjection à la migrene : qui estoit aider l'opinion du peuple, qu'il est très contrere aus pieds et commode à la teste. Je n'ai rien si enemi à ma santé, que l'ennui et oisifveté : là, j'avois tousjours quelque occupation, sinon plesante que j'usse peu desirer, au moins suffisante à me desennuïer : comme à visiter les antiquités, les vignes, qui sont des jardins et lieus de plesir, de beauté singulière, et là, où j'ai appris combien l'art se pouvoit servir bien à pouint d'un lieu bossu, montueus et inégal;

a. En remontant.

car eus ils en tirent les graces inimitables à nos lieus pleins [a], et se prævalent très artificielement de ceste diversité. Entre les plus beles sont celes des cardinaus d'Este [510], à Monte-Cavallo; Farnese [511], al Palatino, Ursino [512], Sforza, Medicis [513]; cele du pape Jule [514]; cele de Madama [515]; les jardins de Farnèse et du cardinal Riario à Transtevere [516]; de Cesio [b], *fuora della porta del popolo* [c]. Ce sont beautés ouvertes à quiconque s'en veut servir, et à quoi que ce soit, fut-ce à y dormir et en compaigne [d] si les maistres n'y sont, qui n'aiment guiere [e] ? ou aller ouir des sermons, de quoi il y en a en tout tamps, ou des disputes de théologie; ou encore par fois, quelque fame des publiques, où j'ai trouvé cest incommodité qu'elles vandent aussi cher la simple conversation (qui estoit ce que j'y cherchois, pour les ouïr deviser et participer à leurs subtilités), et en sont autant espargnantes que de la négociation entière. Tous ces amusemans m'embesouignoint assez : de melancholie, qui est ma mort, et de chagrin, je n'en avois nul'occasion, ny dedans ny hors la maison. C'est einsin [f] une plesante demure. Et puis argumantez par-là, si j'eusse gouté Rome plus privémant, combien elle m'eût agréé; car, en vérité, quoique j'y aye emploïé d'art et de souin, je ne l'ai connue que par son visage publique, et qu'elle offre au plus chétif étrangier.

Le dernier de mars j'eus un accès de cholique qui me dura toute la nuit, assez supportable; elle m'emeut le ventre, avec des tranchées, et me donna un' acrimonie d'urine outre l'accoutumée. J'en randis du gros sable et deus pierres.

Le dimanche de Quasimodo je vis serimonie de l'aumosne des pucelles. Le pape a, outre sa pompe ordinere, vint cinq chevaus qu'on mene davant lui, parés et houssés de drap d'or, fort richemant accommodés, et dix ou douze mulets, troussés de velours cramoisi, tout cela conduit par ses estaffiers à pied : sa lettiere couverte de velours cramoisi. Au davant de lui, quatre homes à cheval portoint, au bout de certeins batons, couverts de velours rouge et dorés par le pouignet et par les bous, quatre chapeaus rouges : lui estoit sur sa mule. Les cardinaus qui le suivoint estoint aussi sur leurs mules, parés de leurs vestemans pontificaux, les

a. Plants, plats. — *b.* VAR. : *Cesis*. — *c.* « Hors de la porte du Peuple. » — *d.* En compagnie. — *e.* Qui n'aiment guère y aller. — *f.* Ainsi.

cuhes[a] de leurs robes estoient attachées atout[b] une aiguillette à la tetiere de leurs mules. Les pucelles estoint en nombre çant et sept; elles sont chacune accompaignée d'une vieille parante. Après la messe elles sortirent de l'église et firent une procession. Au retour de là, l'une après l'autre passant au cuœur de l'église de la Minerve, où se faict ceste sérimonie, baisoint les pieds du pape, et lui leur aïant doné la benediction, done à chacune de sa main, une bourse de damas blanc, dans laquelle il y a une cedule [c]. Il s'entant qu'aïant trouvé mari elles vont querir leur aumosne, qui est trante-cinq escus pour teste, outre une robe blanche qu'elles ont chacune ce jour-là, qui vaut cinq escus [517]. Elles ont le visage couvert d'un linge, et n'ont d'ouvert que l'endret de la veue.

Je disois des commodités de Rome, entre autres, que c'est la plus commune ville du monde [518], et ou l'étrangeté et différance de nation se considere le moins; car de sa nature c'est une ville rappiecée d'etrangiers; chacun y est comme chez soi [519]. Son prince ambrasse toute la chretianté de son authorité [520], sa principale jurisdiction oblige les etrangiers en leur maisons, come ici, à son élection propre; et de tous les princes et grans de sa cour, la consideration de l'origine n'a nul pois. La liberté de la police de Venise, et utilité de la trafique la peuple d'etrangiers; mais ils y sont come chez autrui pourtant. Ici ils sont en leurs propres offices et biens et charges; car c'est le siége des personnes ecclésiastiques. Il se voit autant ou plus d'étrangiers à Venise (car l'affluance d'étrangiers qui se voit en France, en Allemagne ou ailleurs, ne vient pouint à ceste compareson), mais de resséans [d] et domiciliés beaucoup moins. Le menu peuple ne s'effarouche non plus de nostre façon de vestemans, ou espaignole ou tudesque, que de la leur propre, et ne voit-on guiere de belitre [e] qui ne nous demande l'aumosne en nostre langue.

Je recherchai pourtant et amploiai tous mes cinq sans [f] de nature pour obtenir le titre de citoyen romain, ne fut-ce que pour l'antien honur et religieuse mémoire de son authorité. J'y trouvai de la difficulté; toutefois je la surmontai, n'y ayant amploïé nulle faveur, voire ny la sciance

a. Les queues. — *b*. Avec — *c*. Une promesse de payer. — *d*. Résidants. — *e*. Gueux. — *f*. Sens.

sulemant d'aucun François. L'authorité du pape y fut amploïée par le moïen de Philippo Mussotti [521], son maggiordomo [a] qui m'avoit pris en singulière amitié et s'y pena fort [b]. Et m'en fut depeché lettres 3° *id. martii* 1581 [c], qui me furent randues le 5 avril très autantiques [522], en la mesme forme et faveur de paroles que les avoit eues le seigneur Jacomo Buon-Compagnon, duc de Sero [d], fils du pape [523]. C'est un titre vein; tant-y-a que j'ai receu beaucoup de plesir de l'avoir obtenu [524].

Le 3 d'avril je partis de Rome bon matin, par la porte S. Lorenzo Tiburtina. Je fis un chemin assez plein [e], et pour la pluspart fertile de bleds, et à la mode de toutes les avenues de Rome, peu habité. Je passai la riviere del Teverone, qui est l'antien Anio, premieremant au pont de Mammolo; secondemant au pont Lucan qui retient encore son antien nom. En ce pont, il y a quelques inscriptions antiques, et la principale fort lisable [f]. Il y a aussi deux ou trois sepultures romeines le long de ce chemin. Il n'y a pas autres traces d'antiquités et fort peu de grand pavé antien, et est la *Via Tiburtina* [525].

Je me randis à disner à

TIVOLI, quinse milles. C'est l'antien Tibur, tout couché aux racines des monts [526], s'etandant la ville le long de la premiere pante assez roide, qui rant son assiete et ses vues très riches; car elle comande une pleine infinie de toutes parts et ceste grand Rome. Son prospect [g] est vers la mer et ha derriere soi les monts. Cest riviere du Teverone la lave; et près de là prend un merveilleus saut [527], descendant des montaignes et se cachant dans un trou de rochier, cinq ou six çans pas, et puis se rendant à la pleine où elle se joue fort diversemant et se va joindre au Tibre un peu au dessus de la ville.

Là se voit ce fameus palais et jardin [528] du cardinal de Ferrare : c'est une très bele piece, mais imparfaite en plusieurs parties, et l'ouvrage ne s'en continue plus par le cardinal presant [529]. J'y considerai toutes choses fort particulieremant; j'essaïerois de le peindre ici, mais il y a des livres et peintures publiques de ce sujet. Ce rejallis-

a. Majordome. — *b*. S'y donna beaucoup de mal. — *c*. Le 3e jour des ides de Mars, c'est-à-dire le 13 mars 1581. — *d*. VAR. : *Sora*. — *e*. Plain, plat. — *f*. Lisible. — *g*. Sa vue.

semant d'un infinité de surjons d'eau bridés et eslancés par un sul ressort qu'on peut remuer de fort louin, je l'avoi veu ailleurs en mon voïage et à Florance [530] et à Auguste [531], comme il a esté dict ci-dessus. La musique des orgues, qui est une vraïe musique et d'orgues natureles, sonans tousjours toutefois une mesme chose, se faict par le moïen de l'eau qui tumbe aveq grand violance dans une cave ronde, voutée, et agite l'air qui y est, et le contreint de gaigner pour sortir les tuyaux des orgues et lui fournir de vent. Un'autre eau poussant une roue atout [a] certenes dents, faict battre par certein ordre le clavier des orgues; on y oit [b] aussi le son de trompetes contrefaict. Ailleurs on oit le chant des oiseaux, qui sont des petites flutes de bronse qu'on voit aus regales [c]; et randent le son pareil à ces petits pots de terre pleins d'eau que les petits enfans souflent par le bec [532], cela par artifice pareil aus orgues; et puis par autres ressorts on fait remuer un hibou, qui, se presantant sur le haut de la roche, faict soudein cesser ceste harmonie, les oiseaus estant effraïés de sa presance, et puis leur faict encore place : cela se conduit einsin alternativement tant qu'on veut. Ailleurs il sort come un bruit de coups de canon; ailleurs un bruit plus dru et menu, come des harquebusardes; cela se faict par une chure d'eau soudeine dans des canaux; et l'air se travaillant en mesme tamps d'en sortir, enjandre ce bruit [533]. De toutes ces invantions ou pareilles, sur ces mesmes raisons de nature, j'en ai veu ailleurs [534].

Il y a des estancs ou des gardoirs [d], aveq une marge de pierre tout autour, avec force piliers de pierre de taille haus, audessus de cest accoudoir, esloignés de quatre pas environ l'un de l'autre. A la teste de ces piliers sort de l'eau aveq grand force, non pas contremont, mais vers l'estanc. Les bouches étant einsi tournées vers le dedans et regardant l'une l'autre, jetent l'eau et l'esperpillent dans cest estanc avec tele violence que ces verges d'au vienent à s'entrebatre et rancontrer en l'air, et produisent dans l'estanc une pluïe espesse et continuelle. Le soleil tumbant là-dessus enjandre, et au fond de cest estanc et en l'air, et tout autour de ce lieu, l'arc du ciel si naturel et si apparent qu'il n'y a rien à dire de celui que nous voïons au ciel. Je n'avois

a. Avec. — *b.* Entend. — *c.* Un des jeux de l'orgue. — *d.* Viviers.

pas veu ailleurs cela. Sous le palais, il y a des grans crus [a], faits par art, et soupiraus qui randent une vapur froide et refrechissent infinimant tout le bas du logis; ceste partie n'est pas toutefois parfaicte. J'y vis aussi plusieurs excellantes statues, et notamment une nymphe dormante, une morte et une Pallas celeste, l'Adonis qui est chez l'éveque d'Aquino; la Louve de bronse et l'enfant qui s'arrache l'espine du Capitole; le Laocoon et l'Antinoüs de Belvedere; la Comedie du Capitole; le Satyre de la vigne du cardinal Sforça; et de la nouvelle besouigne [535], le Moïse, en la sepulture de S. Pietro *in vincula* [536], la belle fame [537] qui est aus pieds du pape Pol tiers [538], en la nouvelle église de S. Pierre [539]. Ce sont les statutes qui m'ont le plus agréé à Rome.

Pratolino [540] est faict justemant à l'envi de ce lieu. En richesse et beauté des grottes, Florance [541] surpasse infinimant; en abondance d'eau, Ferrare [542]; en diversité de jeus et de mousvemans plesans tirés de l'eau, ils sont pareils, si le Florantin n'a quelque peu plus de mignardise en la disposition et ordre de tout le corps du lieu, Ferrare en statues antiques et en palais [b]; Florance en assiete du lieu, beauté du prospect [c], surpasse infinimant Ferrare; et dirois en toute faveur de nature, s'il n'avoit ce malheur extreme que toutes ses eaus, sauf la fontene qui est au petit jardin tout en haut et qui se voit en l'une des salles du palais, ce n'est qu'eau du Teveron [543], duquel il a desrobé une branche, et lui a donné un canal à part pour son service. Si c'etoit eau clere et bone à boire, comme elle est au contraire trouble et lede, ce lieu seroit incomparable, et notamment sa grande fontene qui est la plus belle manufacture et plus belle à voir avec ses despendances que null' autre chose ny de ce jardin ny d'ailleurs. A Pratoline, au contrere, ce qu'il y a d'eau est de fontene et tirée de fort louin. Parce que le Teveron descent des montaignes beaucoup plus hautes, les habitants de ce lieu s'en servent privés come ils veulent, et l'example de plusieurs rant moins esmerveillable cest ouvrage du cardinal.

J'en partis landemein après disner, et passai à cette grande ruine à mein droite du chemin de nostre retour

a. Creux. — *b*. VAR. : *Ferrare en statues antiques, et en palais Florance ; en assiete de lieu*, etc. — *c*. Point de vue.

qu'ils disent contenir six milles et estre une ville [a], come ils disent être, le *prœdium* [b] d'Adrian l'ampereur.

Il y a sur ce chemin de Tivoli à Rome un ruisseau d'eau souffreuse qui le tranche [c] [544]. Les bords du canal sont tout blanchis de souffre ; et rand un odur à plus d'une demie lieue de là; on ne s'en sert pas de [d] la medecine. En ce ruisseau se treuvent certeins petits corps bastis de l'escume de ceste eau, ressamblans si proprement à nostre dragée qu'il est peu d'homes qui ne s'y trompent; et les habitans de Tivoli en font de toutes sortes de ceste mesme manière, de quoi j'en achetai deus boîtes 7 sous 6 d [e].

Il y a quelques antiquités en la ville de Tivoli, comme deus termes qui portent une forme très antique, et le reste d'un tample où il y a encore plusieurs piliers entiers; lequel tample ils disent avoir esté le tample de leur antiene Sybille. Toutefois sur la cornice [f] de cest' église on voit encore cinq ou six grosses lettres qui n'estoient pas continuées; car la suite du mur est encore entiere. Je ne sçais pas si au davant il y en avoit, car cela est rompu; mais en ce qui se voit, il n'y a que : *Ce... Ellius L. F.* [545]. Je ne sçais ce que ce peut estre.

Nous nous randimes au soir à

ROME, quinse milles; et fis tout ce retour en coche sans aucun ennui contre ma coustume [546].

Ils ont un' observation ici beaucoup plus curieuse qu'ailleurs; car ils font differance aus rues, aus cartiers de la ville, voire aus departemens de leurs maisons pour respect de la santé, et en font tel estat qu'ils changent de habitation aus sesons; et de ceus mesmes qui les louent, qui [g] tient deus ou trois palais de louage à fort grand despanse pour se remuer aus sesons, selon l'ordonance de leurs medecins. Le 15 d'avril, je fus prandre congé du maistre *del Sacro Pallazo* [h] et de son compaignon, qui me priarent « ne me servir pouint de la censure de mon livre, en laquelle autres François les avoint avertis qu'il y avoit plusieurs sottises; qu'ils honoroint et mon intention et affection envers l'Eglise et ma suffisance[i]; et estimoint tant de ma franchise et consciance qu'ils remetoint à moi-mesmes de

a. Villa. — *b*. La maison de campagne. — *c*. Coupe. — *d*. Dans. — *e*. D(eniers). — *f*. Corniche. — *g*. Tel. — *h*. Du Sacré Palais. — *i*. Capacité, talent.

retrancher en mon livre, quand je le voudrois réimprimer, ce que j'y trouverois trop licentieus et entr'autres choses les mots de fortune » [547]. Il me sambla les laisser fort contans de moi. Et pour s'excuser de ce qu'ils avoint einsi curieusement [a] veu mon livre, et condamné en quelques choses, m'allegarent plusieurs livres de nostre tamps de cardinaus et religieus de très bone réputation, censurés pour quelques teles imperfections, qui ne touchoint nulemant la reputation de l'authur ny de l'euvre en gros; me priarent d'eider à l'Eglise par mon éloquance (ce sont leurs mots de courtoisie), et de faire demure en ceste ville paisible et hors de trouble avecques eus. Ce sont personnes de grande authorité et cardinalables.

Nous mangions des artichaus, des fèves, des pois, environ le mi-mars. En avril, il est jour à leurs dix heures [548], et crois aus plus longs jours, à neuf [549].

En ce tamps là, je prins entr'autres connoissance à un Polonois [550], le plus privé ami qu'eût le cardinal Hosius [551], lequel me fit presant de deus exemplaires du livret qu'il a faict de sa mort et les corrigea de sa mein.

Les douceurs de la demure de ceste ville s'estoint de plus de moitié augmentées en la praticant; je ne goutai jamais air plus tampéré pour moi ny plus commode à ma complexion.

Le 18 de avril, j'alai voir le dedans du palais du Sor Jan George Cesarin, où il y a infinies rares anticailles et notamment les vraies testes de Zenon, Possidonius, Euripides et Carneades, come portent leurs inscriptions græques très antienes. Il y a aussi les portrets des plus belles dames romaines vivantes et de la seignora Clælia-Fascia Farnèse [552], sa fame, qui est sinon la plus agreable, sans compareson la plus eimable fame qui fût pour lors à Rome, ny que j'y sçache ailleurs. Celui ci dict estre de la race des Cœsars, et porte par son droit le gonfalon de la noblesse romeine; il est riche et a en ses armes [553] la colonne avec l'ours qui y est attaché et au dessus de la colonne un' egle eploiée.

C'est une grande beauté de Rome que les vignes et jardins, et leur seson est fort en esté.

Le mercredy 19 d'avril, je partis de Rome après disner, et fumes conduits jusques au pont de Mole [554] par MM. de

a. Minutieusement.

Marmoutiés [555], de la Trimouille, du Bellay [556] et autres jantils homes. Aïant passé ce pont, nous tournames à mein droite, laissant à mein gauche le grand chemin de Viterbe par lequel nous estions venus à Rome, et à mein droite le Tibre et les monts. Nous suivimes un chemin decouvert et inegal, peu fertile et pouint habité; passâmes le lieu qu'on nome *prima porta*, qui est la premiere porte à sept milles de Rome; et disent aucuns que les murs antiens de Rome aloint jusques là, ce que je ne treuve nullemant vraisamblable. Le long de ce chemin, qui est l'antiene *via Flaminia* [a], il y a quelques antiquités inconnues et rares; et vinmes coucher à

CASTEL-NOVO, sese mille, petit castelet qui est de la case Colonne, enseveli entre des montaignetes en un sit [b] qui me representoit fort les avenues fertiles de nos montagnes Pirenées sur la route d'Aigues Caudes [557].

Landemein 20 d'avril, nous suivimes ce mesme païs montueus, mais très plesant, fertile et fort habité, et vinmes arriver à un fons le long du Tibre à

BORGUET [558], petit castelet apartenant au duc Octavio Farnèse.

Nous en partimes après disner, et après avoir suivi un très plesant vallon entre ces collines, passames le Tibre à corde [559], où il se voit encore des grosses piles de pierre, reliques du pont qu'Auguste y avoit faict faire pour atacher [c] le païs des Sabins, qui est celui vers lequel nous passames, aveq celui des Falisques, qui est de l'autre part [560]. Nous rencontrames après Otricoli, petite villette apartenant au cardinal di Peruggi [561]. Au davant de ceste ville, il se voit en une belle assiete des ruines grandes et importantes [562]; le païs montueus et infinimant plesant presante un prospect [d] de region toute bossée, mais très fertile partout et fort puplée [e]. Sur ce chemin, se rencontre un escrit [563], où le pape [564] dict avoir faict et dressé ce chemin, qu'il nomme *Via Boncompaignon*, de son nom [565]. Cest usage de mettre einsi par escrit et laisser tesmouignage de tels ouvrages, qui se voit en Italie et Allemaigne, est un fort bon eguillon; et tel qui ne se soucie pas du

a. « Voie Flaminine ». — *b.* Site. — *c.* Joindre. — *d.* Un point de vue. — *e.* Peuplée.

publiq sera acheminé, par cest'esperance de réputation de faire quelque chose de bon. De vrai, ce chemin estoit la pluspart mal aisé, et à-presant on l'a randu accessible aus coches mesmes jusques à Lorette.

Nous vinmes coucher à

NARNI, dix milles, *Narnia* en latin, petite ville de l'Eglise, assise sur le haut d'un rochier, au pied duquel roule la riviere Negra [566], *Nar* en latin; et d'une part ladite ville regarde une très plesante plene où ladicte riviere se joue et s'enveloppe estrangemant. Il y a en la place une très belle fontene. Je vis le dôme, et y remarcai cela que la tapisserie qui y est a les escrits et rimes françoises de nostre langage antien. Je ne sceus aprendre d'ou cela venoit [567]; bien aprins-je du peuple qu'ils ont de tout tamps grand'inclination à nostre faveur. Ladicte tapisserie est figurée de la Passion, et tient tout l'un costé de la nef. Parceque Pline dict qu'en ce lieu là se treuve certeine terre qui s'amollit par la chaleur et se seche par les pluies, je m'en enquis aux habitans, qui n'en sçavent rien. Ils ont, à un mille près de là des eaus fredes qui font mesme effaict des nostres chaudes; les malades s'en servent, mais elles sont peu fameuses. Le logis, selon la forme d'Italie, est des bons, si est-ce que nous n'y avions pouint de chandelle, eins par tout de la lumiere à huile.

Le 21, bon matin, nous descendimes en une très plesante vallée où court ladicte riviere Negra, laquele riviere nous passames sur un pons aus portes de Terni que nous traversames, et sur la place vismes une colonne fort antique qui est encore sur ses pieds. Je n'y aperçus nulle inscription, mais à costé il y a la statue d'un lion relevée, audessous de laquelle il y a en vieilles lettres une dédicace à Neptune, et encore ledict Neptunus insculpé [a] en mabre [b] atout [c] son equipage [568]. En ceste mesme place il y a une inscription, qu'ils ont relevée en lieu eminant, à un A. Pompeius A. F. [569]. Les habitans de ceste ville, qui se nome Interamnia [570], pour la riviere de Negra qui la presse d'un costé et un autre ruisseau par l'autre, ont erigé une statue pour les services qu'il a faict à ce peuple; la statue n'y est pas, mais je jugeai la vieillesse de cest escrit, par la forme d'escrire en diptonge [d] *periculeis* [571] et mots samblables. C'est une belle

a. Sculpté en bas-relief. — *b.* Marbre. — *c.* Avec. — *d.* Diphtongue.

villete, en singulieremant plesant assiete. A son cul, d'où nous venions, ell'a la pleine très fertile de ceste valée, et au delà les costeaux les plus cultivés, habités; et, entr'autres choses, pleins de tant d'oliviers, qu'il n'est rien plus beau à voir, atandu que, parmi ces couteaus, il y a quelquefois des montaignes bien hautes qui se voient jusques sur la sime labourées et fertiles de toutes sortes de fruis. J'avois bien ma cholique, qui m'avoit tenu 24 heures, et estoit lors sur son dernier effort; je ne lessai pourtant de m'agréer de la beauté de ce lieu là.

Delà nous engajames un peu plus avant en l'Appennin, et trouvasmes que c'est à la vérité une belle grande et noble reparation que de ce nouveau chemin que le pape y a dressé [572], et de grande despanse et commodité. Le peuple voisin a esté constreint à le bastir; mais il ne se pleint pas tant de cela que sans aucune recompanse où il s'est trouvé des terres labourables vergiers et choses samblables. On n'a rien espargné pour ceste esplanade. Nous vismes à nostre mein droite une teste de colline plesante, sesie d'une petite villete. Le peuple la nome Colle Scipoli : ils disent que c'est antienemant *Castrum Scipionis* [a]. Les autres montaignes sont plus hautes, seches et pierreuses, entre lesquelles et la route d'un torrant d'hyver, nous nous randismes à

Spoleto, dix-huit milles, ville fameuse et commode, assise parmi ces montaignes et au bas. Nous fumes contreins d'y montrer nostre bollette [b], non pour la peste, qui n'estoit lors en nulle part d'Italie, mais pour la creinte en quoi ils ont d'un Petrino [573], leur citoïen, qui est le plus noble bani volur [c] d'Italie, et duquel il y a plus [d] de fameus exploits, duquel ils creignent et les villes d'alentour d'être surpris. Ceste contrée est semée de plusieurs tavernes; et où il n'y a pouint d'habitation, ils font des ramées [e] où il y a des tables couvertes et des eufs cuits et du fromage et du vin. Ils n'y ont pouint de burre [f] et servent tout fricassé de l'huile.

Au partir de là, ce mesme jour après disner, nous nous trouvasmes dans la vallée de Spoleto, qui est la plus bele pleine entre les montaignes qu'il est possible de voir, large de deus grandes lieues de Gascoingne. Nous descouvrions

a. « Le Camp de Scipion. » — *b.* Bulletin de santé. — *c.* Le plus fameux bandit-voleur. — *d.* Le plus. — *e.* Tonnelles. — *f.* Beurre.

plusieurs habitations sur les croupes voisines. Le chemin de ceste pleine est de la suite de chemin que je viens de dire du Pape, droit à la ligne, comme une carriere faicte à poste [a]. Nous laissâmes force villes d'une part et d'autre, entr'autres sur la mein droite la ville de Terni [b]. Servius dict sur Virgile, que c'est *Oliviferæque Mutiscæ* [c] [574], de quoi il parle liv. VII. Autres le nient et argumantent au contrere. Tant-y-a que c'est une ville pratiquée sur une haute montaigne, et d'un endret étandue tout le long de sa pante jusques à mi montaigne. C'est une très-plesante assiete, que ceste montaigne chargée d'oliviers tout autour. Par ce chemin là nouveau, et redressé depuis trois ans, qui est le plus beau qui se puisse voir, nous nous randismes au soir à

FOLIGNI [575], douze milles, ville belle, assise sur ceste pleine qui me represanta à l'arrivée le plan de Sainte-Foi [576], quoiqu'il soit beaucoup plus riche et la ville beaucoup plus bele et peuplée sans compareson. Il y a une petite riviere ou ruisseau qui se nome Topino. Cete vile s'appeloit antiennement *Fuligium* [577], autres *Fulcinia*, bastie au lieu de *Forum Flaminium*.

Les hosteleries de ceste route, où la pluspart, sont comparables aux françoises, sauf que les chevaus n'y treuvent guiere que du foin à manger. Ils servent le poisson mariné et n'en ont guiere de frais. Ils servent des fèves crues par toute l'Italie, et des pois et des amandes vertes, et ne font guiere cuire les artichaux. Leurs aires [d] sont pavées de carreau. Ils atachent leurs beufs par le muffle, atout [e] un fer qui leur perce l'entre-deus des naseaus come des buffles. Les mulets de bagage, de quoi ils ont foison et fort beaus, n'ont leurs pieds de devant ferrés à nostre mode, eins [f] d'un fer ront, s'entretenant tout autour du pied, et plus grand que le pied. On y rancontre en divers lieus les moines qui donent l'eau benite aus passans, et en atandent l'aumosne, et plusieurs enfans qui demandent l'aumosne, prometant de dire toute leur disene de pati-nostres [g], qu'ils montrent en leurs meins, pour celui qui la leur aura baillée. Les vins n'y sont guiere bons.

Landemain matin, aïant laissé ceste bele pleine, nous

a. Comme un lieu dressé exprès pour une course. — *b.* VAR. : *Trevi.* — *c.* « Mutusca fertile en oliviers. » *Énéide*, VII, 711. — *d.* Sols. — *e.* Avec. — *f.* Mais. — *g.* Chapelets.

nous rejetasmes au chemin de la montaigne, où nous retrouvions force beles pleines, tantost à la teste, tantost au pied du mont. Mais sur le comancemant de ceste matinée, nous eusmes quelque tamps un très bel object de mille diverses collines, revestues de toutes pars de très beaus ombrages de toute sorte de fruitiers et des plus beaus bleds qu'il est possible, souvant en lieu si coupé et præcipitus [a] que c'estoit miracle que sulemant les chevaus puissent avoir accès; les plus beaus vallons, un nombre infini de ruisseaus, tant de maisons [b] et villages par-ci par-là, qu'il me resouvenoit des avenues de Florance, sauf que ici il n'y a nul palais ny maisons d'apparance; et là [578] le terrein est sec et sterile pour la pluspart, là où en ces collines il n'y a pas un pousse de terre inutile. Il est vrai que la seson du printamps les favorisoit souvant. Bien louin audessus de nos testes, nous voions un beau vilage, et sous nos pieds, comme aus Antipodes, un'autre, aiant chacun plusieurs commodités et diverses : cela mesme n'y done pas mauvès lustre, que parmi ces montaignes si fertiles l'Apennin montre ses testes refrongnées et inaccessibles, d'où on voit rouller plusieurs torrans, qui aïant perdu ceste première furie se randent là tost après dans ces valons des ruisseaus très plesans et très dous. Parmi ces bosses, on descouvre et au haut et au bas plusieurs riches pleines, grandes parfois à perdre de veue par certein biais du prospect [c]. Il ne me samble pas que nulle peinture puisse representer un si riche païsage. De-là nous trouvions le visage de nostre chemin, tantost d'une façon, tantost d'un autre, mais tousjours la voïe très aisée; et nous randismes à disner à

LA MUCCIA, vingt milles, petite vilete assise sur le fluve de Chiento [579].

Delà nous suivismes un chemin bas et aisé au travers ces mons; et parceque j'avoi doné un soufflet à nostre vetturin [d] [580], qui est un grand excès selon l'usage du païs, temouin le vetturin qui tua le prince de Tresignano, ne me voyant plus suivre audict vetturin, et en estant tout à part moi un peu en humur qu'il fit des informations ou autres choses, je m'arrestai contre mon dessein (qui estoit d'aller à Tolentino) à souper à

a. A pic. — *b*. Abords. — *c*. Point de vue. — *d*. Voiturin, voiturier.

VAL-CHIMARA [581], huit milles, petit village, et la poste, sur ladicte riviere de Chiento.

Le dimanche lendemein nous suivismes tousjours ce valon entre des montaignes cultivées et fertiles jusques à Tolentino, petite villette au travers de laquelle nous passames et rancontrames après le païs qui s'aplanissoit, et n'avions plus à nos flans que des petites cropes [a] fort accessibles, rapportant [b] ceste contrée fort à l'Agenois, où il est le plus beau le long de la Garonne; sauf que en Souisse, il ne s'y voit nul chasteau ou maison de gentilhomme, mais plusieurs villages ou villes sur les costeaus. Tout cela fut, suivant le Chiento, un très beau chemin, et sur la fin pavé de brique, par où nous nous randismes à disner à

MACERATA, dix-huit milles, belle ville de la grandur de Libourne, assise sur un haut en forme approchant du ront, et se haussant de toutes parts egalemant vers son vantre. Il n'y a pas beaucoup de bastimans beaus. J'y remarcai un palais de pierre de taille, tout taillé par le dehors en pouinte de diamans, carrée, comme le palais du cardinal d'Este à Ferrare [582]; ceste forme de constructure est plesante à la veue. L'antrée de ceste ville, c'est une porte neufve, où il y a d'escrit : *Porta Boncompaigno*, en lettres d'or; c'est de la suite des chemins que ce pape a redressés; c'est ici le siege du legat pour le païs de la Marque [583]. On vous presante en ces routes la cuiton [c] du cru, quand ils offrent leurs vins; car ils font cuire et bouillir jusques au dechet de la moitié pour le randre meillur. Nous santions bien que nous estions au chemin de Lorette, tant les chemins estoint pleins d'alans et venans; et plusieurs non homes particuliers sulemant, mais compaignies de personnes riches faisans le voïage à pied, vestus en pelerins, et aucunes avec un'enseigne et puis un crucifix qui marchoit davant, et eux vestus d'une livrée.

Après disner, nous suivismes un païs commun, tranchant [d] tantost des pleines et aucunes rivieres, et puis aucunes collines aisées, mais le tout très fertile, et le chemin pour la pluspart pavé de carreau couché de pouinte. Nous passames la ville de Recanati, qui est une longue ville assise en un haut, et etandue suivant les plis et contours de sa colline, et nous randismes au soir à

a. Croupes, collines. — *b*. Ressemblant. — *c*. Cuisson. — *d*. Coupant.

Lorette, quinze milles.

C'est un petit village clos de murailles et fortifié pour l'incursion des Turcs, assis sur un plant [a] un peu relevé, regardant une très-bele pleine, et de bien près la mer Adratique ou golfe de Venise; si [b] qu'ils disent que, quand il fait beau, ils descouvrent au delà du golphe les montaignes de l'Esclavonie; c'est enfin une très bele assiete [c]. Il n'y a quasi autres habitans que ceus du service de ceste devotion, comme hostes plusieurs (et si les logis y sont assez mal propres), et plusieurs marchans, sçavoir est [d], vandurs de cire, d'images, de pate-nostres [e], *agnus Dei* [584], de *Salvators* [585] et de teles danrées, de quoi ils ont un grand nombre de beles boutiques et richemant fournies. J'y lessai près de 50 bons escus pour ma part. Les prestres, jans d'Eglise et colliege de jesuites, tout cela est rassemblé en un grand palais qui n'est pas antien, où loge aussi un gouvernur, home d'eglise, à qui on s'adresse pour toutes choses, sous l'autorité du legat et du pape.

Le lieu de la devotion, c'est une petite maisonete fort vieille et chetifve, bastie de brique [586], plus longue que large. A sa teste on a faict un moïen [f], lequel moïen a à chaque costé une porte de fer; à l'entredus [g] une grille de fer; tout cela grossier, vieil et sans aucun appareil de richesse. Ceste grile tient la largeur d'une porte à l'autre; au travers d'icelle, on voit jusques au bout de ceste logette; et ce bout, qui est environ la cinquiesme partie de la grandur de ceste logette qu'on renferme, c'est le lieu de la principale relligion. Là se voit, au haut du mur, l'image Nostre Dame, faite, disent-ils, de bois; tout le reste est si fort paré de vœux riches de tant de lieus et princes, qu'il n'y a jusques à terre pas un pousse vuide, et qui ne soit couvert de quelque lame d'or ou d'arjant. J'y peus trouver à toute peine place, et avec beaucoup de faveur, pour y loger un tableau dans lequel il y a quatre figures d'arjant attachées : cele de Nostre Dame, la miéne, cele de ma fame, cele de ma fille. Au pied de la miéne, il y a insculpé [h] sur l'arjant : *Michael Montanus, Gallus Vasco, Eques regii Ordinis* 1581 [i]; à cele de ma fame : *Francisca Cassaniana uxor* [j]; à cele de ma fille, *Leonora*

a. Plan. — *b*. Si bien. — *c*. Un très beau site. — *d*. A savoir. — *e*. Chapelets. — *f*. Un mur de milieu. — *g*. A l'entre-deux. — *h*. Gravé. — *i*. « Michel de Montaigne, Français Gascon, chevalier de l'ordre du roi, 1581 ». — *j*. « Françoise de la Chassaigne, sa femme ».

Montana filia unica [a]; et sont toutes de ranc à genous dans ce tableau, et la Nostre-Dame au haut au-devant. Il y a un'autre antrée en ceste chapelle que par les deus portes de quoi j'ai parlé, laquelle antrée respont au dehors. Entrant donc par en là ceste chapelle, mon tableau est logé à mein gauche contre la porte qui est à ce couin, et j'y laissé très curieusemant ataché et cloué. J'y avois faict mettre une chenette et un aneau d'arjant, pour par icelui le pandre à quelque clou; mais ils aimarent mieus l'attacher tout à faict. En ce petit lieu est la cheminée de ceste logette, laquelle vous voiez en retroussant certeins vieus pansiles [b] qui la couvrent. Il est permis à peu d'y entrer, voire par l'escriteau de devant la porte, qui est de metal très richemant labouré, et encore y a-t-il une grille de fer audavant [c] ceste porte; la defance y est que, sans le congé du gouvernur, nul n'y entre. Entr'autres choses, pour la rarité, on y avoit laissé parmi d'autres presans riches le cierge qu'un Turc frechemant y avoit envoïé, s'estant loué à ceste Nostre-Dame, estant en quelque extreme necessité et se voulant eider de toutes sortes de cordes.

L'autre part de cette casette, et la plus grande sert de chapelle, qui n'a nulle lumiere de jour et a son autel au-dessous de la grille contre ce moïen [d] duquel j'ay parlé. En ceste chapelle, il n'y a nul ornemant, ny banc, ny accoudoir, ny peinture ou tapisserie au mur; car de soi-mesmes il sert de reliquere. On n'y peut porter nulle espée ny armes, et n'y a nul ordre ny respect de grandur.

Nous fismes en ceste chapelle-là nos Pasques, ce qui ne se permet pas à tous; car il y a lieu destiné pour cest effaict, à cause de la grand'presse d'homes qui ordineremant y communient. Il y a tant de ceus qui vont à toutes heures en ceste chapelle qu'il faut de bon'heure mettre ordre qu'on y face place. Un jésuite allemant m'y dit la messe et dona à communier.

Il est défendu au peuple de ne rien esgratigner de ce mur; et s'il étoit permis d'en amporter, il n'y en auroit pas pour trois jours. Ce lieu est plein d'infinis miracles, de quoi je me raporte aus livres; mais il y en a plusieurs et fort recens de ce qui est mesavenu à ceux qui par devotion

a. « Léonor de Montaigne, leur fille unique ». — *b*. Rideaux (latin *pensilia*). — *c*. Devant. — *d*. Mur de milieu.

avoint emporté quelque chose de ce bastimant, voire par la permission du pape [587]; et un petit lopin de brique qui en avoit été osté lors du concile de Trante [588] y a esté rapporté.

Ceste casete est recouverte et appuyée par le dehors en carré du plus riche bastimant, le plus labouré [a] et du plus beau mabre [b] qui se peut voir, et se voit peu de pieces plus rares et excellantes. Tout autour et audessus de ce carré, est une bele grande église, force beles chapelles tout autour, tumbeaus, et entr'autres celui du cardinal d'Amboise [589] que M. le cardinal d'Armaignac [590] y a mis. Ce petit carré est come le cœur des autres églises; toutefois il y a un cœur, mais c'est dans une encoignnure. Toute ceste grande église est couverte de tableaus, peintures et histoires [c]. Nous y vismes plusieurs riches ornemans, et m'étonai qu'il ne s'y en voïoit encore plus, veu le nom fameus si antienemant de ceste église. Je crois qu'ils refondent les choses antienes et s'en servent à autres usages. Ils estiment les aumones en arjant monoïé à dix mille escus.

Il y a là plus d'apparance de religion qu'en nul autre lieu que j'aïe veu. Ce qui s'y pert, je dis de l'arjant ou autre chose digne, non d'estre relevée sulemant, mais desrobée pour les jans de ce mestier, celui qui le treuve le met en certein lieu publique [d] et destiné à cela; et le reprant là quiconque le veut reprandre, sans connoissance de cause. Il y avoit, quand j'y estois, plusieurs teles choses, patenostres, mouchoirs, bourses sans aveu, qui etoint au premier occupant. Ce que vous achetez pour le service de l'Eglise et pour y laisser, nul artisan ne veut rien de sa façon, pour, disent-ils, avoir part à la grâce; vous ne païez que l'arjant ou le bois, d'aumosne et de liberalité bien, mais en vérité ils le refusent. Les jans d'église, les plus officieus qu'il est possible à toutes choses; pour la confesse, pour la communion, et pour telle autre chose ils ne prenent rien. Il est ordinere de doner à qui vous voulez d'entre eus de l'arjant pour le distribuer aux pauvres en vostre nom, quand vous serez parti. Come j'estois en ce sacrere [e], voilà arriver un homme qui offre au premier prestre rancontré une coupe d'arjant en disant en avoir fait veu; et parce que

a. Travaillé. — *b*. Marbre. — *c*. Images. — *d*. Public. — *e*. Sanctuaire (latin *sacrarium*).

il l'avoit faict de la despanse de douze escus, à quoi le calice ne revenoit pas, il paya soudein le surplus audict prestre, qui pledoit du païement et de la monnoïe, come de chose due très exactemant, pour eider à la parfaicte et consciantieuse execution de sa promesse; cela faict, il fit entrer cest home en ce sacrere, offrit lui-mesmes ce calice à Nostre-Dame et y faire une courte oreson, et l'arjant le jeta au tronc commun. Ces examples, il les voient tous les jours et y sont assez nonchalans. A peine est reçu à doner qui veut, au moins c'est faveur d'estre accepté.

J'y arrestai lundi, mardi et mercredi matin; après la messe, j'en partimes. Mais, pour dire un mot de l'expérience de ce lieu, où je me plus fort, il y avoit en mesme temps là Michel Marteau, seigneur de la Chapelle [591], Parisien, june home très riche, aveq grand trein. Je me fis fort particulierement et curieusemant reciter [a] et à [b] lui et aucuns de sa suite, l'evenemant de la guerison d'une jambe qu'il disoit avoir eue de ce lieu; il n'est possible de mieus ny plus exactemant former l'effaict d'un miracle. Tous les chirurgiens de Paris et d'Italie s'y étoint faillis. Il y avoit despandu [c] plus de trois mille escus; son genou enflé, inutile et très dolureus, il y avoit plus de trois ans, plus mal, plus rouge, enflammé et enflé, jusques à lui doner la fievre; en ce mesme instant, tous autres médicamans et secours abandonés, il y avoit plusieurs jours; dormant, tout à coup, il songe qu'il est gueri et lui samble voir un escler; il s'éveille, crie qu'il est gueri, apele ses jans, se leve, se promene, ce qu'il n'avoit pas faict onques puis [d] son mal; son genou désenfle, la peau fletrie tout autour du genou et come morte, lui alla tousjours depuis en amendant [e], sans null'autre sorte d'eide. Et lors il estoit en cet etat d'entiere guerison, estant revenu à Lorette; car c'estoit d'un autre voïage d'un mois ou deus auparavant qu'il estoit gueri et avoit esté ce pendant à Rome aveq nous [f]. De sa bouche et de tous les siens, il ne s'en peut tirer pour certein que cela. Le miracle du transport de ceste maisonete, qu'ils tienent estre celle-là propre où en Nasaret [592] nasquit Jesus-Christ, et son remuemant premieremant en Esclavonie [593], et depuis près d'ici et enfin ici, est attaché à de

a. Raconter. — *b*. Par. — *c*. Dépensé. — *d*. Jamais depuis. — *e*. Guérissant. — *f*. Pendant que nous y étions.

grosses tables de mabre en l'église le long des pilliers, en langage italien, esclavon, françois, alemant, espaignol. Il y a au cœur un'enseigne de nos rois pandue, et non les armes d'autre roy. Ils disent qu'is y voïent souvant les Esclavons [594] à grans tropes venir à ceste devotion, aveq des cris d'aussi loin qu'ils descouvrent l'église de la mer en hors, et puis sur lieus tant de protestations et promesses à Nostre-Dame, pour retourner à eus [a]; tant de regrets de lui avoir doné occasion de les abandoner que c'est merveille.

Je m'informai que de Lorette il se peut aler le long de la marine [b] en huit petites journées à Naples, voiage que je desire de faire. Il faut passer à Pescare [595] et à la *cità* de Chiete [596], où il y a un *procaccio* [c] qui part tous les dimanches pour Naples.

Je offris à plusieurs prestres de l'arjant; la pluspart s'obstina à le refuser; et ceus qui en acceptarent, ce fut à toutes les difficultés du monde. Ils tiennent là et gardent leur grein dans des caves, sous la rue. Ce fut le 25 d'avril que j'offris mon veu.

A venir de Rome à Lorette, auquel chemin nous fumes quatre jours et demi, il me couta six escus de monnoïe, qui sont cinquante sols piece pour cheval, et celui qui nous louoit les chevaus les nourrissoit et nous. Ce marché est incommode, d'autant qu'ils hastent vos journées, à cause de la despance qu'ils font, et puis vous font treter le plus eschardemant [d] qu'ils peuvent.

Le 26, j'allai voir le port à trois milles delà, qui est beau, et y a un fort qui despant de la communauté di Ricanate [597].

Don Luca-Giovanni, beneficiale [e], et Giovanni-Gregorio da Calli, custode de la Secrestia [f], me donnarent leurs noms, affin que, si j'avois affaire d'eus pour moi ou pour autre, je leur escrivisse; ceus-là me firent force courtoisies. Le premier comande à ceste petite chapelle et ne vousit [g] rien prandre de moi. Je leur suis obligé des effaicts et courtoisies qu'ils m'ont faictes de parole.

Ledict mercredi, après disner je suivis un païs fertile, descouvert et d'une forme meslée, et me randis à souper à

a. Revenir chez eux, en Sclavonie. — *b*. Côte. — *c*. « Courrier ». — *d*. Chichement. — *e*. « Bénéficier ». — *f*. « Gardien de la sacristie. » — *g*. Voulut.

ANCONA, quinze milles. C'est la maîtresse ville de la Marque [598] : la Marque estoit aus Latins *Picœnum* [599]. Elle est fort peuplée en notamment de Grecs, Turcs et Esclavons [600], fort marchande, bien bastie, costoïée de deus grandes butes qui se jetent dans la mer, en l'une desqueles est un grand fort par où nous arrivasmes. En l'autre, qui est fort voisin, il y a un' église entre ces deux butes [a], et sur les pendants d'icelles, tant d'une part que d'autre, est plantée ceste ville : mais le principal est assis au fons du vallon, où il se voit encores un grand arc à l'honur de l'empereur Trajan, de sa fame et de sa sœur. Ils disent que souvant en huit, dix, ou douze heures on trajecte [b] en Esclavonie [601]. Je croi que pour six escus ou un peu plus, j'eusse treuvé une barque qui m'eust mené à Venise. Je donai 33 pistolets [602] pour le louage de huit chevaus jusques à Luques, qui sont environ huit journées. Doit le vetturin nourrir les chevaus, et au cas que j'y sois quatre ou cinq jours plus que de huit, j'ai les chevaus, sans autre chose que de payer les despans des chevaus et garçons.

Ceste contrée est pleine de chiens couchans excellans, et pour six escus il s'y en trouveroit à vandre. Il ne fut jamais tant mangé de cailles, mais bien maigres.

J'arrestai le 27 jusques après disner, pour voir la beauté et assiete de ceste ville : à St. Creaco [603], qui est l'église de l'une des deus butes, il y a plus de reliques de nom, qu'en église du monde, lesqueles nous furent monstrées.

Nous averasmes [c] que les cailles passent deçà de la Sclavonie à grand foison, et que toutes les nuits ont tant des rets au bord de deçà et les apele-t-on atout [d] ceste leur voix contrefaicte et les rapele-t-on du haut de l'air où elles sont sur leur passage; et disent que sur le mois de septambre elles repassent la mer en Sclavonie.

J'ouis la nuit un coup de canon dès [e] la Brusse [604], au roïaume [f] et audelà de Naples. Il y a de lieue en lieue une tour; la premiere qui descouvre une fuste [g] de corsere, faict signal atout [h] du feu à la seconde vedette, d'une tel vitesse qu'ils ont trouvé qu'en une heure du bout de l'Italie l'avertissemant court jusqu'à Venise.

a. VAR. : *En l'autre qui est fort voisine, il y a un' église. Entre ces deux butes...* — *b*. Passe (latin *trajecit*). — *c*. Reconnûmes vrai. — *d*. Avec. — *e*. Depuis, venant de. — *f*. De Naples. — *g*. Flûte (bâtiment léger de bas bord à voiles et à rames). — *h*. Avec.

Ancone s'apeloit ensin [a] antienemant du mot grec [605], pour l'encoingnure que la mer faict en ce lieu; car ses deus cornes s'avancent et font un pli enfoncé, où est la ville couverte par le davant de ces deus testes et de la mer, et encore par derriere d'une haute bute, où autrefois il y avoit un fort. Il y a encore une église grecque, et sur la porte, en une vieille pierre, quelques lettres que je pense sclavones. Les fames sont ici communemant beles, et plusieurs homes honestes et bons artisants.

Apres disner, nous suivismes la rive de la mer qui est plus douce et aisée que la nostre de l'Ocean, et cultivée jusques tout joingnant de l'eau, et vinmes coucher à

SENIGAGLIA [606], vint milles, bele petite ville, assise en une très-bele pleine tout jouignant la mer; et y faict un beau port, car une riviere [607] descendant des monts la lave d'un costé. Ils en font un canal garni et revestu de gros pans d'une part et d'autre, là où les basteaux se metent à l'abri; et en est l'entrée close. Je n'y vis nulle antiquité; aussi logeames nous hors la ville, en une belle hostellerie qui est la seule de ce lieu. On l'apeloit antiennement Senogalia, de nos ancetres [608] qui s'y plantarent, quand Camillus les eut batus; elle est de la juridiction du duc d'Urbin.

Je ne me trouvois guiere bien. Le jour que je partis de Rome, M. d'Ossat [609] se promenant aveq moi, je vousis [b] saluer un autre jantilhome : ce fut d'une tele indiscretion, que de mon pousse droit j'allai blecer le couin de mon euil droit, si [c] que le sang en sortit soudein, et y ai eu longtemps une rougeur extreme; lors elle se guerissoit : *Erat tunc dolor ad unguem sinistrum*[d].

J'obliois à dire qu'à Ancone en l'église de St. Creaco [610], il y a une tumbe basse d'une *Antonia Rocamoro patre, matre Valletta, Galla, Aquitana, Paciotto Urbinati, Lusitano, nupta* [e] [611], qui est enterrée depuis dix ou douze ans.

Nous en partismes bon matin, et suivismes la marine [f]

a. Ainsi. — *b.* Voulus. — *c.* Si bien. — *d.* « Je sentis alors une douleur à cet ongle sinistre. » Montaigne joue sur le mot latin *sinistrum* qui signifie de *gauche*. Son pouce droit avait été bien *gauche*, et malencontreux. — *e.* « D'une Antoinette, Roccamoro du côté de son père, Vallette du côté de sa mère, Française d'Aquitaine mariée à Paciotto d'Urbin, Portugais. » — *f.* Côte.

par un très-plesant chemin joingnant nostre disnée [a]; nous passames la riviere Metro [612], *Metaurus*, sur un grand pont de bois, et disnames à

FANO, quinze milles, petite ville en une bele et très fertile pleine, joingnant la mer, assez mal bastie, bien close. Nous y fusmes très bien tretés de pain, de vin et de poisson; le logis n'y vaut guiere. Ell'a cela sur les autres villes de ceste coste, come Senigaglia, Pesaro et autres, qu'elle a abondance d'eaus douces, plusieurs fontenes publicques et puis particulieres, là où les autres ont à chercher leur eau jusques à la montaigne. Nous y vismes un grand arc antien [613] où il y a un' inscription sous le nom d'Auguste, *qui muros dederat* [b]. Elle [c] s'apelloit *Fanum*, et estoit *Fanum fortunæ* [d].

Quasi en toute l'Italie, on tamise la farine atout [e] des roues, où un boulanger fait plus de besoingne en un'heure que nous en quatre. Il se treuve quasi à toutes les hosteleries, des rimeurs qui font sur le champ des rimes accommodées aus assistants. Les instrumants sont en toutes les boutiques jusques aux ravaudurs des carrefours des rues.

Ceste ville est fameuse sur toutes celes d'Italie : de beles fames [f] nous n'en vismes nulle, que très-ledes; et à moi qui m'en enquis à un honeste-home de la ville, il me dit que le siecle en estoit passé. On païe en ceste route environ dix sous pour table [g], vint sous par jour pour home; le cheval, pour le louage et despants, environ 30 sous : sont 50 sous. Ceste ville est de l'Église.

Nous laissames sur ceste mesme voïe de la marine, à voir un peu plus outre, Pesaro qui est une bele ville et digne d'estre veue, et puis Rimini, et puis cet' antiene Ravenne; et notamment à Pesaro, un beau bastimant [614] et d'estrange assiete que faict faire le duc d'Urbin, à ce qu'on m'a dict : c'est le chemin de Venise contre bas [h].

Nous laissames la marine [i], et primes à mein gauche, suivant une large pleine au travers de laquele passe Me-

a. VAR. : *Chemin ; joignant nostre disnée nous passâmes...* — *b*. « Qui avait entouré la ville de murailles. » — *c*. La ville. — *d*. « Le Temple de la Fortune ». — *e*. Avec. — *f*. A. d'Ancona corrige : *Ceste ville est fameuse sur toutes celes d'Italie, de beles formes : nous n'en vismes...* — *g*. Par repas. — *h*. En descendant la route de Venise. — *i*. La côte.

taurus [615]. On descouvre partout d'une part et d'autre des très beaus coustaus [a]; et ne retire [b] pas mal le visage de cete contrée à la pleine de Blaignac à Castillon [616]. En ceste pleine de l'autre part de ceste riviere fut donée la bataille de Salinator et Claudius-Nero [617] contre Asdrubal où il fut tué. A l'antrée des montaignes qui se rancontrent au bout de ceste pleine tout sur l'antrée se treuve

Fossumbrune [618], quinze milles, apartenant au duc d'Urbin : ville assise contre la pante d'une montaigne, aïant sur le bas une ou deus beles rues fort droites, egales et bien logées; toutefois ils disent que ceus de Fano sont beaucoup plus riches qu'eus. Là il y a sur la place un gros piédestal de mabre aveq une fort grande inscription qui est du tamps de Trajan, à l'honur d'un particulier habitant de ce lieu, et un'autre contre le mur qui ne porte nulle enseigne du tamps. C'estoit antienemant *Forum Sempronii ;* mais ils tienent que leur premiere ville estoit plus avant vers la pleine, et que les ruines [619] y sont encores en bien plus bele assiete. Ceste vile a un pont de pierre pour passer le Metaurus [620] vers Rome, *per viam Flaminiam* [c]. Parce que j'y arrivai de bon'heure (car les milles sont petites et nos journées n'estoint que de sept ou huit hures à chevaucher), je parlai à plusieurs honestes jans qui me contarent ce qu'ils savoint de leur ville et environs. Nous vismes là un jardin du cardinal d'Urbin [621], et force pieds de vigne entés d'autre vigne. J'entretins un bon home faisur de livres, nomé Vincentius Castellani [622] qui est de là.

J'en partis landemein matin, et après trois milles de chemin, je me jetai à gauche et passai sur un pont la Cardiana [623], le fluve qui se mesle à Metaurus [624] et fis trois milles le long de aucunes montaignes et rochiers sauvages, par un chemin étroit et un peu mal aisé, au bout duquel nous vismes un passage de bien 50 pas de long [625], qui a esté pratiqué au travers de l'un de ces haus rochiers. Et parceque c'est une grande besouingne, Auguste, qui y mit la mein le premier, il y avoit un' inscription en son nom, que le tamps a effacée; et s'en voit encores un'autre à l'autre bout, à l'honur de Vespasien. Autour delà il se voit tout plein de grans ouvrages des bastimans du fons de l'eau,

a. Coteaux. — *b*. Ressemble. — *c*. « Par la voie Flaminienne. »

qui est d'une extreme hautur; audessous du chemin, des rochiers coupés et aplanis d'une espessur infinie; et le long de tout ce chemin, qui est *via Flaminia* [a], par où on va à Rome, des traces de leur gros pavé qui est enterré pour la pluspart, et leur chemin qui avoit 40 pieds de large n'en a plus quatre.

Je m'estois détourné pour voir cela; et repassai sur mes pas, pour reprandre mon chemin que je suivis par le bas d'aucunes montaignes accessibles et fertiles. Sur la fin de nostre trete [b], nous comançames à monter et à descendre, et vinmes à

Urbin, seize milles, ville de peu d'excellence, sur le haut d'une montaigne de moïene hautur, mais se couchant de toutes parts selon les pantes du lieu, de façon qu'elle n'a rien d'esgal, et partout il y a à monter et descendre. Le marché y estoit, car c'estoit sammedi. Nous y vismes le palais qui est fort fameus pour sa beauté : c'est une grand'-masse, car elle prant jusques au pied du mont. La veue s'estand à mille autres montaignes voisines, et n'a pas beaucoup de grace. Come tout ce bastimant n'a rien de fort agréable ny dedans ny autour n'aïant qu'un petit jardinet de 25 pas ou environ, ils disent qu'il y a autant de chambres que de jours en l'an; de vrai, il y en a fort grand nombre et à la mode de Tivoli et autres palais d'Italie. Vous voiez au travers d'une porte, souvant 20 autres portes qui se suivent d'un sans [c], et autant par l'autre sans, ou plus. Il y avoit quelque chose d'antien, mais le principal fut basti en 1476, par Frederic Maria de la Rovere [626], qui ha leans [d] plusieurs titres et grandurs de ses charges et exploits de guerre; de quoi ses murailles sont fort chargées, et d'une inscription qui dict que c'est la plus bele maison du monde. Ell'est de brique, toute faicte à voute, sans aucun planchier, come la pluspart des bastimants d'Italie.

Cestui-ci est son arriere neveu [627]. C'est une race de bons princes et qui sont eimés de leurs sujets. Ils sont de pere en fis tous jans de lettres, et ont en ce palais une bele librairie [e]; la clef ne se treuva pas. Ils ont l'inclination espaignole. Les armes du roy d'Espaigne se voient en ranc de faveur, et l'ordre d'Engleterre et de la Toison, et rien du nostre.

a. « La voie Flaminienne ». — *b.* Traite. — *c.* Sens. — *d.* Là-dedans. — *e.* Bibliothèque.

Ils produisent eus-mesmes en peinture [a] le premier duc d'Urbin, june home qui fut tué par ses sujets pour son injustice : il n'estoit pas de ceste race [628]. Celui-ci a épousé la sur de M. de Ferrare [629], plus vieille que lui de dix ans [630]. Ils sont mal ensamble et separés, rien que pour la jalousie d'elle, à ce qu'ils disent. Ensin [b], outre l'eage qui est de 45 ans, ils ont peu d'esperance d'enfans, qui rejetera, disent-ils, ceste duché à l'Église; et en sont en peine.

Je vis là l'effigie au naturel de Picus Mirandula [631] : un visage blanc, très-beau, sans barbe, de la façon de 17 ou 18 ans, le nez longuet, les yeux dous, le visage maigrelet, le poil blon, qui lui bat jusques sur les espaules, et un estrange acoutremant. Ils ont en beaucoup de lieus d'Italie ceste façon de faire des vis, voire fort droites et etroites, qu'à cheval vous pouvez monter à la sime; cela est aussi ici avec du carreau mis de pouinte. C'est un lieu, disent-ils, froit; et le duc faict ordinaire d'y estre sulemant l'esté. Pour prouvoir [c] à cela, en deus de leurs chambres il s'y voit d'autres chambres carrées en un couin, fermées de toutes pars, sauf quelque vitre qui reçoit le jour de la chambre; au dedans de ces retranchemans est le lit du maistre.

Après disner je me destournai encores de cinq milles, pour voir un lieu que le peuple de tout tamps apele *Sepulchro d'Asdrubale* [d], sur une colline fort haute et droite qu'ils noment *Monte deci* [632]. Il y a là quatre ou cinq mechantes mesonetes et une eglisete, et se voit aussi un bastimant de grosse brique ou carreau, rond de 25 pas ou environ, et haut de 25 pieds. Tout autour il y a des acoudoirs de mesme brique de trois en trois pas. Je ne sçai comant les massons apelent ces pieces, qu'ils font pour soutenir come des becs [633]. On monta audessus, car il n'y a null'entrée par le bas. On y trouva une voute, rien dedans, nulle pierre de taille, rien d'escrit; les habitans disent qu'il y avoit un mabre [e], où il y avoit quelques marques, mais que de notre eage [f] il a esté pris. D'où ce nom lui aïe esté mis, je ne sçai, et je ne croi guiere que ce soit vraiment ce qu'ils disent. Bien il est certein qu'il fut deffaict et tué assez près de là.

a. VAR. : *Ils produisent eus-mesmes en peinture. Le premier duc.* — *b.* Ainsi. — *c.* Pourvoir, parer. — *d.* « Tombeau d'Hasdrubal ». — *e.* Marbre. — *f.* Age.

Nous suivismes après un chemin fort montueus, et qui devint fangeus pour une sule heure qu'il avoit pleu, et repassames Metaurus [634] à gué, comme ce n'est qu'un torrant qui ne porte pouint de bateau lequel nous avions passé une autrefois depuis la disnée, et nous randismes sur la fin de la journée, par un chemin bas et aisé, à

CASTEL DURANTE [635], quinze milles, villete assise en la pleine, le long de Metaurus [636], apartenant au duc d'Urbin. Le peuple y faisoit fus [a] de joïe et feste de la naissance d'un fils masle, à la princesse de Besigna [637], sur [b] de leur duc. Nos vetturins déselent leurs chevaus à mesure qu'ils les débrident en quelqu'estat qu'ils soint, et les font boire sans aucune distinction. Nous bevions ici des vins sophistiqués, et à Urbin [c], pour les adoucir.

Le dimanche matin nous vinmes le long d'une pleine assez fertile et les couteaus [d] d'autour, et repassames premierement une petite bele ville, S. Angelo, apartenant audit duc, le long de Metaurus, aïant des avenues fort beles. Nous y trouvasmes en la ville des petites reines du mi-careme, parce que c'estoit la veille du premier jour de mai [638]. De là, suivant ceste pleine, nous traversames encores une autre villete de mesme juridiction nomée Marcatello, et par un chemin, qui comançoit déjà à santir la montaigne de l'Apennin, vinmes dîner à

BORGO-A-PASCI [639], dix milles, petit village et chetif logis pour une soupée, sur l'encouingnure des mons.

Après disner nous suivismes premieremant une petite route sauvage et pierreuse, et puis vinmes à monter un haut mont de deus milles de montée et quatre milles de pante; le chemin escailleus et ennuïeus : mais non effroyable ny dangereus, les prœcipices n'estant pas coupés si droit que la veuë n'aïe où se soutenir. Nous suivismes le Metaurus jusques à son gïte qui est en mont; einsi nous avons veu sa naissance et sa fin, l'aïant veu tomber en la mer à Senogaglia [640]. A la descente de ce mont, il se presantoit à nous une très belle et grande pleine, dans laquele court le Tibre qui n'est qu'à huit milles ou environ de sa naissance, et d'autres monts audelà : prospect [e] représentant assez

a. Feux. — *b*. Sœur. — *c*. VAR. : *Nous bevions ici, et à Urbin, des vins que l'on sophistiquoit*. — *d*. Coteaux. — *e*. Point de vue.

celui qui s'offre en la Limaigne [641] d'Auvergne, à ceus qui descendent de Puy de Domme à Clermont. Sur le haut de nostre mont se finit la juridiction du duc d'Urbin, et comance cele du duc de Florance et cele du pape à mein gauche. Nous vinmes souper à

BORGO S. SEPOLCHRO, treize milles, petite ville en ceste pleine, n'aiant nulle singularité, audict duc de Florence; nous en partimes le premier jour de may.

A un mille de ceste ville, passames sur un pont de pierre la riviere du Tibre, qui a encores là ses eaus cleres et belles, qui est signe que ceste colur sale et rousse, *flavum Tiberim* [a] [642], qu'on lui voit à Rome, se prant du meslange de quelqu'autre riviere [643]. Nous traversames ceste pleine de quatre milles, et à la premiere colline trouvames une villete à la teste. Plusieurs filles et là et ailleurs sur le chemin, se metoint au devant de nous, et nous saisissoint les brides des chevaus, et là en chantant certene chanson pour cest effaict, demandoint quelque liberalité pour la feste du jour. De ceste colline, nous nous ravalames en une fondiere fort pierreuse, qui nous dura longtamps le long du canal d'un torrant; et puis eumes à monter une montaigne sterile et fort pierreuse, de trois milles à monter et descendre, d'où nous descouvrimes une autre grande pleine dans laquele nous passames la riviere de Chiasso [644], sur un pont de pierre, et après la riviere d'Arno, sur un fort grand et beau pont de pierre, au deça duquel nous logeames à

PONTE BORIANO, petite maisonnete, dix-huit milles. Mauvès logis, come sont les trois prœcedants, et la pluspart de ceste route. Ce seroit grand folie de mener par ici des bons chevaus, car il n'y a pouint de fouin.

Après disner, nous suivismes une longue pleine toute fendue de horribles crevasses que les eaus y font d'une estrange façon, et croi qu'il y faict bien led en hiver; mais aussi est-on après à rabiller [b] le chemin. Nous laissames sur nostre mein gauche, bien près de la disnée, la ville d'Arezzo, dans ceste mesme pleine, à deus milles de nous ou environ. Il samble toutesfois que son assiete soit un peu relevée. Nous passames sur un beau pont de pierre et de grande hautur la riviere de Ambra, et nous randismes à souper à

a. « Le Tibre jaune ». — *b*. Réparer.

LAVENELLE [645], dix milles. L'hostellerie est au-deçà dudict village d'un mille ou environs et est fameuse; aussi la tient-on la meilleure de Thoscane et a-t-on raison; car à la raison des hosteleries d'Italie, elle est des meilleures. On en faict si grand feste, qu'on dict que la noblesse du païs s'y assamble souvant, come chez le More à Paris, ou Guillot à Amians [646]. Ils y servent des assietes d'estein, qui est une grande rarité. C'est une maison sule, en très bele assiete d'une pleine qui a la source d'une fonteine à son service.

Nous en partimes au matin, et suivismes un très beau chemin et droit en ceste pleine, et y passames au travers quatre viletes ou bourgs fermés, Mantenarca [647], S. Giovanni, Fligine [648] et Anchisa [649], et vinmes disner à

PIAN DELLA FONTE, douze milles. Assez mauvès logis, où est aussi une fonteine, un peu au dessus ledit bourg d'Anchisa, assis au val d'Arno, de quoi parle Petrarca, lequel on tient nai dudict lieu Anchisa [650], au moins d'une maison voisine d'un mille de laquelle on ne treuve plus les ruines que bien chetifves; toutefois ils en remerquent la place. On semoit là lors des melons parmi les autres qui y étoint déjà semés et les espéroit-on recueillir en aoust.

Ceste matinée j'eus une pesanteur de teste et trouble de veue come des antienes migrenes, que je n'avois santi il y avoit dix ans. Ceste valée où nous passames a esté autrefois toute en marès et tient Livius [651] que Annibal fut contreint de les passer sur un elefant, et pour la mauvese seson y perdit un euil [652]. C'est de vrai un lieu fort plat et bas et fort sujet [a] au court de l'Arne [653]. Là je ne vousis [b] pas disner et m'en repantis; car cela m'eût eidé à vomir, qui est ma plus prompte guerison : autremant je porte ceste poisantur [c] de teste un jour et deus, come il m'avint lors. Nous trouvions ce chemin plein du peuple du païs, portant diverses sortes de vivres à Florance. Nous arrivasmes à

FLORANCE, douze milles, par l'un des quatre pons de pierre qui y sont sur l'Arno.

Landemein, après avoir ouï la messe, nous en partimes; et biaisant un peu le droit chemin, allames pour voir Castello [654], de quoi j'ai parlé ailleurs [655]; mais parceque les filles du duc y estoint, et sur ceste mesme heure aloint par

a. Assujetti. — *b*. Voulus. — *c*. Pesanteur.

le jardin ouïr la messe, on nous pria de vouloir atandre, ce que je ne vousis [a] pas faire. Nous rancontrions en chemin force prossessions; la banière va devant, les fames après, la pluspart fort belles, atout [b] des chapeaus de paille, qui se font plus excellans en ceste contrée qu'en lieu du monde, et bien vestues pour fames de village, les mules et escarpins blancs. Après les fames marche le curé, et après lui les masles. Nous avions veu le jour avant une prossession de moines, qui avoint quasi tous de ces chapeaus de paille.

Nous suivismes une très bele pleine fort large; et à dire le vrai, je fus quasi contreint de confesser que ny Orleans, ny Paris, mesmes et leurs environs, ne sont accompaignés d'un si grand nombre de maisons et villages, et si louin que Florance : quant à beles maisons et palais, cela est hors de doubte. Le long de ceste route, nous nous randismes disner à

PRATO, petite ville, dix milles, audict duc, assise sur la riviere de Bisanzo [656], laquelle nous passames sur un pont de pierre à la porte de ladicte ville. Il n'est nulle region si bien accommodée, entr'autres choses de pons, et si bien estoffés; aussi le long des chemins partout on rancontre des grosses pierres de taille, sur lesqueles est escrit ce que chaque contrée doit rabiller [c] de chemin, et en respondre. Nous vismes là au palais dudict lieu les armes et au nom du Legat du Prat [657] qu'ils disent être oriunde [d] de là. Sur la porte de ce palais est une grande statue coronée, tenant le monde en sa main, et à ses pieds, *Rex Robertus* [e] [658]. Ils disent là que ceste ville a été autrefois à nous; les flurs de lis y sont partout : mais la ville de soi porte de gueules semé de flurs de lis d'or. Le dome y est beau et enrichi de beaucoup de mabre [f] blanc et noir.

Au partir de là, nous prinsmes un'autre traverse de bien quatre milles de detour, pour aler *al Poggio* [659], maison de quoi ils font grand feste, apartenant au duc, assis sur le fluve Umbrone; la forme de ce bastimant est le modele de Pratolino [660]. C'est merveille qu'en si petite masse il y puisse tenir çant très belles chambres. J'y vis, entr'autres choses, des lits grand nombre de très bele etoffe, et de nul

a. Voulus. — *b.* Avec. — *c.* Réparer. — *d.* Originaire (latin *oriundus*). — *e.* « Le roi Robert ». — *f.* Marbre.

pris : ce sont de ces petites etoffes bigarrées, qui ne sont que de leine fort fine, et il les doublent de tafetas à quatre fils de mesme colur de l'estoffe. Nous y vismes le cabinet de distilloir du duc et son ouvroir du tour, et autres instrumans : car il est grand mechanique.

Delà, par un chemin très droit et le païs extrememant fertile, le chemin clos d'arbres ratachés de vignes, qui faict la haie, chose de grande beauté, nous nous randismes à souper à

Pistoie, quatorze milles; grande ville sur la riviere d'Umbrone; les rues fort larges, pavées come Florance, Prato, Lucques, et autres, de grandes plaques de pierre fort larges. J'obliois à dire que des salles de Poggio on voit Florance, Prato et Pistoïa, de la table : le duc étoit lors à Pratolino. Audict Pistoïe, il y a fort peu de peuple; les eglises belles, et plusieurs belles maisons. Je m'enquis de la vante des chapeaus de paille, qu'on fit 15 s. [a]. Il me samble qu'ils vaudroient bien autant de frans en France. Auprès de ceste ville et en son territoire, fut ancienemant desfait Catilina [661]. Il y a à Poggio, de la tapisserie representant toute sorte de chasses; je remercai entr'autres une pante de la chasse des autruches, qu'ils font suivre à gens de cheval, et enferrer àtout [b] des javelots.

Les Latins apelent Pistoïa, *Pistorium ;* elle est au duc de Florance. Ils disent que les brigues antienes des maisons de Cancellieri et Pansadissi [662], qui ont été autrefois, l'ont einsi randue come inhabitée, de manière qu'ils ne content [c] que huit mille ames en tout; et Lucques qui n'est pas plus grande, fait vint et cinq mille habitans et plus.

Messer Tadeo Rospiglioni [663], qui avoit eu de Rome lettre de recommandation en ma faveur, de Giovanni Franchini [664], me pria à disner le landemein, et tous les autres qui estions de compaignie. Le palais fort paré, le service un peu faroche [d] pour l'ordre des mets; peu de valets; le vin servi encores après le repas, come en Allemaigne.

Nous vismes les eglises : à l'élevation, on y sonnoit en la maitresse eglise les trompettes. Il y avoit parmi les enfans de cueurs des prestres revestus, qui sonnoint de saque-

a. Sols. — *b*. Avec. — *c*. Comptent. — *d*. Étrange.

butes[665]. Ceste povre ville se païe de la liberté perdue sur ceste veine image de sa forme antiene. Ils ont neuf premiers[666] et un gonfalonier qu'ils elisent de deus en deus mois. Ceus-ci ont en charge la police, sont nourris du duc, com'ils étoint antienemant du publicq, logés au palais, et n'en sortent jamais guiere que tous ensamble, y estant perpetuelemant enfermés. Le gonfalonier marche devant le potesta[a] que le duc y envoïe, lequel potesta en effaict a toute puissance; et ne salue ledict gonfalonier personne, contrefaisant une petite roïauté imaginere. J'avois pitié de les voir se paitre de ceste singerie, et cependant le Grand-Duc a accreu les subsides des dix pars sur les antiens[b].

La pluspart des grands jardins d'Italie nourissent l'herbe aus maistresses allées et la fauchent. Environ ce tamps-là comançoit à murir les serises; et sur le chemin de Pistoïe à Luques, nous trouvions des jans de village qui nous presentoient des bouquets de freses à vendre.

Nous en partismes jeudi, jour de l'Ascension, après disner, et suivismes premieremant un tamps ceste pleine, et puis un chemin un peu montueus, et après une très-bele et large pleine. Parmi les champs de bled, ils ont force abres[c] bien rangés, et ces abres couvers et ratachés de vigne de l'un à l'autre : ces champs samblent estre des jardins. Les montaignes qui se voient en ceste route sont fort couvertes d'abres, et principalement d'oliviers, chataigniers, et muriers pour leurs vers à soïe. Dans ceste pleine se rancontre

LUCQUES, vint milles; ville d'un tiers plus petite que Bourdeaus[667], libre, sauf que pour sa foiblesse elle s'est jettée sous la protection de l'amperur et maison d'Austriche. Elle est bien close et flanquée; les foscés peu enfoncés, où il court un petit canal d'eaus, et pleins d'herbes vertes, plats et larges par le fons. Tout autour du mur, sur le terre-plein de dedans, il y a deus ou trois rancs d'abres plantés qui servent d'ombrage et disent-ils de fascines à la nécessité. Par le dehors vous ne voyez qu'une forest qui cache les maisons. Ils font tousjours garde de trois cens soldats etrangiers. La ville fort peuplée, et notamment d'artisans de soie; les rues étroites mais belles, et quasi partout des belles

a. Podestat. — *b*. A décuplé les anciens impôts. — *c*. Arbres.

et grandes maisons. Ils passent au travers un petit canal de la riviere Cerchio [668]; ils bastissent un palais de cent trente mille escus de despanse, qui est bien avansé. Ils disent avoir six vins mille ames [a] de sujets, sans la ville. Ils ont quelques chastelets [b], mais nulle ville en leur subjection. Leurs jantilshommes et jans de guerre font tous estat de marchandises. Les Buonvisi y sont les plus riches. Les estrangiers n'y entrent que par une porte où il y a une grosse garde.

C'est l'une des plus plesantes assietes de ville que je vis jamais, environné de deus grans lieus de pleine, belle par excellance au plus estroit, et puis de belles montaignes et collines, où pour la pluspart ils se sont logés aus champs. Les vins y sont mediocremant bons; la cherté à vint sols par jour; les hosteleries à la mode du païs, assez chetives. Je receus force courtoisies de plusieurs particuliers, et vins et fruits et offres d'arjant.

J'y fus vandredi, sammedi et en partie le dimanche après le disner, pour autrui, non pas pour moi qui estois à jun. Les collines les plus voisines de la ville sont garnies de tout plein de maisons plesantes, fort espais; la plus part du chemin fut par un chemin assez bas, assez aisé, entre des montaignes quasi toutes fort ombragées et habitables partout le long de la riviere de Cerchio. Nous passames plusieurs villages et deus fort gros bourgs, Reci [669] et Borgo, et audeçà ladicte riviere que nous avions à nostre mein droite, sur un pont de hautur inusitée, ambrassant d'un sur-arceau une grande largeur de ladicte riviere, et de ceste façon de pons nous en vismes trois ou quatre. Nous vinmes sur les deus heures après midi au

BEIN DELLA VILLA [670], seize milles. C'est un païs tout montueus. Audavant [c] du bein, le long de la riviere [671], il y a une pleine de trois ou quatre çans pas, audessus de laquele le bain est relevé le long de la coste d'une montaigne médiocre, et relevé environ come la fonteine de Banieres, où l'on boit près de la ville. Le site où est le bein a quelque chose de plein, où sont trante ou quarante maisons très-bien accommodées pour ce service; les chambres jolies, toutes particulieres, et libres qui veut, atout [d] un retret, et ont un'entrée pour s'entreatacher [e], et un autre pour se

a. 120.000 âmes. — *b*. Petits bourgs fortifiés (latin *castella*). — *c*. Au devant. — *d*. Avec. — *e*. Communiquer entre elles.

particulariser [a]. Je les reconnus quasi toutes avant que de faire marché, et m'arestai à la plus belle, notamment pour le prospect [b] qui regarde (au moins la chambre que je choisis) tout ce petit fons, et la riviere de la Lima, et les montaignes qui couvrent ledict fons, toutes bien cultivées et vertes jusques à la cime, peuplées de chataigniers et oliviers, et ailleurs de vignes qu'ils plantent autour des montaignes, et les enceignent en forme de cercles et de degrés. Le bord du degré vers le dehors un peu relevé, c'est vigne; l'enfonceure de ce degré, c'est bled. De ma chambre j'avois toute la nuit bien doucement le bruit de ceste riviere. Entre ces maisons est une place à se proumener, ouverte d'un costé en forme de terrasse, par laquele vous regardez ce petit plein [c] sous l'allée d'une treille publique, et voiez le long de la riviere dans ce petit plein, à deux cens pas, sous vous, un beau petit village qui sert aussi à ces beins, quand il y a presse. La pluspart des maisons neufves; un beau chemin pour y aler, et une belle place audict vilage. La pluspart des habitans de ce lieu se tienent là l'hiver, et y ont leurs boutiques, notamment d'apotiquererie; car quasi tous sont apotiqueres.

Mon hoste se nome le capitene Paulini [672], et en est un. Il me dona une salle, trois chambres, une cuisine et encore un'apant [d] pour nos jans, et là dedans huit lits, dans les deus desquels il y avoit pavillon [e]; fournissoit de sel, serviete le jour, à trois jours une nape, tous ustansiles de fer à la cuisine, et chandeliers, pour unse escus, qui sont quelques sous plus que dix pistolets [f], pour quinze jours. Les pots, les plats, assietes qui sont de terre, nous les achetions, et verres et couteaux; la viande s'y treuve autant qu'on veut, veau et chevreau; non guiere autre chose. A chaque logis on offre de vous faire la despanse; et croi qu'à vint sous par home on l'aroit [g] par jour; et si vous la voulez faire, vous trouvez en chaque logis quelque home ou fame capable de faire la cuisine. Le vin n'y est guiere bon; mais qui veut, en faict porter ou de Pescia ou de Lucques. J'arrivai là le premier, sauf deux jantilhomes bolonois qui n'avoint pas grand trein. Einsi j'eus à choisir et, à ce qu'ils

a. Se séparer des autres. — *b.* Point de vue. — *c.* Plan. — *d.* Soupente. — *e.* Des rideaux. — *f.* Demi-pistoles. — *g.* Aurait.

disent, meilleur marché que je n'eusse eu en la presse, qu'ils disent y estre fort grande; mais leur usage est de ne comancer qu'en juin, et y durer jusques en septambre, car en octobre ils le quitent; et s'y fait des assamblées souvent pour la sule recreation; ce qui se faict plustost, come nous en trouvasmes qui s'en retournoient y aïant dejà esté un mois, ou en octobre, est extraordinere.

Il y a en ce lieu une maison beaucoup plus magnifique que les autres des sieurs de Buonvisi, et certes fort belle; ils la noment le Palais [673]. Elle a une fontene belle et vive dans la salle, et plusieurs autres commodités. Elle me fut offerte, au moins un appartement de quatre chambres que je voulois, et tout, si j'en eusse eu besouin. Les quatre chambres meublées come dessus, ils me les eussent laissées pour vint escus du païs pour quinse jours; j'en vousis doner un escu par jour pour la considération du tamps et pris qui change. Mon hoste n'ests obligé à nostre marché que pour le mois de may; il le faudra refaire si j'y veus plus arrester.

Il y a ici de quoi boire et aussi de quoi se beigner. Un bein couvert, vouté et assez obscur, large comme la moitié de ma salle de Montaigne. Il y a aussi certein esgout qu'ils nomment *la doccia* [a], ce sont des tuïaux par lesquels on reçoit l'eau chaude en diverses parties du cors et notamment à la teste, par des canaus qui descendent sur vous sans cesse et vous vienent battre la partie, l'eschauffent, et puis l'eau se reçoit par un canal de bois, come celui des buandieres, le long duquel elle s'écoule. Il y a un autre bein vouté de mesme et obscur, pour les fames : le tout d'une fonteine de laquelle on boit, assez plaisamment assise, dans une enfonceure où il faut descendre quelques degrés.

Le lundi huit de mai au matin, je pris à grande difficulté de la casse que mon hoste me præsenta, non pas de la grace de celui de Rome, et la prit de mes meins. Je disnai deux heures après et ne pus achever mon disner; son operation [b] me fit randre ce que j'en avois pris, et me fit vomir encore depuis. J'en fis trois ou quattre selles avec grand dolur de vantre, à cause de sa vantuosité, qui me tourmanta près de vingt-quatre heures, et me suis promis de n'en prandre plus. J'eimerois mieus un accès de cholique, aïant mon vantre einsin [c] esmeu, mon goust altéré, et ma santé

a. « La douche ». — *b.* Effet. — *c.* Ainsi.

troublée de ceste casse : car j'estois venu là en bon estat, en manière que le dimanche après souper, qui estoit le sul repas que j'eusse faict ce jour, j'alai fort alegremant voir le bein de Corsena, qui est à un bon demi mille de là, à l'autre visage de ceste mesme montaigne, qu'il faut monter et devaler après, environ à mesme hautur que les beins de deça.

Cest autre bein est plus fameus pour le bein et la doccia; car le nostre n'a nul service receu communéemant, ny par les médecins ny par l'usage, que le boire, et dict-on que l'autre est plus antienemant conu. Toutefois pour avoir ceste vieillesse qui va jusques aus siecles des Romeins, il n'y a nulle trace d'antiquité ny en l'un ny en l'autre [674]. Il y a là trois grans beins voutés, sauf un trou sur le milieu de la voute, com'un soupirail; ils sont obscurs et mal plaisans. Il y a un'autre fonteine chaude à deus ou trois çans pas de là, un peu plus haut en ce mesme mont, qui se nome de Saint Jan; et là on y a faict une loge à trois beins, aussi couverts; nulle maison voisine, mais il y a que quoi y loger un materas [a] pour y reposer quelque heure du jour. A Corsena, on ne boit du tout pouint. Au demurant, ils diversifient l'operation de ses eaus qui refreche [b], qui eschauffe, qui pour telle maladie, qui pour telle autre, et là-dessus mille miracles; mais en somme, il n'y a nulle sorte de mal qui n'y treuve sa guerison. Il y a un beau logis à plusieurs chambres, et une vintene d'autres non guiere beaus. Il n'y a nulle compareson en cela de leur commodité à la nostre, ny de la beauté de la veue, quoiqu'ils aient nostre riviere à leurs pieds et que leur veue s'estande plus longue dans un vallon, et si sont beaucoup plus chers. Plusieurs boivent ici, et puis se vont beigner là. Pour cest'heure Corsena a la reputation.

Le mardi, 9 de mai 1581, bon matin, avant le soleil levé, j'alai boire du surjon mesme de notre fonteine chaude. En beus sept verres tout de suite, qui tienent trois livres et demie : ils mesurent einsi. Je croi que ce seroit à douze de nostre carton [675]. C'est un'eau chaude fort moderéemant, come celle d'Aigues-Caudes [676] ou Barbotan [677], aïant moins de gout et saveur que nulle autre que j'aie jamais beu. Je n'y peu apercevoir que sa tiedur et un peu de douceur.

a. Matelas. — *b*. Rafraîchit.

Pour ce jour elle ne me fit null' operation [a], et si fus cinq heures despuis boire jusques au disner, et n'en randis une sule goute. Aucuns disoint que j'en avois pris trop peu, car là ils en ordonent un fiasque, sont deux boccals, qui sont huit livres, sese ou dix et sept verres des miens. Moi je pense qu'elle me trouva si vuide à-cause de ma medecine, qu'elle trouva place à me servir d'alimant.

Ce mesme jour, je fus visité d'un jantil homme boulonois, colonel de douse çans homes de pied, aus gages de ceste seigneurie, qui se tient à quatre milles des beins [678]. Et me vint faire plusieurs offres, et fut avec moi environ deux heures; comanda à mon hoste et autres du lieu de me favoriser de leur puissance. Ceste seigneurie a ceste regle de se servir d'officiers estrangiers, et dispose son peuple aus vilages par nombre; et selon la contrée, leur done un colonel à leur comander, qui a plus grande, qui moindre charge. Les colonels sont païés; les capitaines, qui sont des habitans du païs, ne le sont qu'en guerre, et comandent aus compaignies particulieres lors du besouin. Mon colonel avoit sèse escus par mois de gages et n'a charge que se tenir prest.

Ils vivent plus sous regle en ces beins ici qu'aus nostres, et junent fort notamment du boire. Je m'y trouvois mieus logés qu'en nuls autres beins, fut-ce à Banieres. Le sit du païs est bien aussi beau à Banieres, mais en nuls autres beins; les lieus à se baigner à Bade surpassent en magnificence et commodité tous les autres de beaucoup; le logis de Bade comparable à tout autre, sauf le prospect [b] d'icy.

Mercredi bon matin, je rebeus de cest'eau, et estant en grand peine du peu d'operation que j'en avois senti le jour avant; car j'avoi bien faict une selle soudein après l'avoir prise, mais je randois cela à la medecine du jour prœcedant, n'aïant faict pas une goute d'eau qui retirast à [c] celle du bein. J'en prins le mercredi, sept verres mesurés à la livre, qui fut pour le moins double de ce que j'en avois pris l'autre jour, et crois que je n'en ai jamais tant pris en un coup. J'en santis un grand desir de suer, auquel je ne vousis [d] nullemant eider, aïant souvant oui dire que ce n'estoit pas l'effaict qui me faloit; et comme le jour me contins en ma chambre, tantost me promenant, tantost en

a. Effet. — *b*. Point de vue. — *c*. Eût pour cause. — *d*. Voulus.

repos. L'eau s'achemina plus par le derriere, et me fit faire plusieurs selles lasches et cleres, sans aucun effort. Je tien qu'il me fit mal de prandre ceste purgation de casse, car l'eau trouvant nature acheminée par le derrière et provoquée, suivit ce trein-là, là où je l'eusse, à-cause de mes reins, plus desirée par le devant; et suis d'opinion, au premier bein que je pranderai, de sulemant me preparer avec quelque june le jour avant.

Aussi crois-je que c'est'eau soit fort lasche et de peu d'operation [a], et par consequant sûre et pouint de hasard, les aprantis et delicats y seront bons. On les prant pour refreschir le foïe et oster les rougeurs de visage; ce que je remerque curieusmant [b] pour le service que je dois à une très vertueuse dame de France [679]. De l'eau de Saint-Jan, on s'en sert fort aux fars [c], car ell'est extrememant huileuse. Je voïois qu'on en amportoit à pleins barrils aux païs estrangiers, et de cele que je beuvois encore plus, à force asnes et mulets, pour Reggio, la Lombardie, pour le boire. Aucuns la prenent ici dans le lit, et leur principal ordre est de tenir l'estomac et les pieds chaus, et ne se branler [d]. Les voisins la font porter à trois ou quatre milles à leurs maisons. Pour montrer qu'elle n'est pas fort apéritive, ils ont en usage de faire aporter de l'eau d'un bein près de Pistoïe [680], qui a le goust acre et est très chaude en son nid [e]; et en tienent les apotiqueres d'ici, pour en boire avant celle d'ici, un verre et tienent qu'elle achemine ceste ci, etant active et apéritive. Le segond jour je rendis de l'eau blanche, mais non sans altération de colur, com'ailleurs, et fis force sable; mais il estoit acheminé par la casse, car j'en randois beaucoup le jour de la casse.

J'appris là un accidant memorable. Un habitant du lieu, soldat qui vit encore, nommé Giuseppe, et comande à l'une des galeres des Genevois [681], en forçat, de qui je vis plusieurs parans proches, estant à la guerre sur mer, fut pris par les Turcs. Pour se mettre en liberté, il se fit Turc (et de ceste condition il y en a plusieurs, et notamment des montaignes voisines de ce lieu, encore vivans), fut circuncis, se maria là. Estant venu piller ceste coste, il s'eloingna tant de sa retrete que le voilà, aveq quelques autres Turcs,

a. Effet. — *b.* Soigneusement. — *c.* Pour les fards. — *d.* Ne se remuer. — *e.* En son gîte, à sa source.

attrapé par le peuple qui s'estoit soublevé. Il s'avise soudein de dire qu'il s'estoit venu randre à esciant[a], qu'il estoit chrétien, fut mis en liberté quelques jours après, vint en ce lieu et en la maison qui est vis-à-vis de cele où je loge : il entre, et rencontre sa mere. Elle lui demande rudement qui il étoit, ce qu'il vouloit, car il avoit encore ses vestemans de matelot, et estoit estrange de le voir là. Enfin il se faict conètre, car il estoit perdu despuis dix à douze ans, embrasse sa mere. Elle aïant faict un cri, tumbe toute esperdue, et est jusques au landemein qu'on n'y conessoit quasi pouint de vie, et en estoint les medecins du tout desesperés. Elle se revint enfin et ne vescut guiere dpuis, jugeant chascun que ceste secousse lui accoursit la vie. Nostre Giuseppe fut festoïé d'un checun, reçeu en l'église à abjurer son erreur, receut le sacremant de l'evesque de Lucques, et plusieurs autres serimonies : mais ce n'estoit que baïes[b]. Il estoit Turc dans son cueur, et pour s'y en retourner, se desrobe d'ici, va à Venise, se remesle aus Turcs, reprenant son voïage. Le voilà[c] retumbé entre nos meins, et parce que c'est un home de force inusitée et soldat fort entandu en la marine, les Genevois le gardent encore et s'en servent, bien attaché et garroté.

Ceste nation a force soldats qui sont tous enregistrés, des habitans du païs, pour le service de la seigneurie. Les colonels n'ont autre charge que de les exercer souvant, faire tirer, escarmoucher, et teles choses, et sont tous du païs. Ils n'ont nuls gages, mais ils peuvent porter armes, mailles, harquebouses, et ce qui leur plait; et puis ne peuvent estre sesis au cors pour aucun' debte, et à la guerre reçoivent païe. Parmi eus sont les capitenes, anseignes, sarjans. Il n'y a que le colonel qui doit estre de necessité estrangier et païé. Le colonel del Borgo, celui qui m'estoit venu visiter le jour avant, m'envoïa dudict lieu (qui est à quatre milles du bein) un home avec sèse citrons et sèse artichaus.

La douceur et foiblesse de cest'eau s'argumante[d] encore de ce que elle se tourne et si facilement en alimant; car elle se teint et se cuit soudein, et ne done pouint ces pouintures[e] des autres à l'appetit d'uriner, come je vis par mon experiance et d'autres en mesme tamps.

a. A bon escient. — *b*. Tromperies. — *c*. VAR. : *Se remesle aux Turcs. Reprenant son voyage, le voilà...* — *d*. Se reconnaît. — *e*. Douleurs poignantes.

Encore que je fusse plesamment et très-commodemeant logé et à l'envi de mon logis de Rome, si n'avois-je ny chassis ny cheminée, et encore moins de vitres en ma chambre. Cela montre qu'ils n'ont pas en Italie les orages si frequans que nous, car cela, de n'avoir autres fenetres que de bois quasi en toutes les maisons, ce seroit une incommodité insupportable : outre ce, j'estois couché très-bien. Leurs lits, ce sont de petits mechans treteaus sur lesquels ils jetent des esses [a], selon la longur et largeur du lit; là dessus une paillasse, un materas [b], et vous voilà logé très bien, si vous avez un pavillon [c]. Et pour faire que vos treteaus et esses [d] ne paroissent, trois remedes : l'un l'avoir des bandes, de mesme que le pavillon, comme j'avois à Rome; l'autre, que vostre pavillon soit assez long pour pandre jusques à terre et couvrir tout, ce qui est le meillur; le tiers, que la couverte qui se ratache par les couins avec des boutons, pande jusques à terre, qui soit de quelque legere etoffe de futeine blanche, aïant audessous une autre couverte pour le chaut. Au moins j'aprans pour mon trein cest'épargne pour tout le commun de chez moi, et n'ai que faire de chalits. On y est fort bien, et puis c'est une recette contre les punèses.

Le mesme jour, après disner, je me beignai, contre les règles de ceste contrée, où on dict que l'une operation ampesche l'autre; et les veulent distinguer : boire tout de suite, et puis beigner tout de suite. Ils boivent huit jours et beignent trante, boire en ce bein [682] et beigner en l'autre [683]. Le bein est très dous et plesant; j'y fus demi heure, et ne m'esmeut qu'un peu de sueur : c'etoit sur l'heure de souper. Je me cochai au partir delà, et soupai d'une salade de citron sucrée, sans boire; car ce jour je ne beus pas une livre. Et croi qui eût tout conté [e] jusques au landemein, que j'avois randu par ce moïen à peu près l'eau que j'avois prise. C'est une sotte coustume de conter ce qu'on pisse. Je ne me trouvois pas mal, eins [f] gaillard, comme aus autres beins, et si estois en grand peine de voir que mon eau ne se randoit pas, et à l'advanture m'en estoit-il autant advenu ailleurs. Mais ici de cela ils font un accidant mortel, et dès le premier jour, si vous faillez à randre les deus pars [g] au

a. Ais. — *b*. Matelas. — *c*. Rideau. — *d*. Ais. — *e*. Compté. — *f*. Mais. — *g*. Deux tiers.

moins, ils vous conseillent d'abandonner le boire ou prandre medecine. Moi, si je juge bien de ces eaus, elles ne sont ny pour nuire beaucoup, ny pour servir : ce n'est que lâcheté et foiblesse, et est a craindre qu'elles eschauffent plus les reins qu'elles ne les purgent; et crois qu'il me faut des eaus plus chaudes et aperitives.

Le jeudi matin j'en rebus cinq livres, cregnant d'en estre mal servi et ne les vuider. Elles me firent faire une selle, uriner fort peu. Et ce mesme matin escrivant à M. Ossat [684], je tumbe en un pancemant si penible de M. de la Boétie [685], et y fus si longtamps sans me raviser que cela me fit grand mal. Le lit de cest'eau est tout rouge et rouillé, et le canal par où elle passe : cela, meslé à son insipidité, me faict crère qu'il y a bien du fer, et qu'elle resserre. Je ne randis le jeudi, en cinq heures, que j'atandis à disner, que la cinquiesme partie de ce que j'avois beu. La veine chose que c'est que la medecine ! Je disois par rencontre que me repantois de m'estre tant purgé, que cela faisoit que l'eau me trouvant vuide, servoit d'alimans et s'arrestoit. Je viens de voir un medecin imprimé, parlant de ces eaus, nommé Donati [686], qui dit qu'il conseille de peu disner et mieux souper. Comme je continuai à boire [a], je crois que ma conjecture lui sert. Son compaignon Franciotti [687] est au contrere [688], comme en plusieurs autres choses. Je santois ce jour là quelques poisanteurs [b] de reins que je creignois que les eaus mesmes me causassent, et qu'elles s'y croupissent : si est-ce qu'à conter [c] tout ce que je rendois en 24 heures, j'arrivois à mon pouint à peu prês, atandu le peu que je beuvois aus repas.

Vandredi je ne beus pas; et au lieu de boire m'alai beigner un matin et m'y laver la teste, contre l'opinion commune du lieu. C'est un usage du païs d'eisder leur eau par quelque drogue meslée, come du sucre candi, ou manne, ou plus forte medecine, encore [d] qu'ils meslent au premier verre de leur eau et le plus ordineremant de l'eau *del Testuccio*, que je tâtai : elle est salée. J'ai quelque soupçon que les apotiqueres, au lieu de l'envoïer querir près de Pistoïe où ils disent qu'elle est, sophistiquent quelque eau naturelle, car

a. Les mots *comme je continuai à boire* sont supprimés dans les autres éditions. — *b*. Pesanteurs. — *c*. Compter. — *d*. VAR. : *ou plus forte medecine encore, qu'ils meslent...*

je lui trouvai la saveur extraordinaire, outre la salure. Ils la font rechauffer et en boivent au comancement un, deus ou trois verres. J'en ai veu boire en ma presance, sans aucun effaict. Autres mettent du sel dans l'eau au premier et second verre ou plus. Ils y estiment la sueur quasi mortelle et le dormir, aïant beu. Je santois grand action de cest'eau vers la sueur.

* * *

[*Ici commence la partie du* Journal de Voyage *de Montaigne écrite en langue italienne ; nous en donnons la traduction :*]

ESSAYONS de parler un peu cette autre langue [689], me trouvant surtout dans cette contrée où il me paroit qu'on parle le langage le plus pur de la Toscane, particulièrement parmi ceux du païs qui ne l'ont point corrompue par le mélange des patois voisins.

Le samedi matin de bonne heure, j'allai prendre les eaux de Barnabé [690]; c'est une des fontaines de cette montagne, et l'on est étonné de la quantité d'eaux chaudes et froides qu'on y voit. La montagne n'est point trop élevée, et peut avoir trois milles de circuit. On n'y boit que de l'eau de notre fontaine principale, et de cette autre qui n'est en vogue que depuis peu d'années. Un lépreux nommé *Barnabé*, ayant essayé des eaux et des bains de toutes les autres fontaines, se détermina pour celles-ci, s'y abandonna et fut guéri. C'est sa guérison qui a fait la réputation de cette eau. Il n'y a point de maisons à l'entour, excepté seulement une petite loge couverte, et des sièges de pierre autour du canal, qui étant de fer, quoique placé là récemment, est déjà presque tout rongé en dessous. On dit que c'est la force de l'eau qui le détruit, ce qui est fort vraisemblable. Cette eau est un peu plus chaude que l'autre, et selon l'opinion commune, plus pesante encore et plus violente; elle sent un peu plus le souffre, mais néantmoins foiblement. L'endroit où elle tombe est teint d'une couleur de cendre comme les nôtres, mais peu sensible; elle est éloignée de mon logis de près d'un mille, en tournant au pied de la montagne, et située beaucoup plus bas que toutes les autres eaux chaudes. Sa distance de la rivière est d'environ une ou deux piques. J'en pris cinq livres avec quelque malaise, parce que ce matin je ne me portois pas trop bien. Le jour d'auparavant j'avois fait une promenade d'environ trois milles après mon dîner, pendant la chaleur, et je sentis après le souper un peu plus fortement l'effet de cette eau. Je commençai à la digérer dans l'espace d'une demi-heure. Je fis un grand détour d'environ deux milles, pour m'en retourner au logis. Je ne sais si cet exercice extraordinaire me fit grand bien; car les autres jours je m'en retournois tout de suite à ma chambre, afin que l'air du matin ne pût me refroidir, les maisons n'étant point à trente pas de la fontaine. Le première eau que je rendis fut naturelle, avec beaucoup de sable : les autres étoient blanches et crues. J'eus beaucoup de vents. Quand j'eus rendu à peu près la troisième livre, mon urine commençoit à prendre une couleur rouge; avant le disner j'en avois évacué plus de la moitié.

En faisant le tour de la montagne de toutes parts, je trouvai plusieurs sources chaudes. Les paysans disent de plus qu'on y voit pendant l'hiver, en divers endroits, des évaporations qui prouvent qu'il y en a beaucoup d'autres. Elles me paroissent à moi comme chaudes et en quelque façon sans odeur, sans saveur, sans fumée, en comparaison des nôtres. Je vis à Corsenne [691] un autre endroit beaucoup plus bas que les bains, où sont en quantité d'autres petits canaux plus commodes que les autres. Ils disent ici qu'il y a plusieurs fontaines, au nombre de huit ou dix, qui forment ces canaux. A la tête de chacun est inscrit un nombre différent, qui annonce leurs divers effets : comme la *Savoureuse*, la *Douce*, l'*Amoureuse*, la *Couronne* ou la *Couronnée* [692], la *Désespérée*, etc... A la vérité, il y a certains canaux plus chauds les uns que les autres.

Les montagnes des environs sont presque toutes fertiles en bled et en vignes, au lieu qu'il n'y avoit, il y a cinquante ans, que des bois et des châtaignes. On voit encore un petit nombre de montagnes pelées et dont la cime est couverte de neige, mais elles sont assez éloignées de là. Le peuple mange *du pain de bois :* c'est ainsi qu'ils nomment, par forme de proverbe, le pain de châtaigne, qui est leur principale récolte, et il est fait comme celui qu'on nomme en France *pain d'épice*. Je n'ai jamais tant vu de serpents et de crapauds. Les enfans n'osent même assez souvent aller cueillir les fraises dont il y a grande abondance sur la montagne et dans les buissons, de peur des serpents.

Plusieurs buveurs d'eau, à chaque verre, prennent trois ou quatre grains de coriandre pour chasser les vents. Le dimanche de Pasques, le 14 de mai [693], je pris cinq livres et plus de l'eau de Barnabé [694], parce que mon verre en contenoit plus d'une livre. Ils donnent ici le nom de *Pâques* aux quatre principales fêtes de l'année [695]. Je rendis beaucoup de sable la première fois; et avant qu'il fût deux heures, j'avois évacué plus des deux tiers de l'eau, suivant que je l'avois prise, avec l'envie d'uriner et avec les dispositions que j'apportois ordinairement aux autres bains. Elle me tenoit le ventre libre, et passoit très bien. La livre d'Italie n'est que de douze onces [696].

On vit ici à très bon marché. La livre de veau, très bon et très tendre, coûte environ trois sols de France. Il y a beaucoup de truites, mais de petite espèce. On y voit de bons ouvriers en parasols, et l'on en porte de cette fabrique partout. Toute cette contrée est montueuse et l'on y voit peu de chemins unis; cependant il s'en trouve de fort agréables, et jusqu'aux petites rues de la montagne, la plupart sont pavées. Je donnai après dîner un bal de paysannes, et j'y dansai moi-même pour ne pas paroître trop réservé. Dans certains lieux de l'Italie, comme en Toscane et dans le duché d'Urbin, les femmes font la révérence à la françoise, en pliant les genoux. Près du canal de la fontaine la plus voisine du bourg est un marbre carré, qu'on y a posé il y a précisément cent dix ans, le premier jour de mai, et sur lequel les propriétés de cette fontaine sont inscrites et gravées. Je ne rapporte point l'inscription, parce qu'elle se trouve dans plusieurs livres imprimés où il est parlé des bains de Lucques. A tous les bains, on trouve de petites horloges pour l'usage commun; j'en avois toujours deux sur ma table qu'on m'avoit prêtées [697]. Le soir je ne mangeai que trois tranches de pain rôties avec du beurre et du sucre, sans boire.

Le lundi, comme je jugeai que cette eau avoit assez ouvert la voie, je repris de celle de la fontaine ordinaire, et j'en avalai cinq livres; elle ne me provoqua point de sueur, comme elle faisoit ordinairement. La première fois que j'urinois, je rendois du sable qui paroissoit être en effet des fragmens de pierre. Cette eau me sembloit presque froide en comparaison de celle de Barnabé [697 bis], quoique celle-ci ait une chaleur fort modérée et bien éloignée de celle des eaux de Plombières et de Bagnières. Elle fit un bon effet des deux côtés; ainsi je fus heureux de ne pas croire ces médecins qui ordonnent d'abandonner la boisson, lorsqu'elle ne réussit pas dès le premier jour.

Le mardi 16 de mai, comme c'est l'usage du pays, usage

conforme à mon goût, je discontinuai de boire, et je restai plus d'une heure dans le bain sous la source même, parce qu'ailleurs l'eau me paroissoit trop froide. Enfin, comme je sentois toujours des vents dans le bas-ventre et dans les intestins, quoique sans douleur et sans qu'il y en eût dans mon estomac, j'appréhendai que l'eau n'en fût particulièrement la cause, et je discontinuai d'en boire. Mais je me plaisois si fort dans le bain que je m'y serois endormi volontiers. Il ne me fit pas suer, mais il me tint le corps libre ; je m'essuyai bien, et je gardai le lit quelque temps.

Tous les mois on fait la revue des soldats de chaque vicariat. Mon colonel, de qui je recevois des politesses infinies, fit la sienne. Il y avoit deux cens piquiers et arquebusiers; il les fit manœuvrer les uns contre les autres, et, pour des paysans ils entendent assez bien les évolutions : mais son principal emploi est de les tenir en bon ordre et de leur enseigner la discipline militaire. Le peuple est divisé en deux partis, l'un françois et l'autre espagnol [698]. Cette division fait naître souvent des querelles sérieuses; elle éclate même en public. Les hommes et les femmes de notre parti portent des touffes de fleurs sur l'oreille droite, avec le bonnet et des flocons de cheveux, ou telles choses semblables; dans le parti des Espagnols, ils les portent de l'autre côté.

Ici les paysans et leurs femmes sont habillés comme les gentilshommes. On ne voit point de paysanne qui ne porte des souliers blancs, de beaux bas de fil et un tablier d'armoisin [699] de couleur. Elles dansent et font fort bien des cabrioles et le moulinet.

Quand on dit le *prince*, dans cette seigneurie, on entend le conseil des cent vingt. Le colonel ne peut prendre une femme sans la permission du prince, et il ne l'obtient qu'avec beaucoup de peine, parce qu'on ne veut pas qu'il se fasse des amis et des parens dans le pays. Il ne peut encore y acquérir aucune possession. Aucun soldat ne peut quitter le pays sans congé. Il y en a beaucoup que la pauvreté force de mendier sur ces montagnes, et de ce qu'ils amassent ils achètent leurs armes.

Le mercredi, j'allai au bain, et j'y restai plus d'un heure; j'y suai un peu et je me baignai la tête. On voit bien là que l'usage des poëles d'Allemagne est très commode dans l'hiver pour chauffer les habits et tout ce qu'on veut; car notre maître de bains, en mettant quelques charbons sur une pelle de fer propre à tenir de la braise, et l'élevant un peu avec une brique, pour que l'air qu'il reçoit par ce moyen puisse nourrir le feu, fait chauffer très bien, très promptement, les hardes, et plus commodément que nous pourrions faire à notre feu. Cette pelle est faite comme un de nos bassins.

On appelle ici toutes les jeunes filles à marier *petites* ou *fillettes* [700]; et les garçons qui n'ont point encore de barbe, *enfans* [701].

Le jeudi je fus un petit plus soigneux, et je pris le bain plus à mon aise; j'y suai un peu, et je me mis la tête sous le *surgeon*. Je sentois que le bain m'affaiblissoit un peu, avec quelques pesanteurs aux reins; cependant je rendois du sable et assez de flegmes, comme lorsque je prenois les eaux. D'ailleurs, je trouvois que ces eaux me faisoient le même effet qu'en les buvant.

Je continuai le vendredi. On voyoit tous les jours charger une grande quantité d'eau de cette fontaine et de celle de Corsène [702] destinée pour divers endroits d'Italie. Il me sembloit que ces bains m'éclaircissoient le teint. J'étois toujours sujet aux mêmes vents dans le bas-ventre, mais sans douleur; c'est apparemment ce qui me faisoit rendre dans mes urines beaucoup d'écume, et de petites bulles qui ne s'évanouissoient qu'au bout de quelque temps. Quelquefois il s'y trouvoit aussi des poils noirs, mais en petite quantité, et je me rappelle qu'autrefois j'en rendois beaucoup. Ordinairement mes urines étoient troubles et chargées d'une matière grasse ou comme huileuse.

Les gens du pays ne sont pas à beaucoup près aussi carnaciers que nous : on n'y vend que de la viande ordinaire, et à peine en sçavent-ils le prix. Un très beau levreau dans cette saison me fut vendu au premier mot six sols de France. On ne chasse point et on n'apporte point de gibier, parce que personne ne l'acheteroit [703].

Le samedi, parce qu'il faisoit très mauvais temps et un vent si fort qu'on sentoit bien dans les chambres le défaut des contrevents et de vitres, je m'abstins de me baigner et de boire. Je voyois un grand effet de ces eaux, en ce que mon frère [704], qui ne se rappeloit pas d'avoir jamais rendu du sable naturellement ni dans d'autres bains où il en avoit bu avec moi, en rendoit cependant ici en grande quantité.

Le dimanche matin je me baignai le corps, non la tête. L'après-dînée je donnai un bal avec des prix publics, comme on a coutume de faire à ces bains, et je fus bien aise de faire cette galanterie au commencement de l'année. Cinq ou six jours auparavant j'avois fait publier la fête dans tous les lieux voisins : la veille je fis particulièrement inviter, tant au bal qu'au souper qui devoit le suivre, tous les gentilshommes et les dames qui se trouvoient aux deux bains, et j'envoyai à Lucques pour les prix. L'usage est qu'on en donne plusieurs, pour ne pas paroître favoriser une femme seule préférablement aux autres; pour éviter même toute jalousie, tout soupçon, il y a toujours huit ou dix prix pour les femmes et deux ou trois pour les hommes. Je fus sollicité par beaucoup de personnes qui me prioient de ne point oublier, l'une elle-même, l'autre sa nièce, une autre sa fille. Quelques jours auparavant, M. Jean da Vincenzo Saminiati [705], mon ami particulier, m'envoya de Lucques, comme je le lui avois demandé par une lettre, une ceinture de cuir et un bonnet de drap noir pour les hommes; et pour les femmes deux tabliers de taffetas, l'un vert, l'autre violet (car il est bon de sçavoir qu'il y a toujours quelques prix plus considérables pour pouvoir favoriser une ou deux femmes à son choix); deux autres tabliers d'étamine, quatre carterons d'épingles, quatre paires d'escarpins, dont je donnai une paire à une jolie fille hors du bal; une paire de mules, à laquelle j'ajoutai une paire d'escarpins ne faisant qu'un prix des deux; trois coiffes de gaze, trois tresses qui faisoient trois prix et quatre petits colliers de perles : ce qui faisoit dix-neuf prix pour les femmes. Le tout me revenoit à un peu plus de six écus. J'eus après cela cinq fifres que je nourris pendant tout le jour et je leur donnai un écu pour eux tous : en quoi je fus heureux, parce qu'on ne les a pas à si bon marché. On attache ces prix à un cercle fort orné de tous côtés; et ils sont exposés à la vue de tout le monde.

Nous commençâmes le bal sur la place avec les femmes du voisinage, et je craignois d'abord que nous ne restassions seuls; mais il vint bientôt grande compagnie de toutes parts, et particulièrement plusieurs gentilshommes et dames de la Seigneurie, que je reçus et entretins de mon mieux, en sorte qu'ils me parurent assez contens de moi. Comme il faisoit un peu chaud, nous allâmes à la salle du palais de Buonvisi, qui étoit très propre pour le bal.

Le jour commençant à baisser, vers les 22 heures, je m'adressai aux dames les plus distinguées, et je leur dis que n'ayant ni le talent, ni la hardiesse d'apprécier toutes les beautés, les graces et les gentillesses que je voyais dans ces jeunes filles, je les priois de s'en charger elles-mêmes, et de distribuer les prix à la troupe selon le mérite. Nous fûmes quelque temps sur la cérémonie, parce qu'elles refusoient ce délicat emploi, prenant cela pour pure honnêteté de ma part. Enfin, je leur proposai cette condition, que si elles vouloient m'admettre dans leur conseil j'en donnerois mon avis. En effet j'allois choisissant des yeux, tantôt l'une, tantôt l'autre, et j'avois toujours égard à la beauté, à la gentillesse : d'où je leur faisois observer que l'agrément d'un bal ne dépendoit pas seulement du mouvement des pieds, mais encore de la contenance, de l'air, de la bonne façon et de la grace de toute la personne. Les présens furent ainsi distribués, aux unes plus, aux autres moins, convenablement. La distributrice les offroit de ma part aux danseuses; et moi au contraire je lui en renvoyois toute l'obligation. Tout se passa de cette manière avec beaucoup d'ordre et de règle, si ce n'est qu'une de ces demoiselles refusa le prix qu'on lui présentoit, et me fit prier de le donner pour l'amour d'elle à une autre : ce que je ne jugeai point à propos de faire, parce que celle-ci n'étoit pas des plus aimables. Pour la distribution de ces prix, on appeloit celles qui s'étoient distinguées; chacune, sortant de sa place à tour de rôle, venoit trouver la dame et moi qui étions assis tout près l'un de l'autre. Je présentois le prix qui me sembloit convenable, après l'avoir baisé, à cette dame, qui, le prenant de ma main, le donnoit à ces jeunes filles, et leur disoit, toujours d'un air agréable : « C'est monsieur qui vous fait ce beau présent; remerciez-le. — Point du tout; vous en avez l'obligation à cette dame qui vous a jugé digne, entre tant d'autres, de cette petite récompense. Je suis seulement fâché qu'il ne soit pas plus digne de telle ou telle de vos qualités »; ce que je disois suivant ce qu'elles étoient. On fit tout de suite la même chose pour les hommes. Je ne comprends point ici les gentilshommes et les dames, quoiqu'ils eussent pris part à la danse. C'est véritablement un spectacle agréable et rare pour nous autres François de voir des paysannes si gentilles, mises comme des dames, danser aussi bien, et le disputer aux meilleures danseuses, si ce n'est qu'elles dansent autrement.

J'invitai tout le monde à souper, parce qu'en Italie les festins ne sont autre chose qu'un de nos repas bien légers de France. J'en fus quitte pour plusieurs pièces de veau et quelques couples de poulets. J'eus à souper le colonel de ce vicariat, M. François Gambarini, gentilhomme bolonois, mon ami [a], avec un gentilhomme françois, et non d'autres. Mais je fis mettre à table Divizia, pauvre paysanne qui demeure à deux milles des bains. Cette femme, ainsi que son mari, vit du travail de ses mains. Elle est laide, âgée de trente-sept ans, avec un goître à la gorge, et ne sait ni lire ni écrire. Mais comme dès sa tendre jeunesse il y avoit dans la maison de son père un de ses oncles qui lisoit toujours en sa présence l'Arioste et quelques autres poètes, son esprit s'est trouvé tellement propre à la poésie que non-seulement elle fait des vers avec une promptitude extraordinaire mais encore y fait entrer des fables anciennes, les noms des dieux, des pays, des sciences et des hommes illustres, comme si elle avoit fait un cours d'études réglé. Elle avoit fait beaucoup de vers pour moi. Ce ne sont à la vérité que des vers et des rimes, mais d'un style élégant et aisé. Il y eut à ce bal plus de cent personnes étrangères, quoique le temps n'y fût guère propre, parce qu'alors on recueilloit la grande et principale récolte de toute l'année. Car dans ce temps les gens du pays travailloient, sans avoir égard aux fêtes, à cueillir soir et matin des feuilles de mûrier pour leurs vers-à-soie, et toutes les jeunes filles sont occupées à ce travail.

Le lundi matin j'allai au bain un peu plus tard qu'à l'ordinaire, parce que je me fis tondre et raser; je me baignai la tête et je reçus la douche pendant plus d'un quart d'heure sous la grande source.

A mon bal il y eut entre autres le vicaire du lieu [706] qui juge les causes. C'est ainsi qu'on appelle un magistrat de semestre que la Seigneurie envoie à chaque vicariat, pour juger les causes civiles en première instance, et il connoît de toutes celles qui n'excèdent pas une petite somme fixée.

a. L'italien porte : *mio come fratello*, « qui était pour moi comme un frère ». Meusnier de Querlon atténue en : *mon ami*. Peut-être faut-il lire : *io con mio fratello*, « avec mon frère (Mattecoulon) ».

Il y a un autre officier pour les causes criminelles. Je fis entendre à celui-ci : qu'il me paraissoit à propos que la Seigneurie mît ici quelque règle, ce qui seroit très facile, et je lui suggérai même les moyens qui me sembloient les plus convenables. C'étoit que tous les marchands, qui viennent en grand nombre prendre de ces eaux pour les porter dans toute l'Italie, fussent munis d'une attestation de la quantité dont ils sont chargés, ce qui les empêcheroit d'y commettre aucune fraude comme j'en avois fait l'expérience de la manière que voici. Un de ces muletiers vint trouver mon hôte qui n'est qu'un particulier, et le pria de lui donner une attestation par écrit qu'il portoit vingt-quatre charges de cette eau, tandis qu'il n'en avoit que quatre. L'hôte refusa d'abord d'attester une pareille fausseté; mais le muletier répondit que dans quatre ou six jours il reviendroit chercher les vingt autres charges; ce qu'il ne fit pas, comme je le dis au vicaire. Celui-ci reçut très bien mon avis, mais il insista tant qu'il put pour savoir le nom du muletier, quelle étoit sa figure, quels chevaux il avoit, et je ne voulus jamais lui faire connoître ni l'un ni l'autre. Je lui dis encore que je voulois commencer à établir dans ce lieu la coutume observée dans les bains les plus fameux de l'Europe, où les personnes de quelque rang laissent leurs armes pour témoigner l'obligation qu'ils ont à ces eaux; il m'en remercia beaucoup pour la Seigneurie. On commençoit alors en quelques endroits à couper le foin. Le mardi je restai deux heures au bain, et je pris la douche sur la tête pendant un peu plus d'un quart d'heure.

Il vint ce même jour aux bains un marchand de Crémone établi à Rome; il avoit plusieurs infirmités extraordinaires, cependant il parloit et alloit toujours; il étoit même à ce qu'on voyoit content de vivre et gai. Sa principale maladie étoit à la tête; il l'avoit si foible qu'il disoit avoir perdu la mémoire au point, qu'après avoir mangé, il ne pouvoit jamais se rappeler ce qui lui avoit été servi à table. S'il sortoit de sa maison pour aller à quelque affaire, il falloit qu'il y revînt dix fois pour demander où il devoit aller. À peine pouvoit-il finir le *pater*. De la fin de cette prière, il revenoit cent fois au commencement, ne s'apercevant jamais à la fin d'avoir commencé, ni en recommençant qu'il eût fini. Il avoit été sourd, aveugle et avoit eu de grands maux; il sentoit une si grande chaleur aux reins qu'il étoit obligé de porter[a] toujours une ceinture de plomb. Depuis plusieurs années il vivoit sous la discipline des médecins, dont il observoit religieusement le régime. Il étoit assez plaisant de voir les différentes ordonnances des médecins de divers endroits d'Italie, toutes contraires les unes aux autres, surtout sur le fait de ces bains et des douches. De vingt consultations, il n'en avoit pas deux d'accord entre elles; elles se condamnoient presque toutes l'une l'autre et s'accusoient d'homicide. Cet homme étoit sujet à un accident étrange causé par les vents dont il étoit plein; ils lui sortoient des oreilles avec tant de furie que souvent ils l'empêchoient de dormir, et quand il bâilloit il sentoit tout à coup sortir des vents impétueux par cette voie. Il disoit que le meilleur remède qu'il y eût pour se rendre le ventre libre étoit de mettre dans sa bouche quatre grains de coriandre confits un peu gros; puis, après les avoir un peu détrempés et lubrifiés avec sa salive, d'en faire un suppositoire, et que l'effet en étoit aussi prompt que sensible. Ce même homme est le premier à qui j'ai vu de ces grands chapeaux faits de plumes de paon, couverts d'un léger taffetas à l'ouverture de la tête. Le sien étoit haut d'une palme (environ six à sept pouces) et fort ample; la coiffe au dedans étoit d'armoisine [707] et proportionnée à la grosseur de la tête pour que le soleil ne pût pénétrer; les ailes avoient à peu près un pied et demi de largeur, pour tenir lieu de nos parasols, qui à la vérité ne sont pas commodes à porter à cheval.

Comme je me suis autrefois repenti de n'avoir pas écrit plus particulièrement sur les autres bains, ce qui auroit pu me servir de règle et d'exemple pour tous ceux que j'aurois vus dans la suite, je veux cette fois m'étendre et me mettre au large sur cette matière.

Le mercredi, je me rendis au bain; je sentis de la chaleur dans le corps et j'eus une sueur extraordinaire avec un peu de foiblesse. J'éprouvai de la sécheresse et de l'âpreté dans la bouche; et à la sortie du bain il me prit je ne sais quel étourdissement, comme il m'en arrivoit dans tous les autres, à cause de la chaleur de l'eau, à Plombières, à Bagnières, à Preissac [708], etc., mais non aux eaux de Barbo-

a. L'italien porte *bisognava.* Peut-être, comme le propose Armaingaud, faut-il lire *gli sognava,* « qu'il lui semblait ».

tan [709], ni même à celles-ci, excepté ce mercredi-là; soit que j'y fusse allé de bien meilleure heure que les autres jours, et n'ayant pas encore déchargé mon corps, soit que je trouvasse l'eau beaucoup plus chaude qu'à l'ordinaire; j'y restai une heure et demie, et je pris la douche sur la tête, environ pendant un quart d'heure.

C'étoit bien aller contre la règle ordinaire que de prendre la douche dans le bain, puisque l'usage est de prendre séparément l'un après l'autre; puis de la prendre à ces eaux, tandis qu'on va communément aux douches de l'autre bain où on les prend à telle ou telle source, les uns à la première, d'autres à la seconde, d'autres à la troisième, suivant l'ordonnance des médecins: comme aussi de boire, de me baigner et de boire encore sans distinguer les jours de boisson et les jours de bain, comme font les autres qui boivent et prennent après cela le bain certains jours de suite; de ne point observer encore une certaine durée de temps, pendant que les autres boivent dix jours tout au plus, et se baignent au moins pendant vingt-cinq, de la main à la main ou de main en main; enfin de me baigner une seule fois par le jour, tandis qu'on se baigne toujours deux fois, et de rester fort peu de temps à la douche, au lieu qu'on y demeure toujours du moins une heure le matin et autant le soir. Quant à l'usage qui s'y pratique généralement de se faire raser le sommet de la tête, et de mettre sur la tonsure un petit morceau d'étoffe ou de drap de laine qu'on assujettit avec des filets ou des bandelettes, ma tête lisse n'en avoit pas besoin.

Dans la même matinée j'eus la visite du vicaire et des principaux gentilshommes de la Seigneurie qui venoient justement des autres bains où ils logeoient. Le vicaire raconta entre autres choses un accident singulier qui lui étoit arrivé, il y a quelques années, par la piqûre d'un scarabée [a] qu'il reçut à l'endroit le plus charnu du pouce; cette piqûre le mit en tel état qu'il pensa mourir de défaillance. Il fut ensuite réduit à une telle extrémité qu'il fut cinq mois au lit sans pouvoir se remuer, étant continuellement sur les reins; et cette posture les échauffa si fort

a. L'italien porte *scargioffolo*, et Meusnier de Querlon traduit par « scarabée », comme s'il y avait *scarafaggio ;* Lautrey, de même, par « escarbot ». A. d'Ancona met en note *carciofo* « artichaut ».

qu'il s'y forma la gravelle, dont il souffrit beaucoup pendant plus d'un an, ainsi que de la colique. Enfin son père, qui étoit gouverneur de Velitri [710], lui envoya une certaine pierre verte qu'il avoit eue par le moyen d'un religieux qui avoit été dans l'Inde; et pendant tout le temps qu'il porta cette pierre, il ne sentit jamais ni douleur ni gravelle. Il se trouvoit en cet état depuis deux ans. Quant à l'effet local de la piqûre, le doigt et presque toute la main lui étoient restés comme perclus; le bras étoit tellement affoibli que tous les ans il venoit aux bains de Corsène pour faire donner la douche à ce bras, ainsi qu'à sa main, comme il la prenoit alors.

Le peuple est ici fort pauvre; ils mangeoient dans ce temps des mûres vertes qu'ils cueilloient sur les arbres. en les dépouillant de leurs feuilles pour les vers-à-soie,

Comme le marché du loyer de la maison que j'occupois étoit demeuré incertain pour le mois de juin, je voulus m'en éclaircir avec l'hôte. Cet homme, voyant combien j'étois sollicité de tous ses voisins, et surtout du propriétaire [a] du palais Bonvisi qui me l'avoit offert pour un écu d'or par jour, prit le parti de me la laisser tant que je voudrois à raison de vingt-cinq écus d'or par mois, à commencer au premier de juin, et jusqu'à ce terme le premier marché continuoit.

L'envie, dans ce lieu-là, les haines cachées et mortelles, règnent parmi les habitans quoiqu'ils soient tous à peu près parens; car une femme me disoit un jour ce proverbe : « Quiconque veut que sa femme devienne féconde, qu'il l'envoye à ce bain, et se garde bien d'y aller » [b]. Ce qui me plaisoit beaucoup, entr'autres choses, dans la maison où j'étois, c'étoit de pouvoir aller du bain au lit par un chemin uni, et en traversant une cour de trente pas. Je voyois avec peine les mûriers dépouillés de leurs feuilles, ce qui me représentoit l'hiver au milieu de l'été. Le sable que je rendois continuellement par les urines me paroissoit plus

a. L'italien porte : *dal patrone*, « du patron », c'est-à-dire sans doute du régisseur, fermier ou gardien. — *b.* L'italien porte :

Chi vuol che la sua donna impregni
Mandila al bagno e non ci vegni.

Et Lautrey traduit par un distique :

Qui veut avoir de sa femme un garçon
L'envoie aux bains et garde la maison.

raboteux que de coutume, et me causoit tous les jours je ne sçais quels désagréables picotemens.

On voyoit tous les jours ici porter de toutes parts différents échantillons de vins dans de petits flacons pour que les étrangers qui s'y trouvoient en envoyassent chercher; mais il y en avoit très peu de bons. Les vins blancs étoient légers, mais aigres et cruds ou plutôt grossiers, âpres et durs, si l'on n'avoit pas la précaution de faire venir de Lucques ou de Pescia, du Trévisan appelé *Trebbiano*, vin blanc assez mûr et cependant peu délicat [711].

Le jeudi, jour de la Fête-Dieu, je pris un bain tempéré pendant plus d'une heure; j'y suai très peu et j'en sortis sans aucune altération. Je me fis donner la douche sur la tête pendant un demi quart d'heure, et quand j'eus regagné mon lit, je m'endormis profondément. Je trouvois plus de plaisir à me baigner et à prendre la douche qu'à toute autre chose. Je sentois aux mains et aux autres parties du corps quelques démangeaisons; mais je m'aperçus qu'il y avoit parmi les habitans beaucoup de galeux et que les enfans étoient sujets à ces croûtes de lait qu'on nomme achores. Ici, comme ailleurs, les gens du pays méprisent ce que nous recherchons avec tant de difficulté; j'en ai vu beaucoup qui n'avoient jamais goûté de ces eaux et qui n'en faisoient point de cas. Cependant il y a peu de vieillards.

Avec les flegmes que je rendois continuellement par les urines, se trouvoit du sable enveloppé qui s'y tenoit suspendu. Lorsque je recevois la douche sur le bas-ventre, je croyois éprouver cet effet du bain qui me faisoit sortir des vents. L'enflure que j'avois quelquefois dans certaines parties du corps diminuoit alors à vue d'œil; d'où je conclus que ce gonflement est causé par les vents qui s'y renferment.

Le vendredi, je me baignai à l'ordinaire et je pris un peu plus longtemps la douche sur la tête. La quantité extraordinaire de sable que je rendois continuellement me faisoit soupçonner qu'il venoit des reins où il étoit enfermé, car en pressant et pétrissant ce sable on en eût fait une grosse pelote; ce qui prouve qu'il provenoit plutôt de là que de l'eau qui l'y auroit produit et fait sortir immédiatement. Le samedi je me baignai pendant deux heures, et je pris la douche plus d'un quart d'heure.

Le dimanche je me reposai. Le même jour un gentilhomme nous donna un bal.

Le défaut d'horloges, qui manquent ici et dans la plus grande partie de l'Italie me paroissoit fort incommode.

Il y a dans la maison du bain une vierge, avec cette inscription en vers :

Faites, Vierge sainte, par votre pouvoir, que quiconque entrera dans ce bain en sorte sain de corps et d'esprit [a].

On ne peut trop louer la beauté et l'utilité de la méthode qu'ils ont de cultiver les montagnes jusqu'à la cime, en y faisant en forme d'escalier de grands degrés circulaires tout autour, et fortifiant le haut de ces degrés, tantôt avec des pierres, tantôt avec d'autres revêtemens lorsque la terre n'est pas assez ferme par elle-même. Le terre-plain de cet escalier, selon qu'il se trouve ou plus large ou plus étroit, est rempli de grain; et son extrémité vers le vallon, c'est-à-dire la circonférence ou le tour, est entourée de vignes; enfin, partout où l'on ne peut trouver ni faire un terrain uni, comme vers la cime, tout est mis en vignes.

Au bal du gentilhomme bolonois, une femme se mit à danser avec un vase plein d'eau sur la tête et le tenant toujours ferme et droit, elle fit beaucoup de mouvemens d'une grande hardiesse.

Les médecins étoient étonnés de voir la plupart de nos François boire le matin et puis se baigner le même jour.

Le lundi matin je restai pendant deux heures au bain; mais je ne pris pas la douche, parce que j'eus la fantaisie de boire trois livres d'eau, qui m'émurent un peu. Je me baignois là les yeux tous les matins, en les tenant ouverts dans l'eau; ce qui ne me fit ni bien ni mal. Je crois que je me débarrassai de mes livres d'eau dans le bain car j'urinai beaucoup; je suai même un peu plus qu'à l'ordinaire et je fis quelque autre évacuation. Comme les jours précédens je m'étois sentis plus resserré que de coutume, j'avois pris, suivant la recette marquée ci-dessus, trois grains de coriandre confits qui m'avoient fait rendre beaucoup de vents,

a. Le texte porte en latin :

Auspicio fac, Diva, tuo quicumque lavacrum
Ingreditur, sospes ac bonus hinc abeat.

Lautrey traduit ce distique par un distique :

Vierge divine, de ce bain
Fais que l'on sorte bon et sain.

dont j'étois tout plein, et peu d'autres choses. Mais, quoique je me purgeasse admirablement les reins, je ne laissois pas d'y sentir des picotemens que j'attribuois plutôt aux ventuosités qu'à toute autre cause. Le mardi je restai deux heures au bain; je me tins une demi-heure sous la douche et je ne bus point. Le mercredi je fus dans le bain une heure et demie, et je pris la douche environ pendant une demi-heure.

Jusqu'à présent, à dire le vrai, par le peu de communication et de familiarité que j'avois avec ces gens-là, je n'avois guère bien soutenu la réputation d'esprit et d'habileté qu'on m'a faite; on ne m'avoit vu aucune faculté extraordinaire pour qu'on dût s'émerveiller de moi et faire tant de cas de mes petits avantages. Cependant, ce même jour, quelques médecins ayant une consultation importante pour un jeune seigneur, M. Paul de Cesis [712] (neveu du cardinal de ce nom [713]), qui étoit à ces bains, ils vinrent me prier, de sa part, de vouloir bien entendre leurs avis et délibération, parce qu'il estoit résolu de se tenir entièrement à ma décision. J'en riois alors en moi-même; mais il m'est arrivé plus d'une fois pareille chose ici et à Rome.

J'éprouvois encore quelquefois des éblouissemens dans les yeux [714], quand je m'appliquois ou à lire ou à regarder fixement quelque objet lumineux. Ce qui m'inquiétoit, c'étoit de voir que cette incommodité continuoit depuis le jour que la migraine me prit près de Florence. Je sentois une pesanteur de tête sur le front, sans douleur, et mes yeux se couvroient de certains nuages qui ne me rendoient pas la vue courte, mais qui la troubloient quelquefois, je ne sais comment. Depuis, la migraine y étoit retombée deux ou trois fois, et dans ces derniers jours elle s'y arrêtoit davantage, me laissant d'ailleurs assez libre dans mes actions; mais elle me reprenoit tous les jours depuis que j'avois pris la douche sur la tête, et je commençois à avoir les yeux voilés comme autrefois, sans douleur ni inflammation; il en étoit ainsi de mon mal de tête, que je n'avois pas senti depuis dix ans, jusqu'au jour où cette migraine me prit. Or, craignant encore que la douche ne m'affoiblît la tête, je ne voulus point la prendre.

Le jeudi je me baignai seulement une heure.

Le vendredi, le samedi et le dimanche, je ne fis aucun remède, tant par la même crainte que parce que je me trouvois moins dispos, rendant toujours quantité de sable.

Ma tête d'ailleurs toujours de même ne se rétablissoit point dans son bon état; et à certaines heures je sentois une altération qu'augmentoit encore le travail de l'imagination.

Le lundi matin je bus en 13 verres six livres et demie d'eau de la fontaine ordinaire; je rendis environ trois livres d'eau blanche et crue avant le dîner, et le reste peu à peu. Quoique mon mal de tête ne fût ni continuel ni fort violent, il me randoit le teint assez mauvais. Cependant je ne santois ni incommodité ni foiblesse, comme j'en avois anciennement éprouvé quelquefois; mais j'avois seulement les yeux chargés et la vue un peu trouble. Ce jour, on commença dans la plaine à couper le seigle.

Le mardi, au point du jour, j'allai à la fontaine de Barnabé et je bus six livres d'eau en six verres. Il tomboit une petite pluie, je suai un peu. Cette boisson m'émut le corps et me lava bien les intestins : c'est pourquoi je ne puis juger delà ce que j'en avois rendu. J'urinai peu, mais dans deux heures j'avois repris ma couleur naturelle.

On trouve ici une pension pour six écus d'or ou environ par mois; on a une chambre particulière, avec toutes les commodités que l'on veut, et le valet passe par-dessus le marché. Quand on n'a pas de valet on est servi par l'hôte en beaucoup de choses et nourri convenablement.

Avant la fin du jour naturel j'avois rendu toute l'eau, et plus que je n'en avois bu dans toutes les boissons que j'avois prises. Je ne bus qu'une petite fois une demi-livre d'eau à mon repas et je soupai peu.

Le mercredi, qui fut pluvieux, je pris de l'eau ordinaire sept livres en sept fois; je la rendis avec ce que j'avois bu de plus.

Le jeudi j'en pris neuf livres, c'est-à-dire sept d'une première séance; et puis quand je commençai à la rendre, j'en envoyai chercher deux autres livres. Je la rendis de tous côtés et je bus très peu à mon repas.

Le vendredi et le samedi je fis la même chose. Le dimanche je me tins tranquille.

Le lundi je pris sept livres d'eau en sept verres. Je rendois toujours du sable, mais un peu moins que quand je prenois le bain; ce que je voyais arriver à plusieurs autres dans le même temps. Ce même jour je sentis au bas-ventre une douleur semblable à celle qu'on éprouve en rendant des pierres, et il m'en sortit effectivement une petite.

Le mardi j'en rendis une autre, et je puis presque assurer que je me suis aperçu que cette eau a la force de les briser, parce que je sentois la grosseur de quelques-unes lorsqu'elles descendoient, et qu'ensuite je les rendois par petits morceaux. Ce mardi, je bus huit livres d'eau en huit fois.

Si Calvin avoit su qu'ici les frères prêcheurs se nommoient ministres, il n'est pas douteux qu'il eût donné un autre nom aux siens.

Le mercredi je pris huit livres d'eau en huit verres. J'en rendois presque toujours en trois heures jusqu'à la moitié, crue et dans sa couleur naturelle, puis environ une demi-livre rousse et teinte; le reste après le repas et pendant la nuit.

Or, comme cette saison attiroit beaucoup de monde au bain, suivant les exemples que j'avois devant moi et l'avis des médecins même, particulièrement de M. Donato [715], qui avoit écrit sur ces eaux, je n'avois pas fait une grande faute en prenant dans ce bain la douche sur la tête; car ils sont encore ici dans l'usage de se faire donner la douche sur l'estomac [a], par le moyen d'un long tuyau qu'on attache d'un bout au surgeon de l'eau, et de l'autre au corps plongé dans le bain, comme d'ordinaire autrefois on prenoit la douche sur la tête, de cette même eau, et le jour qu'on la prenoit on se baignoit aussi. Moi donc, pour avoir mêlé la douche et le bain, ou pour avoir pris immédiatement l'eau à la source et non au tuyau, je ne pouvois pas avoir fait une si grande faute. Ai-je manqué seulement en ce que je n'ai pas continué ? Cette idée, dont jusqu'à présent j'ai été frappé, pourroit bien avoir mis en mouvement ces humeurs, dont avec le temps j'aurois été délivré. Le même (M. Donato) trouvoit bon qu'on bût et qu'on se baignât le même jour; d'où je me repens de n'en avoir pas eu la hardiesse, comme j'en avois eu la volonté, et de n'avoir pas bu la matinée dans le bain, en observant quelque intervalle entre les deux procédés. Ce médecin louoit aussi beaucoup les eaux de Barnabé [716]; mais avec tous les beaux raisonnemens de la médecine, on ne voyoit pas l'effet de ces eaux sur plusieurs autres personnes qui n'étoient pas sujettes à rendre du sable, comme je continuois toujours d'en voir dans mes urines; ce que je dis, parce que je

a. La poitrine.

ne puis me résoudre à croire que ce sable fût produit par lesdites eaux.

Le jeudi matin, pour avoir la première place, je me rendis au bain avant le jour, et j'y bus une heure sans me baigner la tête. Je crois que cette circonstance, jointe à ce que je dormis ensuite dans mon lit, me rendit malade, j'eus la bouche sèche et altérée avec une telle chaleur que le soir en me couchant je bus deux grands verres de la même eau rafraîchie, qui ne me causa point d'autre changement.

Le vendredi je me reposai. Le ministre franciscain (c'est ainsi qu'on nomme le Provincial [717]), homme de mérite, savant et poli, qui étoit au bain avec plusieurs autres religieux de différens ordres, m'envoya en présent de très bon vin, des massepains et autres friandises.

Le samedi je ne fis aucun remède et j'allai dîner à Menalfio [718], grand et beau village situé à la cime d'une de ces montagnes dont j'ai parlé. J'y portai du poisson et je fus reçu chez un soldat, qui, après avoir beaucoup voyagé en France et ailleurs, s'est marié et enrichi en Flandre. Il s'appelle M. Santo. Il y a là une belle église, et parmi les habitans un très grand nombre de soldats, dont la plupart ont aussi beaucoup voyagé. Ils sont fort divisés entr'eux pour l'Espagne et la France [719]. Je mis, sans y prendre garde, une fleur à mon oreille gauche [720]; ceux du parti françois s'en trouvèrent offensés. Après mon dîner je montai au fort qui est un lieu fortifié de hautes murailles pareillement à la cime du mont qui est très escarpé, mais bien cultivé partout; car ici, sur les lieux les plus sauvages, sur les rochers et les précipices, enfin sur les crevasses de la montagne, on trouve non-seulement des vignes et du blé, mais encore des prairies, tandis que dans la plaine ils n'ont pas de foin. Je descendis ensuite tout droit par un autre côté de la montagne.

Le dimanche matin je me rendis au bain avec plusieurs autres gentilshommes et j'y restai une demi-heure. Je reçus de M. Louis Pinitesi [721], en présent, une charge de très beaux fruits, et entre autres des figues, les premières qui eussent encore paru dans le bain, avec douze flacons d'excellent vin. Dans le même temps, le ministre franciscain m'envoya une si grande quantité de fruits que je pus en faire à mon tour des libéralités aux habitans.

Après le dîner il y eut un bal où s'étoient rassemblées

plusieurs dames très bien mises, mais d'une beauté très commune, quoiqu'elles fussent des plus belles de Lucques.

Le soir, M. Louis Ferrari de Crémone [722], dont j'étois fort connu, m'envoya des boîtes de coings très bons et bien parfumés, des citrons d'une espèce rare et des oranges d'une grosseur extraordinaire.

La nuit suivante, un peu avant le jour, il me prit une crampe au mollet de la jambe droite avec de très fortes douleurs qui n'étoient pas continues, mais intermittentes. Cette incommodité dura une demi-heure. Il n'y avoit pas long-temps que j'en avois eu une pareille, mais elle passa dans un instant.

Le lundi j'allai au bain, et je tins pendant une heure mon estomac sous le jet de la source; je sentois toujours à la jambe un petit picotement.

C'étoit précisément l'heure où l'on commençoit à sentir le chaud; les cigales n'étoient pas plus incommodes qu'en France, et jusqu'à présent les saisons me paroissent être encore plus fraîches que chez moi.

On ne voit pas chez les nations libres la même distinction de rangs, de personnes, que chez les autres peuples; ici les plus petits ont je ne sais quoi de seigneurial à leur manière; jusqu'en demandant l'aumône, ils mêlent toujours quelque parole d'autorité, comme : « Faites-moi l'aumône, voulez-vous ? » ou : « Donnez-moi l'aumône, entendez-vous ? » Le mot à Rome est d'ordinaire : « Faites-moi quelque bien pour vous-même [723] ».

Le mardi je restai dans le bain une heure.

Le mercredi, 21 juin, de bonne heure, je partis de la ville, et en prenant congé de la compagnie des hommes et des dames qui s'y trouvoient, j'en reçus toutes les marques d'amitié que je pouvois désirer. Je vins par des montagnes escarpées, cependant agréables et couvertes, à

Pescia, douze milles, petit château situé sur le fleuve Pescia, dans le territoire de Florence, où se trouvent de belles maisons, des chemins bien ouverts, et les vins fameux de Trebbiano [724], vignoble assis au milieu d'un plant d'oliviers très épais. Les habitans sont fort affectionnés à la France, et c'est pour cela disent-ils, que leur ville porte pour armes un dauphin [725].

Après dîner nous rencontrâmes une belle plaine fort

peuplée, où l'on voit beaucoup de châteaux et de maisons. Je m'étois proposé de voir le mont Catino [726], où est l'eau chaude et salée du Tettuccio; mais je l'oubliai par distraction; je le laissai à main droite, éloigné d'un mille de mon chemin, environ à sept milles de Pescia, et je ne m'aperçus de mon oubli que quand je fus presque arrivé à

PISTOIE, onze milles. J'allai loger hors de la ville, et là je reçus la visite du fils de Ruspiglioni [727], qui ne voyage en Italie qu'avec des chevaux de voiturin; en quoi il n'entend pas bien ses intérêts; car il me paroît plus commode de changer de chevaux de lieu en lieu que de se mettre pour un long voyage entre les mains des voiturins.

De Pistoie à Florence, distance de vingt milles, les chevaux ne coûtent que quatre jules [728].

De là, passant par la petite ville de Prato, je vins dîner à

CASTELLO, dans une auberge située vis-à-vis le palais du grand-duc. Nous allâmes après dîner examiner plus attentivement son jardin, et j'éprouvai là ce qui m'est arrivé en beaucoup d'autres occasions, que l'imagination va toujours plus loin que la réalité. Je l'avois vu pendant l'hiver nu et dépouillé; je m'étois donc représenté sa beauté future, dans une plus douce saison, beaucoup au-dessus de ce qu'elle me parut alors en effet.

De Prato à Castello, dix-sept milles. Après dîner je vins à

FLORANCE, trois milles. Le vendredi je vis les processions publiques [729] et le grand-duc en voiture. Entre autres somptuosités, on voyait un char en forme de théâtre doré par-dessus, sur lequel étoient quatre petits enfans et un moine, ou un homme habillé en moine, avec une barbe postiche qui représentoit Saint François d'Assise debout, et tenant les mains comme il les a dans les tableaux, avec une couronne sur le capuchon. Il y avoit d'autres enfans de la ville armés, et l'un d'eux représentoit saint Georges. Il vint sur la place à sa rencontre un gros dragon fort lourdement appuyé sur des hommes qui le portoient, et jetant avec bruit du feu par la gueule.

L'enfant le frappoit tantôt de l'épée, tantôt de la lance, et il finit par l'égorger. Je reçus ici beaucoup d'honnêtetés d'un Gondi qui fait sa résidence à Lyon [730]; il m'envoya de très bons vins, comme du Trebbiano [731].

Il faisoit une chaleur dont les habitans eux-mêmes étoient étonnés.

Le matin, à la pointe du jour, j'eus la colicque au côté droit et je souffris l'espace d'environ trois heures. Je mangeai ce jour-là le premier melon. Dès le commencement de juin, on mangeoit à Florence des citrouilles et des amandes.

Vers le 23, on fit la course des chars dans une grande et belle place carrée [732] plus longue que large, et entourée de tous les côtés de belles maisons. A chaque extrémité de la longueur, on avoit dressé un obélisque ou une aiguille de bois carrée [733], et de l'une à l'autre étoit attachée une longue corde pour qu'on ne pût traverser la place; plusieurs hommes même se mirent encore en travers, pour empêcher de passer par-dessus la corde. Les balcons étoient remplis de dames, et le grand-duc avec la duchesse et sa cour étoit dans un palais. Le peuple étoit répandu le long de la place et sur des espèces d'échafauds où j'étois aussi : on voyoit courir à l'envi cinq chars vides. Ils prirent tous place au hasard, ou après avoir tiré au sort à côté d'un des obélisques. Plusieurs disoient que le plus éloigné avoit de l'avantage pour faire plus commodément le tour de la lice. Les chars partirent au son des trompettes. Le troisième circuit autour de l'obélisque, où se dirige la course, est celui qui donne la victoire. Le char du grand-duc conserva l'avantage jusqu'au troisième tour; mais celui de Strozzi [734] qui l'avoit toujours suivi de plus près, ayant redoublé de vitesse, et courant à bride abattue en se resserrant à propos, mit la victoire en balance. Je m'aperçus que le peuple rompit le silence en voyant Strozzi s'approcher, et qu'il lui applaudissoit à grands cris de toutes ses forces à la vue même du prince. Ensuite, quand il fut question de faire juger la contestation par certains gentilshommes arbitres ordinaires des courses, ceux du parti de Strozzi s'en étant remis au jugement de l'assemblée, il s'éleva tout à coup du milieu de la foule un suffrage unanime et un cri public en faveur de Strozzi, qui enfin remporta le prix; mais à tort, à ce qu'il me semble. La valeur du prix étoit de cent écus. Ce spectacle me fit plus de plaisir qu'aucun de ceux que j'eusse vus en Italie, par la ressemblance que j'y trouvois avec les courses antiques.

Comme ce jour étoit la veille de Saint-Jean, on entoura

le comble de l'église cathédrale de deux ou trois rangs de lampions, ou de pots à feu, et delà s'élançoient en l'air des fusées volantes. On dit pourtant qu'on n'est pas dans l'usage en Italie comme en France, de faire des feux le jour de Saint-Jean.

Mais le samedi, jour où tomboit cette fête, qui est la plus solennelle et la plus grande fête de Florence, puisque ce jour-là tout se montre en public, jusqu'aux jeunes filles, parmi lesquelles je ne vis point beaucoup de beautés, dès le matin, le grand-duc parut à la place du palais sur un échafaud dressé le long du bâtiment, dont les murs étoient couverts de très-riches tapis. Il étoit sous un dais avec le nonce du pape que l'on voyoit à côté de lui, à sa gauche, et avec l'ambassadeur de Ferrare, beaucoup plus éloigné de lui. Là passèrent devant lui toutes ses terres et tous ses châteaux [a] dans l'ordre où les proclamoit un héraut. Pour Sienne, par exemple, il se présenta un jeune homme vêtu de velours blanc et noir, portant à la main un grand vase d'argent, et la figure de la louve de Sienne. Il en fit ainsi l'offrande au duc, avec un petit compliment. Lorsque celui-ci eut fini, il vint encore à la file, à mesure qu'on les appeloit par leurs noms, plusieurs estaffiers mal vêtus, montés sur de très mauvais chevaux ou sur des mules, et portant les uns une coupe d'argent, les autres un drapeau déchiré. Ceux-ci, qui étoient en grand nombre, passoient le long des rues, sans faire aucun mouvement, sans décence, sans la moindre gravité et plutôt même avec un air de plaisanterie que de cérémonie sérieuse. C'étoient les représentans des châteaux et lieux particuliers dépendans de l'Etat de Sienne. On renouvelle tous les ans cet appareil qui est de pure forme.

Il passa ensuite un char et une grande pyramide carrée faite de bois, qui portoit des enfans rangés tout autour sur des gradins et vêtus les uns d'une façon, les autres d'une autre, en anges et en saints. Au sommet de cette pyramide, qui égaloit en hauteur les plus hautes maisons, étoit un saint Jean, attaché à une barre de fer. Les officiers et particulièrement ceux de la monnoie étoient à la suite de ce char.

La marche étoit fermée par un autre char sur lequel

a. Bourgs fortifiés.

étoient des jeunes gens qui portoient trois prix pour les diverses courses. A côté d'eux étoient les chevaux barbes qui devoient courir ce jour-là, et les valets qui devoient les monter avec les enseignes de leurs maîtres qui sont des premiers seigneurs du pays. Les chevaux étoient petits, mais beaux.

La chaleur alors ne paroissoit pas plus forte qu'en France. Cependant, pour l'éviter dans ces chambres d'auberges, j'étois forcé la nuit de dormir sur la table de la salle, où je faisois mettre des matelas et des draps, et cela faute de pouvoir trouver un logement commode; car cette ville n'est pas bonne pour les étrangers. J'usois encore de cet expédient pour éviter les punaises, dont tous les lits sont fort infectés.

Il n'y a pas beaucoup de poisson à Florence. Les truites et les autres poissons qu'on y mange viennent de dehors, encore sont-ils marinés. Je vis apporter de la part du grand-duc à Jean Mariano [735], Milanois qui logeoit dans la même hôtellerie que moi, un présent de vin, de pain, de fruits et de poisson; mais ces poissons étoient en vie, petits et renfermés dans des cuvettes de terre.

Tout le jour j'avois la bouche aride et sèche, avec une altération, non de soif mais provenant d'une chaleur interne, telle que j'en ai sentie autrefois dans nos temps chauds. Je ne mangeois que du fruit et de la salade avec du sucre, et malgré ce régime je ne me portois pas bien.

Les amusemens que l'on prend le soir en France, après le souper, précèdent ici ce repas. Dans les plus longs jours, on y soupe souvent la nuit, et le jour commence entre sept et huit heures du matin.

Ce jour, dans l'après-dînée, on fit les courses des Barbes [736]. Le cheval du cardinal de Médicis remporta le prix. Il étoit de la valeur de 200 écus. Ce spectacle n'est pas fort agréable, parce que dans la rue vous ne voyez que passer rapidement des chevaux en furie.

Le dimanche je vis le palais Pitti, et entre autres choses une mule en marbre qui est la statue d'une mule encore vivante, à laquelle on a accordé cet honneur pour les longs services qu'elle a rendus à voiturer ce qui étoit nécessaire pour ce bâtiment [737] : c'est ce que disent au moins les vers latins qu'on y lit [738]. Nous vîmes dans le palais cette Chimère antique qui a entre les épaules une tête naissante avec des cornes et des oreilles, et le corps d'un petit lion [a].

Le samedi précédent, le palais du grand-duc étoit ouvert et rempli de paysans pour qui rien n'étoit fermé, et l'on dansoit de tous côtés dans la grande salle. Le concours de cette sorte de gens est, à ce qu'il me semble, une image de la liberté perdue, qui se renouvelle ainsi tous les ans à la principale fête de la ville.

Le lundi j'allai dîner chez le seigneur Silvio Picolomini [739], homme fort distingué par son mérite, et surtout par son habileté dans l'escrime ou l'art des armes. Il y avoit bonne compagnie de gentilshommes, et l'on s'y entretint de différentes matières. Le seigneur Picolomini fait très peu de cas de la manière d'escrimer des plus célèbres maîtres italiens, tels que le Vénitien, le Bolonois, le Patinostrato [740] et autres; il n'estime en ce genre qu'un de ses élèves établi à Brescia où il enseigne cet art à quelques gentilshommes. Il dit que, dans la manière dont on montre ordinairement à faire des armes, il n'y a ni règle ni méthode. Il condamne particulièrement l'usage de pousser l'épée en avant, et de la mettre au pouvoir de l'ennemi; puis, la botte portée, de redonner un autre assaut et de rester en arrêt. Il soutient qu'il est totalement différent de ce que font ceux qui se battent, comme l'expérience le fait voir. Il étoit sur le point de faire imprimer un ouvrage sur cette matière. Quant au fait de la guerre, il méprise fort l'artillerie; et tout ce qu'il nous dit sur cela me plut beaucoup [741]. Il estime ce que Machiavel a écrit sur ce sujet [742], et il adopte ses opinions. Il prétend que pour les fortifications, le plus habile et le plus excellent ingénieur qu'il y ait est actuellement à Florence au service du grand-duc [743].

On est ici dans l'habitude de mettre de la neige dans les verres avec le vin [744]. J'en mettois peu, parce que je ne me portois pas trop bien, ayant souvent des maux de reins, et rendant toujours une quantité incroyable de sable; outre cela, je ne pouvais recouvrer ma tête et la remettre en son premier état. J'éprouvois des étourdissemens, et je ne sais quelle pesanteur sur les yeux, le front, les joues, les dents, le nez et tout le visage. Il me vient dans l'idée que ces douleurs étoient causées par les vins blancs doux

a. Cette dernière phrase figure, dans les autres éditions, à la fin de l'alinéa suivant.

et fumeux du pays, parce que la première fois que la migraine me reprit, tout échauffé que j'étois déjà, tant par le voyage que par la saison, j'avois bu grande quantité de Trebbiano [745], mais si doux, qu'il n'étanchoit pas ma soif.

Après tout, je n'ai pu m'empêcher d'avouer que c'est avec raison que Florence est nommée la belle [746].

Ce jour j'allai, seulement pour me distraire voir les dames qui se laissent voir à qui veut [747]. Je vis les plus fameuses, mais rien de rare. Elles sont séquestrées dans un quartier particulier de la ville, et leurs logements vilains, misérables, n'ont rien qui ressemble à ceux des courtisanes romaines ou vénitiennes, non plus qu'elles-mêmes ne leur ressemblent pour la beauté, les agrémens, le maintien. Si quelqu'une veut demeurer hors de ces limites, il faut que ce soit bien peu de chose, et qu'elle fasse quelque métier pour cacher cela.

Je vis les boutiques des fileurs de soie qui se servent de certains dévidoirs, par le moyen desquels une seule femme, en les faisant tourner, fait d'un seul mouvement tordre et tourner à la fois 500 fuseaux.

Le mardi matin je rendis une petite pierre rousse.

Le mercredi je vis la maison de plaisance du grand-duc [748]. Ce qui me frappa le plus, c'est une roche en forme de pyramide construite et composée de toutes sortes de minéraux naturels, c'est-à-dire d'un morceau chacun, raccordés ensemble. Cette roche jetoit de l'eau qui faisoit mouvoir au dedans de la grotte plusieurs corps, tels que des moulins à eau et à vent, de petites cloches d'église, des soldats en sentinelle, des animaux, des chasses, et mille choses semblables.

Le jeudi je ne me souciai pas de voir une autre course de chevaux. J'allai l'après-dînée à Pratolino, que je revis dans un grand détail. Le concierge du palais m'ayant prié de lui dire mon sentiment sur les beautés de ce lieu et sur celles de Tivoli, je lui dis ce que j'en pensois, en comparant les lieux [749], non en général, mais partie par partie, et considérant leurs divers avantages : ce qui rendoit respectivement tantôt l'un, tantôt l'autre supérieur.

Le vendredi j'achetai, à la librairie des Juntes [750], un paquet d'onze comédies et quelques autres livres. J'y vis le testament de Boccace imprimé avec certains discours faits sur le Décaméron [751].

On voit par ce testament à quelle étonnante pauvreté, à quelle misère étoit réduit ce grand homme. Il ne laisse à ses parentes et à ses sœurs que des draps et quelques pièces de son lit; ses livres à un certain religieux [752], à condition de les communiquer à quiconque dont il en sera requis; il met en compte jusqu'aux ustensiles et aux meubles les plus vils; enfin il ordonne des messes et sa sépulture. On a imprimé ce testament tel qu'il a été trouvé sur un vieux parchemin bien délabré.

Comme les courtisanes romaines et vénitiennes se tiennent aux fenêtres pour attirer leurs amans, celles de Florence se montrent aux portes de leurs maisons, et elles y restent au guet aux heures commodes. Là vous les voyez, avec plus ou moins de compagnie, discourir et chanter dans la rue au milieu des cercles.

Le dimanche 2 juillet, je partis de Florence après dîner, et après avoir passé l'Arno sur un pont, nous le laissâmes à main droite, en suivant toutefois son cours. Nous traversâmes de belles plaines fertiles, où sont les plus célèbres melonières de Toscane. Les bons melons ne sont mûrs que vers le 15 de juillet, et l'endroit particulier où se trouve les meilleurs se nomme Legnaia : Florence en est à trois milles [753].

La route que nous fîmes ensuite étoit pour la plus grande partie unie, fertile et très peuplée partout de maisons, de petits châteaux, de villages presque continus.

Nous traversâmes, entre autres, une jolie terre appelée Empoli, nom dans le son duquel il y a je ne sais quoi d'antique. Le site en est très agréable. Je n'y reconnus aucunes traces d'antiquité, si ce n'est, près du grand chemin, un pont en ruines qui en a quelque air.

Je fus ici frappé de trois choses : 1° de voir tout le peuple de canton occupé, même le dimanche, les uns à battre le blé ou à le ranger, les autres à coudre, à filer, etc.; 2° de voir ces paysans un luth à la main, et de leur côté les bergères, ayant l'Arioste dans la mémoire : mais c'est ce qu'on voit dans toute l'Italie; 3° de leur voir laisser le grain coupé dans les champs pendant dix et quinze jours ou plus, sans crainte des voisins.

Vers la fin du jour nous arrivâmes à

SCALA, vingt milles. Il n'y a qu'une seule hôtellerie, mais fort bonne. Je ne soupai pas, et je dormis peu à cause d'un grand mal de dents qui me prit du côté droit. Cette douleur, je la sentois souvent avec mon mal de tête; mais c'étoit en mangeant qu'elle me faisoit le plus souffrir, ne pouvant rien mettre dans ma bouche sans éprouver une très grande douleur.

Le lundi matin, 3 juillet, nous suivîmes un chemin uni le long de l'Arno, et nous le trouvâmes terminé par une belle plaine couverte de blés. Vers le midi nous arrivâmes à

PISE, vingt milles, ville qui appartient au duc de Florence. Elle est située dans la plaine sur l'Arno qui la traverse par le milieu, et qui, se jetant dans la mer à six milles de là, amène à Pise plusieurs espèces de bâtimens.

C'étoit le temps où les écoles cessoient, comme c'est la coutume pendant les trois mois de la grande chaleur. Nous y rencontrâmes une très bonne troupe de comédiens appelés les Desiosi [754].

Comme l'auberge où j'étois ne me plaisoit pas, je louai une maison ou il y avoit quatre chambres et une salle. L'hôte se chargeoit de faire la cuisine et de fournir les meubles. La maison étoit belle et j'avois le tout pour huit écus par mois. Quant à ce qu'il s'étoit obligé de fournir pour le service de table, comme nappes et serviettes, c'étoit peu de chose, attendu qu'en Italie on ne change de serviettes qu'en changeant de nappes, et que la nappe n'est changée que deux fois la semaine. Nous laissâmes faire à nos valets leur propre dépense eux-mêmes, et nous mangions à l'auberge à quatre jules par jour.

La maison étoit dans une très belle situation, avec une agréable vue sur le canal que forme l'Arno en traversant la campagne.

Ce canal est fort large et long de plus de cinq cens pas, un peu incliné et comme replié sur lui-même; ce qui fait un aspect charmant, en ce que par le moyen de cette courbure, on en découvre plus aisément les deux bouts, avec trois ponts qui traversent le fleuve toujours couvert de navires et de marchandises. Les deux bords de ce canal sont revêtus de beaux quais, comme celui des Augustins de Paris. Il y a deux côtés de rues larges, et le long de ces rues un rang de maisons parmi lesquelles étoit la nôtre.

Le mercredi 5 juillet, je vis la cathédrale où fut autrefois le palais [755] de l'empereur Adrien. Il y a un nombre infini de colonnes de différens marbres, ainsi que de forme et de travail différens, et de belles portes de métal. Cette église est ornée de diverses dépouilles de la Grèce et de l'Egypte, et bâtie d'anciennes ruines, où l'on voit diverses inscriptions, dont les unes se trouvent à rebours, les autres à demi tronquées; et en certains endroits des caractères inconnus, que l'on prétend être d'anciens caractères étrusques.

Je vis le clocher bâti d'une façon extraordinaire, incliné de sept brasses [756] comme celui de Bologne et autres, et entouré de tous côtés de pilastres et de corridors ouverts.

Je vis encore l'église de Saint-Jean, qui est aussi très riche par les ouvrages de sculpture et de peinture qu'on y voit.

Il y a entre autres un pupitre de marbre [757], avec grand nombre de figures d'une telle beauté que ce Laurent [758] qui tua, dit-on, le duc Alexandre, enleva les têtes de quelques-unes, et en fit présent à la reine [759]. La forme de cette église ressemble à celle de la Rotonde de Rome [760].

Le fils naturel [761] de ce duc Alexandre fait ici sa résidence. Il est vieux [762], à ce que j'ai vu. Il vit commodément des bienfaits du duc, et ne s'embarrasse point d'autre chose. Il y a de très beaux endroits pour la chasse et pour la pêche, et ce sont là ses occupations.

Pour les saintes reliques, les ouvrages rares, les marbres précieux et les pierres d'une grandeur et d'un travail admirables, on en trouve ici tout autant que dans une autre ville d'Italie.

Je vis avec beaucoup de plaisir le bâtiment du cimetière, qu'on appelle *Campo-Santo ;* il est d'une grandeur extraordinaire, long de trois cens pas, large de cent et carré; le corridor qui règne autour a quarante pieds de largeur, est couvert de plomb et pavé de marbre. Les murs sont couverts d'anciennes peintures, parmi lesquelles il y en a d'un Gondi de Florence [763], tige de la maison de ce nom.

Les nobles de la ville avoient leurs tombeaux sous ce corridor; on y voit encore les noms et les armes d'environ quatre cens familles, dont il en reste à peine quatre, échappées des guerres et des ruines de cette ancienne ville, qui d'ailleurs est peuplée, mais habitée par des étrangers. De ces familles nobles, dont il y a plusieurs marquis, comtes et autres seigneurs, une partie est répandue en différens endroits de la chrétienté, où elles ont passé successivement.

Au milieu de cet édifice est un endroit découvert où l'on continue d'inhumer les morts. On assure ici généralement que les corps qu'on y dépose se gonflent tellement dans l'espace de huit heures, qu'on voit sensiblement s'élever la terre; que huit heures après ils diminuent et s'affaissent; qu'enfin dans huit autres heures les chairs se consument, de manière qu'avant que les vingt-quatre heures soient passées il ne reste plus que les os tout nus. Ce phénomène est semblable à celui du cimetière de Rome [764], où, si l'on met le corps d'un Romain, la terre le repousse aussitôt. Cet endroit est pavé de marbre comme le corridor. On a mis par-dessus le marbre de la terre à la hauteur d'une ou deux brasses, et l'on dit que cette terre fut apportée de Jérusalem dans l'expédition que les Pisans y firent avec une grande armée [765]. Avec la permission de l'évêque, on prend un peu de cette terre qu'on répand dans les autres sépulcres, par la persuasion où l'on est que les corps s'y consumeront plus promptement : ce qui paroît d'autant plus vraisemblable, que dans le cimetière de la ville on ne voit presque point d'ossemens, et qu'il n'y a pas d'endroit où l'on puisse les ramasser et les renfermer, comme on fait dans d'autres villes.

Les montagnes voisines produisent de très beau marbre, et il y a dans la ville beaucoup d'excellens ouvriers pour le travailler. Ils faisoient alors pour le roi de Fez en Barbarie [766] un très riche ouvrage; c'étoient les ornemens d'un théâtre dont ils exécutoient le dessin, et qui devoit être décoré de cinquante colonnes de marbre d'une très grande hauteur.

On voit en beaucoup d'endroits de cette ville les armes de France, et une colonne que le roi Charles VIII a donnée à la cathédrale. Dans une maison de Pise, sur le mur du côté de la rue, ce même prince est représenté, d'après nature, à genoux devant une vierge qui semble lui donner des conseils. L'inscription porte que, ce monarque soupant dans cette maison, il lui vint par hasard dans l'esprit de rendre aux Pisans leur ancienne liberté : en quoi, dit-elle, il surpassa la grandeur d'Alexandre. On lit parmi les titres de ce prince, *roi de Jérusalem*, *de Sicile*, etc. Les mots qui sont relatifs à cette circonstance de la liberté rendue aux

Pisans [767] ont été barbouillés exprès, et sont à moitié biffés et effacés. D'autres maisons particulières sont encore décorées des mêmes armes (de France), pour indiquer la noblesse que le roi leur donna.

Il n'y a pas ici beaucoup de restes d'anciens édifices ni d'antiquités, si ce n'est une belle ruine en briques à l'endroit où fut le palais de Néron, dont le nom lui est resté, et une église de Saint-Michel qui fut autrefois un temple de Mars [768].

Le jeudi, fête de Saint-Pierre [769], on me dit qu'anciennement l'évêque de Pise alloit en procession à l'église de Saint-Pierre, à quatre milles hors la ville, et delà sur le bord de la mer, qu'il y jettoit un anneau, et l'épousoit solennellement; mais cette ville avoit alors une marine très puissante. Maintenant il n'y va qu'un maître d'école tout seul, tandis que les prêtres vont en procession à l'église, où il y a de grandes indulgences. La bulle du pape qui est d'environ 400 ans, dit, sur la foi d'un livre qui en a plus de 1200 [a], que cette église fut bâtie par saint Pierre [770], et que Saint Clément faisant l'office sur une table de marbre, il tomba sur cette table trois gouttes de sang du nez du saint pape. Il semble que ces gouttes n'y soient imprimées que depuis trois jours. Les Génois rompirent autrefois cette table pour emporter une de ces gouttes de sang; ce qui fit que les Pisans ôtèrent de l'église le reste de la table et la portèrent dans leur ville. Mais tous les ans on l'y rapporte en procession le jour de Saint-Pierre, et le peuple y va toute la nuit dans des barques.

Le vendredi, 7 juillet, de bonne heure j'allai voir les *cassines* [771] ou fermes de Pierre de Médicis [772] éloignées de la terre de deux milles. Ce seigneur a là des biens immenses qu'il fait valoir par lui-même, en y mettant tous les cinq ans de nouveaux laboureurs qui prennent la moitié des fruits. Le terrain est très fertile en grains, et il y a des pâturages, où l'on tient toutes sortes d'animaux. Je descendis de cheval pour voir les particularités de la maison. Il y a grand nombre de personnes occupées à faire des crèmes, du beurre, des fromages, avec tous les ustensiles nécessaires à ce genre d'économie.

a. L'italien porte : *Dice la bolla del Papa di* 400 *anni poco manco* (*pigliandone fede d'un libro di più di* 1200)... Et Lautrey traduit ici plus justement : « La bulle du Pape, d'il y a un peu moins de 400 ans, (si j'ajoute foi à un livre qui la date d'après 1200) dit... »

De là, suivant la plaine, j'arrivai sur les bords de la mer Tyrrhénienne, où d'un côté je découvrois à main droite Ereci [773], et de l'autre, encore de plus près, Livourne, château situé sur la mer. De là se découvre bien l'île de Gorgone, plus loin celle de Capraia, et plus loin encore la Corse. Je tournai à main gauche le long du bord de la mer, et nous le suivismes jusqu'à l'embouchure de l'Arno, dont l'entrée est fort difficile aux vaisseaux, parce que plusieurs petites rivières qui se jettent ensemble dans l'Arno charrient de la terre et de la boue qui s'y arrêtent, et font élever l'embouchure en l'embarrassant. J'y achetai du poisson que j'envoyai aux comédiennes de Pise [774]. Le long de ce fleuve on voit plusieurs buissons de tamaris.

Le samedi j'achetai un petit baril de ce bois, six jules [775]; j'y fis mettre des cercles d'argent, et je donnai trois écus à l'orfèvre. J'achetai de plus une canne d'Inde, pour m'appuyer en marchant, six jules; un petit vase et un gobelet de noix d'Inde [a] qui fait le même effet pour la rate et la gravelle que le tamaris, huit jules.

L'artiste, homme habile et renommé pour la fabrique des instrumens de mathématique, m'apprit que tous les arbres ont intérieurement autant de cercles et de tours qu'ils ont d'années. Il me le fit voir à toutes les espèces de bois qu'il avoit dans sa boutique; car il est menuisier. La partie du bois tournée vers le septentrion ou le nord est plus étroite, a les cercles plus serrés et plus épais que l'autre; ainsi quelque bois qu'on lui porte, il se vante de pouvoir juger quel âge avoit l'arbre et dans quelle situation il étoit.

Dans ce temps-là précisément, j'avois je ne sais quel embarras à la tête qui m'incommodoit toujours de quelque façon, avec une constipation telle que je n'avois point le ventre libre sans art ou sans le secours de quelques drogues, secours assez foibles. Les reins d'ailleurs selon les circonstances.

L'air de cette ville (de Pise) passoit il y a quelque temps pour être malsain; mais depuis que le duc Côme [776] a fait dessécher les marais d'alentour, il est bon. Il étoit auparavant si mauvais que, quand on vouloit reléguer quelqu'un et le faire mourir, on l'exiloit à Pise, où dans peu de jours c'étoit fait de lui.

a. Noix de coco.

Il n'y a point ici de perdrix, malgré les soins que les princes toscans se sont donnés pour en avoir.

J'eus plusieurs fois à mon logis la visite de Jérôme Borro, médecin, docteur de la Sapience [777], et je l'allai voir à mon tour. Le 14 juillet, il me fit présent de son livre *Du flux et du reflux de la mer*, qu'il a écrit en langue vulgaire, et me fit voir un autre livre de sa façon écrit en latin sur les maladies du corps.

Ce même jour, près de ma maison, vint-un esclaves turcs s'échappèrent de l'arsenal, et se sauvèrent sur une frégate toute agréée que le seigneur Alexandre de Piombino avoit laissée au port, tandis qu'il étoit à la pêche.

A l'exception de l'Arno et de la beauté du canal qu'il forme en traversant la ville, comme aussi des églises, des ruines anciennes, et des travaux particuliers, Pise a peu d'élégance et d'agrément. Elle est déserte en quelque sorte, et tant par cette solitude que par la forme des édifices, par sa grandeur et par la largeur de ses rues, elle ressemble beaucoup à Pistoie. Un des plus grands défauts qu'elle ait est la mauvaise qualité de ses eaux qui ont toutes un goût de marécage.

Les habitans sont très pauvres, et n'en sont pas moins fiers ni moins intraitables, et peu polis envers les étrangers, particulièrement pour les François, depuis la mort d'un de leurs évêques, Pierre-Paul de Bourbon, qui se disoit de la maison de nos princes, et dont la famille subsiste encore.

Cet évêque aimoit fort notre nation, et il étoit si libéral, qu'il avoit ordonné que, dès qu'il arriveroit un François, il lui fût amené chez lui. Ce bon prélat a laissé aux Pisans un souvenir très honorable de sa bonne vie et de sa libéralité. Il n'y a que cinq ou six ans qu'il est mort [778].

Le 17 juillet, je me mis avec vingt-cinq autres à jouer à un écu par tête, à la *Riffa* [779] quelques nippes d'un des comédiens de la ville, nommé Fargnocola. On tire à ce jeu d'abord à qui jouera le premier, puis le second, et ainsi de suite jusqu'au dernier : c'est l'ordre qu'on suit. Mais comme on avoit plusieurs choses à jouer, on fit ensuite deux conditions égales : celui qui faisoit le plus de points gagnoit d'une part, et celui qui en faisoit le moins gagnoit de l'autre. Le sort m'échut à jouer le second.

Le 18, il s'éleva une grande contestation à l'église de Saint-François entre les prêtres de la cathédrale et les religieux. La veille un gentilhomme de Pise avoit été enterré dans ladite église. Les prêtres y vinrent avec leurs ornemens et tout ce qu'il falloit pour dire la messe. Ils alléguoient leur privilège et la coutume observée de tout temps. Les religieux disoient au contraire que c'étoit à eux, et non point à d'autres, à dire la messe dans leur église. Un prêtre s'approchant du grand autel voulut en empoigner la table; un religieux s'efforça de lui faire lâcher prise; mais le vicaire [780] qui desservoit l'église des prêtres lui donna un soufflet. Les hostilités commencèrent alors des deux côtés; et de main en main, l'affaire en vint aux coups de poing, aux coups de bâton, de chandeliers, de flambeaux, et de pareilles armes; tout fut mis en usage. Le résultat de la querelle fut qu'aucun des combattants ne dit la messe [781]; mais elle causa un grand scandale. J'y allai aussitôt que le bruit en fut répandu, et le tout me fut raconté.

Le 22, au point du jour, trois corsaires turcs abordèrent au rivage voisin, et emmenèrent prisonniers quinze ou vingt pêcheurs et pauvres bergers.

Le 25 j'allai voir chez lui le fameux Cornachicco [782], médecin et lecteur de Pise. Cet home vit à sa manière, qui est bien opposée aux règles de son art. Il dort aussitôt qu'il a dîné, boit cent fois le jour, etc. Il me montra des vers de sa façon, en patois pisan, assez agréables [783]. Il ne fait pas grand cas des bains qui sont dans le voisinage de Pise, mais bien de ceux de Bagnacqua [784], qui en sont à la distance de seize milles. Ces bains sont, à son avis, merveilleux pour les maladies du foie (et il m'en raconta bien des prodiges), ainsi que pour la pierre et pour la colique; mais avant d'en user il conseille de boire les eaux *della Villa*. Il est convaincu (me disoit-il) qu'à l'exception de la saignée, la médecine n'est rien en comparaison des bains pour quiconque sait les employer à propos. Il me dit de plus qu'aux bains del Bagnacqua les logemens étoient très bons, et qu'on y étoit commodément et à son aise.

Le 26 je rendis le matin des urines troubles et plus noires que j'en eusse jamais rendu, avec une petite pierre; mais pour cela la douleur que j'avois ressentie pendant l'espace d'environ vingt heures, au-dessous du nombril ne s'apaisa point; cependant elle étoit supportable, n'intéressant pas les reins ni le flanc. Quelque temps après, je rendis encore une autre petite pierre, et la douleur s'apaisa.

Le jeudi 27 nous partîmes de bonne heure de Pise, moi fort satisfait en particulier des courtoisies et des politesses que j'y avois reçues de MM. Vintavinti, Laurent Conti, Sanminiato (ce dernier, qui loge chez M. le chevalier Camille Gaëtani, m'offrit son frère pour m'accompagner en France), Borro et autres, tant artisans que marchands, avec lesquels j'avois lié connoissance. Je suis assuré que l'argent ne m'eût pas même manqué si j'en avois eu besoin, quoique cette ville passe pour être impolie et que les habitants soient altiers; mais, de quelque façon que ce soit, les hommes polis communiquent leur politesse aux autres.

On trouve abondamment ici des pigeons, des noisettes et des champignons. Nous fûmes long-temps à traverser la plaine et nous rencontrâmes au pied d'un monticule ce qu'on nomme les bains de Pise. Il y en a plusieurs, avec une inscription en marbre [785] que je ne pus pas bien lire : ce sont des vers latins rimés [786], qui font foi de la vertu de ces eaux. La date est de 1300, à ce que j'ai pu deviner.

Le plus grand et le plus honnête de ces bains est carré, avec un des côtés en dehors et très bien disposé; ses escaliers sont de marbre. Il a trente pas de longueur de chaque côté, et l'on voit dans un coin la source de la fontaine. J'en bus pour pouvoir en juger; je la trouvai sans goût, sans aucune odeur. Je sentois seulement un peu d'âcreté sur la langue; la chaleur en étoit fort médiocre et elle étoit aisée à boire.

Je m'aperçois à la source qu'il y avoit dans l'eau des corpuscules ou atomes blancs qui me déplaisoient aux bains de Bade, et que j'imaginois être des immondices venant du dehors. Maintenant je pense qu'ils proviennent de quelque qualité des mines, d'autant plus qu'ils sont plus épais du côté de la source où l'eau prend naissance, et où par conséquent elle doit être plus pure et plus nette, comme j'en fis clairement l'expérience. Ce lieu-ci d'ailleurs est désert et les logemens y sont mauvais. Les eaux sont presque abandonnées, et ceux qui en font quelque usage partent le matin de Pise, qui n'en est qu'à quatre milles, et reviennent chez eux le même jour.

Le grand bain est découvert, et c'est le seul qui porte quelque marque d'antiquité; aussi l'appelle-t-on le bain de Néron. On tient communément que cet empereur fit conduire cette eau [787] jusques dans son palais de Pise, par le moyen de plusieurs aqueducs.

Il y a un autre bain couvert, d'un travail médiocre, qui est à l'usage du peuple : l'eau en est très pure. On dit qu'il est bon pour le foie et pour les pustules qui proviennent de la chaleur de ce viscère. On y boit la même quantité d'eau qu'aux autres bains; on se promène après avoir bu et l'on satisfait aux besoins de la nature de quelque façon qu'on veuille opérer, ou par les sueurs ou par d'autres voies. Dès que j'eus grimpé cette montagne [788], nous jouîmes d'une des plus belles vues du monde, en considérant cette grande plaine, la mer, les îles, Livourne et Pise.

Après l'avoir descendue nous reprîmes la plaine sur laquelle est située

LUCQUES, dix milles. Ce matin je rendis une autre pierre beaucoup plus grosse, et qui paroissoit évidemment avoir été détachée d'un autre corps apparemment plus considérable : Dieu le sait, sa volonté soit faite. Nous étions à l'auberge à Lucques sur le même pied qu'à Pise, savoir chaque jour à quatre jules par maître et trois jules par valet.

Le 28, comme forcé par les offres les plus polies de M. Louis Pinitesi, je pris dans sa maison un appartement bas, fort frais, très décent, et composé de cinq chambres avec une salle et une cuisine. J'y avois tous les meubles nécessaires et fort propres, fort honnêtes à la manière italienne, qui dans beaucoup de choses non-seulement égale la manière françoise, mais l'emporte encore sur elle. Il faut convenir que c'est un grand ornement dans les bâtimens d'Italie que ces voûtes hautes, larges et belles, qui donnent à l'entrée des maisons de la noblesse et de l'agrément, parce que tout le bas est construit de la même manière avec des portes hautes et larges. Les gentilshommes de Lucques mangent dans l'été sous ces espèces de porches à la vue de tous ceux qui passent par les rues.

A dire vrai, j'ai toujours été non-seulement bien, mais même agréablement logé dans tous les lieux où je me suis arrêté en Italie, excepté à Florence (où je ne sortis pas de l'auberge, malgré les incommodités qu'on y souffre, surtout quand il fait chaud) et à Venise, où nous étions logés dans une maison trop publique et assez malpropre, parce que nous ne devions pas y rester longtemps. Ma chambre ici (à Lucques) étoit écartée; rien ne manquoit; je n'avois aucun embarras, nulle sorte d'incommodité. Les politesses même sont fatigantes et parfois ennuyeuses, mais j'étois rarement visité par les habitans. Je dormois, j'étudiois quand je voulois; et lorsque la fantaisie me prenoit de sortir, je trouvois partout compagnie de femmes et d'hommes avec qui je pouvois converser et me distraire pendant quelques heures du jour; puis les boutiques, les églises, les places et le changement de lieu, tout cela me fournissoit assez de moyens de satisfaire ma curiosité.

Parmi ces dissipations, mon esprit étoit aussi tranquille que le comportoient mes infirmités et les approches de la vieillesse [789], et très peu d'occasions se présentoient de dehors pour le troubler. Je sentois seulement un peu le défaut de compaignie telle que je l'aurois désirée, étant forcé de jouir seul et sans communication des plaisirs que je goûtois.

Les Lucquois jouent supérieurement au ballon et l'on en voit souvent de belles parties. Il n'est pas d'usage, ou c'est une chose assez rare parmi eux, que les hommes aillent dans les rues à cheval, encore moins en voiture; les dames y vont sur des mules, accompagnées d'un laquais à pied. Les étrangers ont beaucoup de peine à trouver des maisons à louer; car il en vient très peu, et la ville est d'ailleurs fort peuplée. On me demanda 70 écus de loyer par mois d'un logement ordinaire avec quatre chambres meublées, salle et cuisine. On ne sauroit jouir de la compagnie des Lucquois [a], parce que, jusqu'aux enfans, ils sont continuellement occupés de leurs affaires et de la fabrication des étoffes dont ils font commerce. Ainsi c'est un séjour un peu ennuyeux et désagréable pour les étrangers.

Le 10 août nous sortîmes de la ville pour nous aller promener avec plusieurs gentilshommes de Lucques qui m'avoient prêté des chevaux. Je vis des maisons de plaisance fort jolies aux environs de la ville, a trois ou quatre milles de distance, avec des portiques et des galeries qui les rendent fort gaies. Il y a entre autres une grande galerie toute voûtée en dedans, couverte de ceps et de branches de vignes qui sont plantés à l'entour et appuyés sur quelques soutiens. La treille est vive et naturelle.

a. L'italien porte par inadvertance : *Pisani.*

Mon mal de tête me laissoit quelquefois tranquille pendant cinq ou six jours et plus, mais je ne pouvois la remettre parfaitement.

Il me vint en fantaisie d'étudier la langue toscane et de l'apprendre par principes; j'y mettois assez de temps et de soins, mais j'y faisois peu de progrès.

On éprouva dans cette saison une chaleur beaucoup plus vive qu'on n'en sentoit communément.

Le 12 j'allai voir hors de Lucques la maison de campagne de M. Benoît Buonvisi, que je trouvai d'une beauté médiocre. J'y vis entre autres la forme de certains bosquets qu'ils font sur des lieux élevés. Dans un espace d'environ cinquante pas, ils plantent divers arbres de l'espèce de ceux qui restent verts toute l'année. Ils entourent ce lieu de petits fossés et pratiquent au dedans de petites allées couvertes. Au milieu du bosquet est un endroit pour le chasseur qui dans certains temps de l'année, comme vers le mois de novembre, muni d'un sifflet d'argent et de quelques grives prises exprès pour cet usage et bien attachées, après avoir disposé de tous côtés plusieurs appeaux avec de la glu, peut prendre dans une matinée deux cents grives. Cela ne se fait que dans un certain canton près de la ville.

Le dimanche 13 je partis de Lucques, après avoir donné ordre qu'on offrît à M. Louis Pinitesi quinze écus pour l'appartement qu'il m'avoit cédé dans sa maison (ce qui revenoit à un écu par jour); et il en fut très content.

Nous allâmes voir ce jour-là plusieurs maisons de campagne appartenant à des gentilshommes de Lucques; elles sont jolies, agréables, enfin elles ont leurs beautés. L'eau y est abondante, mais artificielle, c'est-à-dire ni naturelle, ni vive ou continuelle.

Il est étonnant de voir si peu de fontaines dans un pays si montueux.

Les eaux dont ils se servent, ils les tirent des ruisseaux; et pour l'ornement ils les érigent en fontaines avec des vases, des grottes et autres travaux à cet usage. Nous vînmes le soir souper à une maison de campagne de M. Louis, avec M. Horace son fils, qui nous accompagnoit toujours. Il nous reçut fort bien et nous donna un très bon souper sous une grande galerie fort fraîche et ouverte de tous côtés. Il nous fit ensuite coucher séparément dans de bonnes chambres, où nous eûmes des draps de lin très blancs et d'une grande propreté, tels que nous en avions eus à Lucques dans la maison de son père.

Lundi, de bonne heure, nous partîmes de là, et chemin faisant, sans descendre de cheval, nous nous arrêtâmes à la maison de campagne de l'évêque qui y étoit. Nous fûmes très bien reçus par ses gens et même invités à y dîner; mais nous allâmes dîner aux

Bains della Villa, 15 milles. J'y reçus de tout le monde le meilleur accueil et des caresses infinies. Il sembloit en vérité que je fusse de retour chez moi. Je logeai encore dans la même chambre que j'avois louée ci-devant vingt écus par moi au même prix et mêmes conditions.

Le mardi 15 août, j'allai de bon matin me baigner; je restai un peu moins d'une heure dans le bain, et je le retrouvai plus froid que chaud. Il ne me provoqua point de sueur. J'arrivai à ces bains non-seulement en bonne santé, mais je puis dire encore fort allègre de toute façon. Après m'être baigné, je rendis des urines troubles; le soir, ayant marché quelque temps par des chemins montueux et difficiles, elles furent tout-à-fait sanguinolentes, et quand je fus couché, je sentis je ne sais quel embarras dans les reins.

Le 16 je continuai le bain, et pour être seul à l'écart je choisis celui des femmes, où je n'avois pas encore été. Il me parut trop chaud, soit qu'il le fût réellement, soit qu'ayant déjà les pores de la peau ouverts par le bain que j'avois pris la veille, je fusse plus prompt à m'échauffer; cependant, j'y restai plus d'une heure. Je suai médiocrement; les urines étoient naturelles, point de sable. Après dîner, les urines revinrent encore troubles et rousses, et vers le coucher du soleil elles étoient sanguinolentes.

Le 17 je trouvai le même bain plus tempéré. Je suai très peu; les urines étoient un peu troubles avec un peu de sable; j'avois le teint d'un jaune pâle.

Le 18 je restai deux heures encore au même bain. Je sentis aux reins je ne sais quelle pesanteur; mon ventre étoit aussi libre qu'il le falloit. Dès le premier jour j'avois éprouvé beaucoup de vents et de borborigmes; ce que je crois sans peine être un effet particulier de ces eaux, parce que la première fois que je pris les bains, je m'aperçus sensiblement que les mêmes vents étoient produits de cette manière.

Le 19 j'allai au bain un peu plus tard pour donner le

temps à une dame de Lucques de se baigner avant moi, parce que c'est une règle assez raisonnable observée ici que les femmes jouissent à leur aise de leur bain; aussi j'y restai deux heures.

Ma tête pendant plusieurs jours s'étoit maintenue en très bon état; il lui survint un peu de pesanteur. Mes urines étoient toujours troubles, mais en diverses façons, et elles charrioient beaucoup de sable. Je m'apercevois aussi de je ne sais quels mouvemens aux reins; et si je pense juste en ceci, c'est une des principales propriétés de ces bains. Non-seulement ils dilatent et ouvrent les passages et les conduits, mais encore ils poussent la matière, la dissipent et la font disparoître. Je jetois du sable qui paroissoit n'être autre chose que des pierres brisées récemment désunies.

La nuit je sentis au côté gauche un commencement de colique assez fort et même poignant, qui me tourmenta pendant un bon espace de temps, et ne fit pas néanmoins les progrès ordinaires; car le mal ne s'étendit point jusqu'au bas-ventre, et il finit de façon à me faire croire que c'étoient des vents.

Le 20, je fus deux heures au bain. Les vents me causèrent pendant tout le jour de grandes incommodités au bas-ventre. Je rendois toujours des urines troubles, rousses, épaisses, avec un peu de sable. La tête me faisoit mal, et j'allois du ventre plus que de coutume.

On n'observe pas ici les fêtes avec la même religion que nous, ni même le dimanche; on voit les femmes faire la plus grande partie de leur travail après dîner.

Le 21, je continuai mon bain, après lequel j'avois les reins fort douloureux : mes urines étoient abondantes et troubles, et je rendois toujours un peu de sable. Je jugeois que les vents étoient la cause des douleurs que j'éprouvois alors dans les reins parce qu'ils se faisoient sentir de tous côtés. Ces urines si troubles me faisoient pressentir la descente de quelque grosse pierre : je ne devinai que trop bien. Après avoir le matin écrit cette partie de mon journal, aussitôt que j'eus diné, je sentis de vives douleurs de colique; et pour me tenir plus alerte il s'y joignit, à la joue gauche, un mal de dents très aigu, que je n'avois point encore éprouvé. Ne pouvant supporter tant de malaise, deux ou trois heures après je me mis au lit, ce qui fit bientôt cesser la douleur de ma joue.

Cependant, comme la colique continuoit de me déchirer, et qu'aux mouvements flatueux qui tantôt d'un côté, tantôt d'un autre, occupoient successivement diverses parties de mon corps, je sentois enfin que c'étoient plutôt des vents que des pierres, je fus forcé de demander un lavement. Il me fut donné sur le soir, très bien préparé avec de l'huile, de la camomille et de l'anis, le tout ordonné seulement par l'apothicaire. Le capitaine Paulino me l'administra lui-même avec beaucoup d'adresse; car quand il sentoit que les vents repoussoient, il s'arrêtoit et retiroit la seringue à lui; puis il reprenoit doucement et continuoit de façon que je pris le remede tout entier sans aucun dégoût. Il n'eut pas besoin de me recommander de le garder tant que je le pourrois, puisque je ne fus pressé par aucune envie. Je le gardai donc jusqu'à trois heures, et ensuite je m'avisai de moi-même de le rendre. Etant hors du lit je pris avec beaucoup de peine un peu de massepain et quatre gouttes de vin. Sur cela, je me remis au lit, et après un léger sommeil il me prit l'envie d'aller à la selle; j'y fus quatre fois jusques au jour, y ayant toujours quelque partie du lavement qui n'étoit pas rendue.

Le lendemain matin, je me trouvai fort soulagé, parce qu'il m'avoit fait sortir beaucoup de vents. J'étois fort fatigué, mais sans aucune douleur. Je mangeai un peu à dîner, sans nul appétit; je bus aussi sans goût, quoique je me sentisse altéré. Après dîner, la douleur me reprit encore une fois à la joue gauche, et me fit beaucoup souffrir, depuis le dîner jusqu'au souper. Comme j'étois bien convaincu que mes vents ne venoient que du bain, je l'abandonnai, et je dormis bien toute la nuit.

Le jour suivant, à mon réveil, je me trouvai las et chagrin, la bouche sèche avec des aigreurs et un mauvais goût, l'haleine comme si j'avois eu la fièvre. Je ne sentois aucun mal, mais je continuois de rendre des urines extraordinaires et fort troubles.

Enfin, le 24 au matin, je poussai une pierre qui s'arrêta au passage. Je restai depuis ce moment jusqu'à dîner sans uriner, quoique j'en eusse grande envie. Alors je rendis ma pierre non sans douleur ni effusion de sang avant et après l'éjection. Elle étoit de la grandeur et longueur d'une petite pomme ou noix de pin, mais grosse d'un côté comme une fève, et elle avoit exactement la forme du membre masculin. Ce fut un grand bonheur pour moi d'avoir pu la faire sortir. Je n'en ai jamais rendu de comparable en grosseur à celle-ci; je n'avois que trop bien jugé, par la qualité de mes urines, ce qui en devoit arriver. Je verrai qu'elles en seront les suites.

Il y auroit trop de faiblesse et de lâcheté de ma part, si, certain de me retrouver toujours dans le cas de périr de cette manière, et la mort s'approchant d'ailleurs à tous les instans, je ne faisois pas mes efforts avant d'en être là, pour pouvoir la supporter sans peine quand le moment sera venu. Car enfin la raison nous recommande de recevoir joyeusement le bien qu'il plaît à Dieu de nous envoyer [790]. Or, le seul remède, la seule règle et l'unique science, pour éviter tous les maux qui assiègent l'homme de toutes parts et à toute heure, quels qu'ils soient, c'est de se résoudre à les souffrir humainement, ou à les terminer courageusement et promptement.

Le 25 août, l'urine reprit sa couleur, et je me retrouvai dans le même état qu'auparavant. Outre cela je souffrois souvent tant le jour que la nuit de la joue gauche; mais cette douleur étoit passagère et je me rappelois qu'elle m'avoit autrefois causé chez moi beaucoup d'incommodité.

Le 26 au matin je fus deux heures au bain.

Le 27 après dîner, je fus cruellement tourmenté d'un mal de dents très vif, tellement que j'envoyai chercher le médecin. Le docteur ayant tout examiné, vu principalement que la douleur s'était apaisée en sa présence, jugea que cette espèce de fluxion n'avoit pas de corps ou n'en avoit que fort peu; mais que c'étoient des vents mêlés de quelque humeur qui montoient de l'estomac à la tête et me causoient ce malaise; ce qui me paroissoit d'autant plus vraisemblable, que j'avois éprouvé de pareilles douleurs entre d'autres parties de mon corps.

Le lundi 28 août, j'allai de bon matin boire des eaux de la fontaine de Barnabé, et j'en bus sept livres quatre onces, à douze onces la livre. Elles me procurèrent une selle, et j'en rendis un peu moins de la moitié avant dîner. J'éprouvois sensiblement que cette eau me faisoit monter à la tête des vapeurs qui l'appesantissoient.

Le mardi 29, je bus de la fontaine ordinaire neuf verres, contenant chacun une livre moins une once, et la tête aussitôt me fit mal. Il est vrai, pour dire ce qui en est, que d'elle-même elle étoit en mauvais état, et qu'elle n'avoit jamais été bien libre depuis le premier bain, quoique sa pesanteur se fît sentir plus rarement et différemment, mes yeux, un mois auparavant, ne s'étant point affoiblis et n'ayant point éprouvé d'éblouissement. Je souffrois par derrière, mais jamais je n'avois mal à la tête que la douleur ne s'étendît à la joue gauche qu'elle embrassoit toute entière, jusqu'aux dents même les plus basses, enfin à l'oreille et à une partie du nez. La douleur passoit vite, mais d'ordinaire elle étoit aiguë, et elle me reprenoit souvent le jour et la nuit. Tel étoit alors l'état de ma tête.

Je crois que les fumées de cette eau, soit en buvant, soit en se baignant (quoique plus d'une façon que de l'autre) sont fort nuisibles à la tête, et l'on peut dire avec assurance encore plus à l'estomac. C'est pourquoi l'on est ici dans l'usage de prendre quelques médecines pour prévenir cet inconvénient.

Je rendis dans le cours de la journée jusqu'à la suivante, à une livre près, toute l'eau que j'avois bue, en comptant celle que je buvois à table, mais qui étoit bien peu de chose, puisqu'elle n'alloit pas à une livre par jour. Dans l'après-dînée, vers le coucher du soleil, j'allai au bain; j'y restai trois quarts d'heure, et le mercredi je suai un peu.

Le 30 août, je bus deux verres, à neuf onces le verre : ce qui fit dix-huit onces, et j'en rendis la moitié avant dîner.

Le jeudi je m'abstins de boire, et j'allai le matin à cheval voir Controne, village fort peuplé sur ces montagnes. Il y avoit plusieurs plaines belles et fertiles, et des pâturages sur la cime. Ce village a plusieurs petites campagnes, et des maisons commodes bâties de pierre en plateaux. Je fis un grand circuit autour de ces montagnes avant de retourner au logis.

Je n'étois pas content de la façon dont j'avois rendu les dernières eaux que j'avois prises, c'est pourquoi il me vint dans l'idée de renoncer à en boire. Ce qui me déplaisoit en cela, c'est que je ne trouvois pas mon compte les jours de boisson, en comparant ce que j'urinois avec ce que je buvois. Il falloit, la dernière fois que je bus, qu'il fût encore resté dans mon corps plus de trois verres de l'eau du bain, outre qu'il m'étoit survenu un resserrement que je pouvois regarder comme une vraie constipation, par rapport à mon état ordinaire.

Le vendredi, premier septembre 1581, je me baignai une heure le matin; il me prit dans le bain un peu de sueur, et je rendis en urinant une grande quantité de sable rouge. Lorsque je buvois, je n'en rendois pas ou bien peu. J'avois la tête à l'ordinaire, c'est-à-dire en mauvais état. Je commençois à me trouver incommodé de ces bains; en sorte que, si j'eusse reçu de France les nouvelles que j'attendois depuis quatre mois sans en recevoir, je fusse parti sur-le-champ, et j'aurois préféré d'aller finir la cure de l'automne à quelques autres bains que ce fût.

En tournant mes pas du côté de Rome, je trouvois à peu de distance de la grande route les bains de Bagno-acqua [791], de Sienne et de Viterbe; du côté de Venise ceux de Bologne [792] et de Padoue.

A Pise, je fis blasonner et dorer mes armes, avec de belles et vives couleurs, le tout pour un écu et demi de France; ensuite, comme elles étoient peintes sur toile, je les fis encadrer au bain; et je fis clouer, avec beaucoup de soin, le tableau au mur de la chambre que j'occupois, sous cette condition, qu'elles devoient être censées données à la chambre, non au capitaine Paulino, quoiqu'il fût le maître du iogis, et attachées à cette chambre, quelque chose qui pût arriver dans la suite. Le capitaine me le promit et en fit serment.

Le dimanche 3, j'allai au bain, et j'y restai un peu plus d'une heure. Je sentis beaucoup de vents, mais sans douleurs.

La nuit et le matin du lundi 4, je fus cruellement tourmenté de la douleur des dents; je soupçonnai dès lors qu'elle provenoit de quelque dent gâtée. Je mâchois le matin du mastic sans éprouver aucun soulagement. L'altération que me causoit cette douleur aiguë faisoit encore que j'étois constipé, et c'étoit pour cela que je n'osois me remettre à boire des eaux; ainsi je faisois très peu de remèdes. Cette douleur, vers le temps du dîner, et trois ou quatre heures après, me laissa tranquille; mais sur les vingt heures, elle me reprit avec tant de violence, et aux deux joues, que je ne pouvois me tenir sur mes pieds. La force du mal me donnoit des envies de vomir. Tantôt j'étois tout en sueur, et tantôt je frissonnois. Comme je sentois du mal partout, cela me fit croire que la douleur ne provenoit pas d'une dent gâtée. Car quoique le fort du mal fût au côté gauche, il étoit quelquefois encore très violent aux deux tempes et au menton, et s'étendoit jusqu'aux épaules, au gosier, même de tous côtés : en sorte que je passai la plus cruelle nuit que je me souvienne d'avoir passé de ma vie : c'étoit une vraie rage et une fureur.

J'envoyai chercher la nuit même un apothicaire qui me donna de l'eau-de-vie pour la tenir du côté où je souffrois le plus, ce qui me soulagea beaucoup. Dès l'instant que je l'eus dans la bouche, toute la douleur cessa; mais aussitôt que l'eau-de-vie étoit imbibée, le mal reprenoit. Ainsi j'avois continuellement le verre à la bouche; mais je ne pouvois y garder la liqueur, parce qu'aussitôt que j'étois tranquille la lassitude me provoquoit au sommeil, et en dormant il m'en tomboit toujours dans le gosier quelques gouttes qui m'obligeoient de la rejeter sur-le-champ. La douleur me quitta vers la pointe du jour.

Le mardi matin tous les gentilshommes qui étoient au bain vinrent me voir dans mon lit. Je me fis appliquer à la tempe gauche, sur le pouls même, un petit emplâtre de mastic, et ce jour-là je souffris peu. La nuit on me mit des étoupes chaudes sur la joue et au côté gauche de la tête. Je dormis sans douleur, mais d'un sommeil agité.

Le mercredi j'avois encore quelque ressentiment de mal, tant aux dents qu'à l'œil gauche; je dormis sans douleur, mais d'un sommeil agité. En urinant je rendois du sable, mais non pas en aussi grande quantité que la première fois que je fus ici, et quelquefois il ressembloit à de petits grains de millet roussâtre.

Le jeudi matin, 7 de septembre, je fus pendant une heure au grand bain.

Dans la même matinée on m'apporta par la voie de Rome des lettres de M. Tausin, écrites de Bordeaux le 2 août, par lesquelles il m'apprenoit que le jour précédent j'avois été élu d'un consentement unanime maire de Bordeaux, et il m'invitoit à accepter cet emploi pour l'amour de ma patrie [793].

Le dimanche, 10 septembre, je me baignai le matin pendant une heure au bain des femmes, et comme il étoit un peu chaud j'y suai un peu.

Après dîner j'allai tout seul à cheval voir quelques autres endroits du voisinage, et particulièrement une petite campagne qu'on nomme Gragnaiola [794], située au sommet d'une des plus hautes montagnes du canton. En passant sur la cime des monts je découvrois les plus riches, les plus fertiles et les plus agréables collines que l'on puisse voir.

Comme je m'entretenois avec quelques gens du lieu, je demandai à un vieillard fort âgé s'ils usoient de nos bains; il me répondit qu'il leur arrivoit la même chose qu'à ceux qui, pour être trop voisins de Notre-Dame de Lorette, y vont rarement en pèlerinage; qu'on ne voyoit donc guère opérer les bains qu'en faveur des étrangers et de personnes qui venoient de loin [795]. Il ajouta qu'il s'apercevoit avec chagrin depuis quelques années que ces bains étoient plus nuisibles que salutaires à ceux qui les prenoient; ce qui provenoit de ce qu'autrefois il n'y avoit pas dans le pays un seul apothicaire, et qu'on y voyoit rarement même des médecins, au lieu qu'à présent c'est tout le contraire. Ces gens-là, plus pour leur profit que pour le bien des malades, ont répandu cette opinion : que les bains ne faisoient aucun effet à ceux qui non seulement ne prenoient pas quelques médecines avant et après l'usage des eaux, mais même n'avoient pas grand soin de se médicamenter en les prenant; en sorte qu'ils (les médecins) ne consentoient pas aisément qu'on les prît pures et sans ce mélange; aussi l'effet le plus évident qui s'ensuivoit, selon lui, c'est qu'à ces bains il mouroit plus de monde qu'il n'en guérissoit; d'où il tenoit pour assuré qu'ils ne tarderoient pas à tomber dans le plus grand discrédit et à être totalement méprisés.

Le lundi 11 septembre je rendis le matin beaucoup de sable, presque tout en forme de grains de millet ronds, fermes, rouges à la surface et gris dedans.

Le 12 septembre 1581 nous partîmes des bains della Villa le matin de bonne heure et nous allâmes dîner à

LUCQUES, quatorze milles; on commençoit à y vendanger. La fête de Sainte-Croix est une des principales fêtes de la ville; on donne alors pendant huit jours à ceux qui sont absens pour dettes la liberté de venir chez eux vacquer librement à cette dévotion.

Je n'ai point trouvé en Italie un seul bon barbier pour me raser et me faire les cheveux.

Le mercredi au soir nous allâmes entendre vêpres au Dôme [796], où il y avoit un concours de toute la ville et des processions. Le Volto Santo [a] étoit découvert. Cette image [797] est en grande vénération parmi les Lucquois, parce qu'elle est très ancienne et illustrée par quantité de miracles; c'est exprès pour elle que le dôme a été bâti, et même la petite chapelle [798] où est gardée cette relique est au milieu de cette grande église, mais assez mal placée et contre toutes les règles de l'architecture. Quand les vêpres furent dites, toute la pompe passa dans une autre église qui étoit autrefois le dôme.

Le jeudi j'entendis la messe dans le chœur du dôme où étoient tous les officiers de la Seigneurie. A Lucques on aime beaucoup la musique; on y voit peu d'hommes et de femmes qui ne la sachent point, et communément ils chantent tous; cependant ils ont très peu de bonnes voix. On chanta cette messe à force de poumons et ce ne fut pas grand'chose. Ils avoient construit exprès un grand autel fort haut, en bois et papier, couvert d'images, de grands chandeliers et de beaucoup de vases d'argent rangés comme un buffet, c'est-à-dire un bassin au milieu et quatre plats autour. L'autel étoit garni de cette manière depuis le pied jusqu'au haut, ce qui faisoit un assez bel effet.

Toutes les fois que l'évêque dit la messe, comme il fit ce jour-là, à l'instant qu'il entonne le *Gloria in excelsis*, on met le feu à un tas d'étoupes, que l'on attache à une grille de fer suspendue pour cet usage au milieu de l'église.

La saison dans ce pays-là étoit déjà fort refroidie et humide.

Le vendredi 15 septembre, il me survint comme un flux d'urine, c'est-à-dire j'urinois presque deux fois plus que je n'avois pris de boisson; s'il m'étoit resté dans le corps quelque partie de l'eau du bain, je crois qu'elle sortit.

Le samedi matin je rendis sans aucune peine une petite pierre rude au toucher; je l'avois un peu sentie pendant la nuit au bas du ventre.

Le dimanche 18 [b] septembre, se fit le changement des gonfaloniers [c] de la ville; j'allai voir cette cérémonie au palais. On travaille ici presque sans égard pour le dimanche, et il y a beaucoup de boutiques ouvertes.

a. « La Sainte-Face. » C'est un crucifix de bois de cèdre, très ancien. (*Voyages* de M. de Lalande, t. II, p. 542). — *b.* Non pas 18, mais 17. — *c.* Non pas *des gonfaloniers*, mais *du gonfalonier*.

Le mercredi, 20 septembre, après-dîner, je partis de Lucques après avoir fait emballer dans deux caisses plusieurs choses pour les envoyer en France.

Nous suivîmes un chemin uni, mais par un pays stérile comme les Landes de Gascogne. Nous passâmes sur un pont bâti par le duc Cosme [799], un grand ruisseau [800] où sont les moulins de fer [801] du grand-duc, avec un beau bâtiment. Il y a encore trois pêcheries ou lieux séparés en forme d'étangs qui sont renfermés et dont le fond est pavé de briques, où l'on entretient une grande quantité d'anguilles que l'on voit aisément par le peu d'eau qui s'y trouve.

Nous passâmes l'Arno à Fusecchio et nous arrivâmes le soir à

LA SCALA, vingt milles. J'en partis au point du jour. Je passai par un beau chemin ressemblant à une plaine. Le pays est entrecoupé de petites montagnes très fertiles, comme celles de France.

Nous traversâmes Castel Fiorentino, petit bourg enfermé de murailles, et ensuite à pied tout près de là, Certaldo, beau château situé sur une colline, patrie de Boccace.

De là nous allâmes dîner à

POGGIBONSI, dix-huit milles, petite terre, d'où nous nous rendîmes à souper à

SIENNE, douze milles. Je trouvai que le froid dans cette saison était plus sensible en Italie qu'en France.

La place de Sienne est la plus belle qu'on voie dans aucune ville d'Italie. On y dit tous les jours la messe en public à un autel [802], vers lequel les maisons et les boutiques sont tournées de façon que le peuple et les artisans peuvent l'entendre sans quitter leur travail ni sortir de leur place. Au moment de l'élévation on sonne une trompette pour avertir le public.

Dimanche, 23 septembre, après-dîner, nous partîmes de Sienne, et après avoir marché par un chemin aisé, quoique inégal, parce que le pays est semé de collines fertiles et de montagnes qui ne sont point escarpées, nous arrivâmes à

SAN-CHIRICO, petit château à vingt milles. Nous logeâmes hors des murs. Le cheval qui portoit nos bagages étant tombé dans un petit ruisseau que nous passâmes à gué, toutes mes hardes, et surtout mes livres furent gâtés; il fallut du temps pour les sécher. Nous laissâmes sur les collines, à main gauche, Monte-Pulciano, Monte-Cello et Castiglioncello.

Le lundi, de bonne heure, j'allai voir un bain éloigné de deux milles et nommé Vignone, du nom d'un petit château qui est tout près. Le bain est situé dans un endroit un peu haut, au pied duquel passe la rivière d'Urcia. Il y a dans ce lieu environ une douzaine de petites maisons peu commodes et désagréables qui l'entourent, et le tout paroît fort chétif. Là est un grand étang entouré de murailles et de degrés d'où l'on voit bouillonner, au milieu de plusieurs jets, de cette eau chaude, qui n'a pas la moindre odeur de soufre, élève peu de fumée, laisse un sédiment roussâtre et paroît être plus ferrugineuse que d'aucune autre qualité; mais on n'en boit pas. La longueur de cet étang est de 60 pas et sa largeur de 25. Il y a tout autour quatre ou cinq endroits séparés et couverts où l'on se baigne ordinairement; ce bain est tenu assez proprement.

On ne boit point de ses eaux, mais bien de celles de Saint-Cassien, qui ont plus de réputation; elles sont près de San-Chirico, à dix-huit milles du côté de Rome, à la gauche de la grande route.

En considérant la délicatesse de ces vases de terre qui semblent de la porcelaine, tant ils sont blancs et propres, je les trouvois à si bon marché qu'ils me paroissent véritablement d'un usage plus agréable pour le service de table que l'étain de France [803], et surtout celui qu'on sert dans les auberges, qui est fort sale.

Tout ces jours-ci, le mal de tête, dont je croyois être entièrement délivré, s'étoit fait un peu sentir. J'éprouvois comme auparavant aux yeux, au front, à toutes les parties antérieures de la tête, une certaine pesanteur, un affoiblissement et un trouble qui m'inquiétoient. Le mardi nous vinmes dîner à

La Paglia, treize milles, et coucher à

San-Lorenzo : chétives auberges. On commence à vendanger dans ce pays-là.

Le mercredi matin il survint une dispute entre nos gens et les voiturins de Sienne, qui, voyant que le voyage étoit plus long que de coutume, fâchés d'être obligés de payer la dépense des chevaux, ne vouloient pas payer celle de cette soirée. La dispute s'échauffa au point que je fus obligé d'aller parler au maire qui me donna gain de cause après m'avoir entendu, et fit mettre en prison les voiturins. J'alléguois que la cause du retard venoit de la chute du cheval de bagage qui, tombant dans l'eau, avoit gâté la plus grande partie de mes hardes.

Près du grand chemin, à quelque pas de distance à main droite, environ à six milles de Monte-Fiascone, est un bain [804] situé dans une très grande plaine. Ce bain, à trois ou quatre milles de la montagne la plus voisine, forme un petit lac [805], à l'un des bouts duquel on voit une très grosse source jeter une eau qui bouillonne avec force et est presque brûlante. Cette eau sent beaucoup le soufre; elle jette une écume et des fèces [a] blanches. A l'un des deux côtés de cette source est un conduit qui amène l'eau à deux bains situés dans une maison voisine. Cette maison, qui est isolée, a plusieurs petites chambres assez mauvaises, et je ne crois pas qu'elle soit fort fréquentée. On boit de cette eau pendant sept jours dix livres chaque fois; mais il faut la laisser refroidir pour en diminuer la chaleur, comme on fait au bain de Preissac [806], et l'on s'y baigne tout autant. Cette maison, ainsi que le bain, est du domaine d'une certaine église [807]; elle est affermée cinquante écus; mais, outre le profit des malades qui s'y rendent au printemps, celui qui tient cette maison à loyer vend une certaine boue qu'on tire du lac et dont usent les bons chrétiens, en la délayant avec de l'huile pour la guérison de la gale, et pour celle des brebis et des chiens, en la délayant avec de l'eau. Cette boue en nature et brute se vend douze jules [808], et en boule sèche sept quatrins [809]. Nous y trouvâmes beaucoup de chiens du cardinal Farnèse [810] qu'on y avoit menés pour les faire baigner. Environ à trois milles de là nous arrivâmes à

VITERBE, seize milles. Le jour étoit si avancé qu'il fallut faire un seul repas du dîner et du souper. J'étois fort enroué, et je sentois du froid. J'avois dormi tout habillé sur une table à San-Lorenzo, à cause des punaises, ce qui ne m'étoit encore arrivé qu'à Florence et dans cet endroit. Je mangeai ici d'une espèce de glands qu'on nomme *gensole* [811] : l'Italie en produit beaucoup, et ils ne sont pas

a. Dépôts.

mauvais. Il y a encore tant d'étourneaux que vous en avez un pour deux liards.

Le jeudi 26 septembre au matin j'allai voir quelques autres bains de ce pays situés dans la plaine, et assez éloignés de la montagne. On voit d'abord en deux différens endroits des bâtimens où étoient, il n'y a pas longtemps, des bains [812] qu'on a laissé perdre par négligence; le terrain toutefois exhale une mauvaise odeur. Il y a de plus une maisonnette dans laquelle est une petite source d'eau chaude [813] qui forme un petit lac, pour se baigner. Cette eau n'a point d'odeur, mais un goût insipide; elle est médiocrement chaude. Je jugeai qu'il y avoit beaucoup de fer; mais on n'en boit pas. Plus loin est encore un édifice qu'on appelle le palais du pape, parce qu'on prétend qu'il a été bâti ou réparé par le pape Nicolas [814]. Au bas de ce palais et dans un terrain fort enfoncé, il y a trois jets différens d'eau chaude, de l'un desquels on use en boisson. L'eau n'en est que d'une chaleur médiocre et tempérée : elle n'a point de mauvaise odeur; on y sent seulement au goût une petite pointe, où je crois que le nitre domine. J'y étois allé dans l'intention d'en boire pendant trois jours. On boit là tout comme ailleurs par rapport à la quantité, on se promène ensuite, et l'on se trouve bien de transpirer.

Ces eaux sont en grande réputation; elles sont transportées par charge dans toute l'Italie. Le médecin [815] qui a fait un *Traité général de tous les bains d'Italie* préfère les eaux de celui-ci, pour la boisson, à tous les autres. On leur attribue spécialement une grande vertu pour les maux de reins; on les boit ordinairement au mois de mai. Je ne tirai pas un bon augure de la lecture d'un écrit qu'on voit sur le mur, et qui contient les invectives d'un malade contre les médecins qui l'avoient envoyé à ces eaux, dont il se trouvoit beaucoup plus mal qu'auparavant. Je n'augurai pas bien non plus de ce que le maître du bain disoit que la saison étoit trop avancée, et me sollicitoit froidement à en boire.

Il n'y a qu'un logis, mais il est grand, commode et décent, éloigné de Viterbe d'un mille et demi; je m'y rendis à pied. Il renferme trois ou quatre bains qui produisent différens effets, et de plus un endroit pour la douche. Ces eaux forment une écume très blanche qui se fixe aisément, qui reste aussi ferme que la glace, et produit une croûte dure sur l'eau. Tout l'endroit est couvert et comme incrusté de cette écume blanche. Mettez-y un morceau de toile; dans le moment vous le voyez chargé de cette écume et ferme comme s'il étoit gelé. Cette écume sert à nettoyer les dents; elle se vend et se transporte hors du pays. En la mâchant, on ne sent qu'un goût de terre et de sable. On dit que c'est la matière *première* du marbre, qui pourroit bien se pétrifier aussi dans les reins. Cependant on assure qu'elle ne laisse aucun sédiment dans les flocons où elle se met, et qu'elle s'y conserve claire et très pure. Je crois qu'on en peut boire tant qu'on veut, et que la pointe qu'on y sent ne la rend qu'agréable à boire.

De là en m'en retournant je repassai dans cette plaine qui est très longue, et dont la largeur est de huit milles, pour voir l'endroit où les habitans de Viterbe (parmi lesquels il n'y a pas un seul gentilhomme, parce qu'ils sont tous laboureurs ou marchands) ramassent les lins et les chanvres qui font la matière de leurs fabriques auxquelles les hommes seuls travaillent, sans employer aucunes femmes. Il y avoit un grand nombre de ces ouvriers autour d'un certain lac [816] où l'eau, dans toute saison, est également chaude et bouillante. Ils disent que ce lac n'a point de fond, et ils en dérivent de l'eau pour former d'autres petits lacs tièdes, où ils mettent rouir le chanvre et le lin.

Au retour de ce petit voyage, que je fis à pied en allant et à cheval en revenant, je rendis à la maison une petite pierre rousse et dure, de la grosseur d'un gros grain de froment; je l'avois un peu sentie la veille descendre chez moi vers le bas-ventre, mais elle s'étoit arrêtée au passage. Pour faciliter la sortie de ces sortes de pierres, on fait bien d'arrêter le conduit de l'urine et de le comprimer quelques instants, ce qui lui donne ensuite un peu de ressort pour l'expulser. C'est une recette que m'apprit M. de Langon [817] à Arsac [818].

Le samedi, fête de Saint-Michel, après-dîner, j'allai voir *la madona del Quercio* [a] [819], à une demi-lieue de la ville. On y va par un grand chemin très beau, droit, égal, garni d'arbres d'un bout jusqu'à l'autre, enfin fait avec beaucoup de soin par les ordres du pape Farnese [820]. L'église

a. « La Madone du Chêne ».

est belle, remplie de monuments religieux, et d'un nombre infini de tableaux votifs. On lit dans une inscription latine, qu'il y a environ cent ans qu'un homme étant attaqué par des voleurs, et à demi-mort de frayeur, se réfugia sous un chêne où étoit cette image de la Vierge, et que lui ayant fait sa prière il devint miraculeusement invisible à ces voleurs, et fut ainsi délivré d'un péril évident. Ce miracle fit naître une dévotion particulière pour cette Vierge; on bâtit autour du chêne cette église qui est très belle. On y voit encore le tronc du chêne coupé par le pied, et la partie supérieure, sur laquelle est posée l'image, est appliquée au mur, et dépouillée des branches qu'on a coupées tout autour.

Le samedi, dernier septembre, je partis de bon matin de Viterbe, et je pris la route de

BAGNAIA. C'est un endroit appartenant au cardinal Gambara [821] qui est fort orné, et surtout si bien pourvu de fontaines, qu'en cette partie il paroît, non-seulement égaler, mais surpasser même Pratolino et Tivoli. Il y a d'abord une fontaine d'eau vive, ce que n'a pas Tivoli, et très abondante, ce qui n'est pas à Pratolino; de façon qu'elle suffit à une infinité de distributions sous différens dessins. Le même M. Thomas de Sienne, qui a conduit l'ouvrage de Tivoli, conduit encore celui-ci qui n'est pas achevé. Ainsi ajoutant toujours de nouvelles inventions aux anciennes, il a mis dans cette dernière construction beaucoup plus d'art, de beautés et d'agrément. Parmi les différentes pièces qui la décorent, on voit une pyramide fort élevée qui jette de l'eau de plusieurs manières différentes : celle-ci monte, celle-là descend. Autour de la pyramide sont quatre petits lacs, beaux, clairs, purs et remplis d'eau. Au milieu de chacun est une gondole de pierre, montée par deux arquebusiers, qui, après avoir pompé l'eau, la lancent avec leurs arbalètes contre la pyramide, et par une trompette qui tire aussi de l'eau. On se promène autour de ces lacs et de la pyramide par de très belles allées, où l'on trouve des appuis de pierre d'un fort beau travail. Il y a d'autres parties qui plurent encore davantage à quelques autres spectateurs. Le palais est petit, mais d'une structure agréable. Autant que je puis m'y connoître, cet endroit certainement l'emporte de beaucoup sur bien d'autres, par l'usage et l'emploi des eaux. Le cardinal n'y étoit pas; mais comme il est François dans le cœur, ses gens nous firent toutes les politesses et les amitiés qu'on peut désirer.

De-là, en suivant le droit chemin, nous passâmes à Caprarola, palais du cardinal Farnèse [822], dont on parle beaucoup en Italie. En effet, je n'en ai vu aucun dans ce beau pays qui lui soit comparable. Il est entouré d'un grand fossé, taillé dans le tuf; le haut du bâtiment est en forme de terrasse, de sorte qu'on n'en voit point la couverture. Sa figure est un peu pentagonale, et il paroit à la vue un grand carré parfait. Sa forme intérieure est exactement circulaire; il règne autour de larges corridors voûtés, et chargés partout de peintures. Toutes les chambres sont carrées. Le bâtiment est très grand [823], les salles fort belles, et entre autres il y a un salon admirable, dont le plafond (car tout l'édifice est voûté) représente un globe céleste avec toutes les figures dont on le compose. Sur le mur du salon tout autour est peint le globe terrestre, avec toutes ses régions, ce qui forme une cosmographie complète. Ces peintures, qui sont très riches, couvrent entièrement les murailles [824]. Ailleurs sont représentées en divers tableaux les actions du pape Paul III et de la maison Farnèse. Les personnes y sont peintes si au naturel que ceux qui les ont connues reconnoissent au premier coup d'œil, dans leurs portraits, notre connétable [825], la reine-mère [826], ses enfans, Charles IX, Henri III, le duc d'Alençon, la reine de Navarre et le roi François II, l'aîné de tous, ainsi que Henri II, Pierre Strozzi et autres. On voit dans une même salle aux deux bouts deux bustes, savoir d'un côté, et à l'endroit le plus honorable, celui du roi Henri II, avec une inscription au-dessous où il est nommé le conservateur de la maison Farnèse [827]; et à l'autre bout, celui du roi Philippe II, roi d'Espagne, dont l'inscription porte : « Pour les bienfaits en grand nombre reçus de lui. » Au dehors, il est aussi beaucoup de belles choses dignes d'être vues, et entre autres, une grotte d'où l'eau, s'élançant avec art dans un petit lac, représente à la vue et à l'ouïe la chute d'une pluie naturelle. Cette grotte est située dans un lieu désert et sauvage, et l'on est obligé de tirer l'eau de ses fontaines à une distance de huit milles, qui s'étend jusqu'à Viterbe.

De là, par un chemin égal et une grande plaine, nous parvînmes à des prairies fort étendues, au milieu desquelles en certains endroits secs et dépouillés d'herbes, on voit bouillonner des sources d'eau froide [828], assez pures, mais tellement imprégnées de soufre que de fort loin on en sent l'odeur.

Nous allâmes coucher à

MONTE-ROSSI, vingt-trois milles; et le dimanche 1er octobre à

ROME, vingt-deux milles. On éprouvoit alors un très grand froid et un vent glacial de nord. Le lundi et quelques jours après je sentis des crudités dans mon estomac, ce qui me fit prendre le parti de faire quelques repas tout seul, pour manger moins [829]. Cependant j'avois le ventre libre, j'étois assez dispos de toute ma personne, excepté de la tête, qui n'étoit point entièrement rétablie.

Le jour que j'arrivai à Rome, on me remit des lettres des jurats de Bordeaux qui m'écrivoient fort poliment au sujet de l'élection qu'ils avoient faite de moi pour maire de leur ville, et me prioient avec instance de me rendre auprès d'eux.

Le dimanche 8 octobre 1581, j'allai voir aux Termes de Dioclétien à Monte-Cavallo, un Italien qui, ayant été longtemps esclave en Turquie, y avoit appris mille choses très rares dans l'art du manège [830]. Cet homme, par exemple, courant à toute bride, se tenoit droit sur la selle, et lançoit avec force un dard, puis tout d'un coup il se mettoit en selle. Ensuite au milieu d'une course rapide, appuyé seulement d'une main à l'arçon de la selle, il descendoit de cheval touchant à terre du pied droit, et ayant le gauche dans l'étrier; et plusieurs fois on le voyoit ainsi descendre et remonter alternativement. Il faisoit plusieurs tours semblables sur la selle, en courant toujours. Il tiroit d'un arc à la turque devant et derrière, avec une grande dextérité. Quelquefois appuyant sa tête et une épaule sur le col du cheval, et se tenant sur ses pieds, il le laissoit courir à discrétion. Il jetoit en l'air une masse qu'il tenoit dans sa main et la rattrapoit à la course. Enfin, étant debout sur la selle et tenant de la main droite une lance, il donnoit dans un gant et l'enfiloit, comme quand on court la bague. Il faisoit encore à pied tourner autour de son col devant et derrière une pique qu'il avoit d'abord fortement poussée avec la main.

Le 10 octobre, après dîner, l'ambassadeur de France [831] m'envoya un estafier me dire de sa part que, si je voulois, il viendroit me prendre dans sa voiture pour aller ensemble voir les meubles du cardinal Orsino [832], que l'on vendoit parce qu'il étoit mort dans cet été même à Naples, et qu'il avoit fait héritière de ses grands biens une sienne nièce qui n'étoit encore qu'une enfant. Parmi les choses rares que j'y vis, il y avoit une couverture de lit en taffetas, fourrée de plumes de cygnes. On voit à Sienne beaucoup de ces peaux de cygnes conservées entières avec la plume et toutes préparées; on ne m'en demandoit qu'un écu et demi. Elles sont de la grandeur d'une peau de mouton, et une seule suffiroit pour en faire une pareille couverture. Je vis encore un œuf d'autruche ciselé tout autour et très bien peint; plus un petit coffre carré pour mettre des bijoux, et il y en avoit quelques-uns. Mais comme ce coffre étoit fort artistement rangé, et qu'il y avoit des gobelets de cristal, en l'ouvrant il paroissoit qu'il fût de tous côtés, tant pardessous que pardessus, beaucoup plus large et plus profond, et qu'il y eût dix fois plus de joyaux qu'il n'en renfermoit, une même chose se répétant plusieurs fois par la réflexion des cristaux qu'on n'apercevoit pas même aisément.

Le jeudi 12 octobre le cardinal de Sens [833] me mena seul en voiture avec lui, pour voir l'église de Saint-Jean et Saint-Paul; il en est titulaire et supérieur, ainsi que de ces religieux qui distillent les eaux de senteur dont nous avons parlé plus haut [834]. Cette église est située sur le mont Celius, situation qui semble avoir été choisie à dessein; car elle est toute voûtée en dessous, avec de grands corridors et des salles souterraines. On prétend que c'étoit là le Forum ou la place d'Hostilius [835]. Les jardins et les vignes de ces religieux sont en très belle vue; on découvre de là l'ancienne Rome. Le lieu par sa hauteur est escarpé, profond, isolé et presque inaccessible de toutes parts. Ce même jour j'expédiai une malle bien garnie pour être transportée à Milan. Les voiturins mettent ordinairement vingt jours pour s'y rendre. La malle pesoit en tout 150 livres, et on paie deux bajoques par livre ce qui revient à deux sols de France. J'avois dedans plusieurs choses de prix, surtout un magnifique chapelet d'*Agnus Dei*, le plus beau qu'il y eût à Rome. Il avoit été fait exprès pour l'ambassadeur de l'impératrice [836], et un de ses gentilshommes [a] l'avoit fait bénir par le pape.

Le dimanche 15 octobre, je partis de grand matin de Rome. J'y laissai mon frère en lui donnant 43 écus d'or, avec lesquels il comptoit y rester et s'exercer pendant cinq mois à faire des armes [837]. Avant mon départ de Rome, il avoit loué une jolie chambre pour 20 jules [838] par mois. MM. d'Estissac [839], de Montbaron [840], de Chase [841], Morens [842] et [b] plusieurs autres m'accompagnèrent jusqu'à la première poste. Si même je ne m'étois pas hâté, parce que je voulois éviter cette peine à ces gentilshommes, plusieurs d'entre eux étoient encore tout prêts à me suivre et avoient déjà loué des chevaux. Tels étoient MM. du Bellay [843], d'Ambres [844], d'Allègre [845] et autres.

Je vins coucher à

RONCIGLIONE, trente milles. J'avois loué les chevaux jusques à Lucques, chacun à raison de 20 jules [846], et le voiturier étoit chargé d'en payer la dépense.

Le lundi matin je fus étonné de sentir un froid si aigu qu'il me sembloit n'en avoir jamais souffert de pareil, et de voir que dans ce canton les vendanges et la récolte du vin n'étoient pas encore achevées.

Je vins dîner à

VITERBE où je pris mes fourrures et tous mes accoutremens d'hiver.

De là je vins dîner à

SAN-LORENZO, vingt-neuf milles, et de ce bourg j'allai coucher à

SAN-CHIRICO, trente-deux milles.

Tous ces chemins avoient été raccommodés cette année même par ordre du duc de Toscane, et c'est un ouvrage fort beau, tres utile pour le public. Dieu l'en récompense; car ces routes, auparavant très mauvaises, sont maintenant

a. L'italien porte : *con un Cavalliere*, « avec un cavalier ». On appelait « cavalier », dit Bartoli, une « espèce de petite couronne ou enfilade de pater noster et de quelques ave maria ». Meusnier de Querlon traduit à contresens, comme si le texte portait : *da un suo Cavalliere*. — *b*. VAR. : *di Monluc, baron di Chasa, Marivau et...* « de Monluc, baron de Chasai, Marivau et... ».

très commodes et fort dégagées, à peu près comme les rues d'une ville. Il étoit étonnant de voir le nombre prodigieux de personnes qui alloient à Rome. Les chevaux de voiture pour y aller étoient hors de prix; mais pour le retour, on les laisoit presque pour rien. Près de Sienne (et cela se voit en beaucoup d'autres endroits) il y a un pont double, c'est-à-dire un pont sur lequel passe le canal d'une autre rivière [847].

Nous arrivâmes le soir à

SIENNE, vingt milles. Je souffris cette nuit pendant deux heures de la colique, et je crus sentir la chute d'une pierre. Le jeudi de bonne heure, Guillaume Félix, médecin juif, vint me trouver; il discourut beaucoup sur le régime que je devois observer par rapport à mon mal de reins et au sable que je rendois. Je partis à l'instant de Sienne; la colique me reprit et me dura trois ou quatre heures. Au bout de ce temps, je m'aperçus, à la douleur violente que je sentois au bas-ventre et à toutes ses dépendances, que la pierre étoit tombée.

Je vins souper à

PONTE-ALCE [848], vingt-huit milles. Je rendis une pierre plus grosse qu'un grain de millet avec un peu de sable, mais sans douleur ni difficulté au passage.

J'en partis le vendredi matin, et en chemin je m'arrêtai à

ALTOPASCIO, seize milles. J'y restai une heure pour faire manger l'avoine aux chevaux. Je rendis encore là, sans beaucoup de peine et avec quantité de sable, une pierre longue, partie dure et partie molle, plus grosse qu'un gros grain de froment. Nous rencontrâmes en chemin plusieurs paysans, dont les uns cueilloient des feuilles de vignes qu'ils gardent pour en donner pendant l'hiver à leurs bestiaux; les autres ramassoient de la fougère pour leur laitage [a].

Nous vînmes coucher à

LUCQUES, huit milles. Je reçus encore la visite de plusieurs gentilshommes et de quelques artisans. Le samedi, 21 octobre au matin, je poussai dehors une autre pierre qui s'arrêta quelque temps dans le canal, mais qui sortit

a. L'italien porte *lattume* qui serait un barbarisme pour « laitage ». Peut-être faut-il lire *letame* (latin *lætamen*), « fumier ».

ensuite sans difficulté ni douleur. Celle-ci étoit à peu près ronde, dure, massive, rude, blanche en dedans, rousse en dessus, et beaucoup plus grosse qu'un grain; je faisois cependant toujours du sable. On voit par là que la nature se soulage souvent d'elle-même; car je sentois sortir tout cela comme un écoulement naturel. Dieu soit loué de ce que ces pierres sortent ainsi sans douleur bien vive et sans troubler mes actions.

Dès que j'eus mangé un raisin (car dans ce voyage je mangeois le matin très peu, même presque rien), je partis de Lucques sans attendre quelques gentilshommes qui se disposoient à m'accompagner. J'eus un fort beau chemin, souvent très uni. J'avois à ma droite de petites montagnes couvertes d'une infinité d'oliviers, à gauche des marais, et plus loin la mer.

Je vis dans un endroit de l'État de Lucques une machine à demi ruinée par la négligence du gouvernement; ce qui fait un grand tort aux campagnes d'alentour. Cette machine étoit faite pour dessécher les marais et les rendre fertiles. On avoit creusé un grand fossé [849], à la tête duquel étoient trois roues qu'un ruisseau d'eau vive roulant du haut de la montagne faisoit mouvoir continuellement en se précipitant sur elles. Ces roues ainsi mises en mouvement puisoient d'autre part l'eau du fossé, avec les augets qui y étoient attachés, de l'autre la versoient dans un canal pratiqué pour cet effet plus haut et de tous côtés entourés de murs, lequel portoit cette eau dans la mer. C'étoit ainsi que se desséchoit tout le pays d'alentour.

Je passai au milieu de Pietra-Santa, château du duc de Florence, fort grand, et où il y a beaucoup de maisons, mais peu de gens pour les habiter, parce que l'air est, dit-on, si mauvais, qu'on ne peut pas y demeurer, et que la plupart des habitans y meurent ou languissent. De là nous vînmes à

MASSA DI CARRARA, vingt-deux milles, bourg appartenant au prince de Massa de la maison de Cibo [850]. On voit sur une petite montagne un beau château à mi-côte entouré de bonnes murailles, au-dessous duquel, et tout autour sont les chemins et les maisons. Plus bas, hors desdites murailles, est le bourg [851] qui s'étend dans la plaine; il est de même bien enclos de murs. L'endroit est beau;

de beaux chemins et de jolies maisons qui sont peintes. J'étois forcé de boire ici des vins nouveaux; car on n'en boit pas d'autres dans le pays. Ils ont le secret de les éclaircir avec des copeaux de bois et des blancs d'œufs, de manière qu'ils lui donnent la couleur du vin vieux [852]; mais ils ont je ne sais quel goût qui n'est pas naturel.

Le dimanche 22 octobre, je suivis un chemin fort uni, ayant toujours à main gauche la mer de Toscane à la distance d'une portée de fusil. Dans cette route, nous vîmes, entre la mer et nous, des ruines peu considérables [853] que les habitants disent avoir été autrefois une grande ville nommée Luna. De là nous vînmes à

SARREZANA, terre de la seigneurie de Gênes. On y voit les armes de la république, qui sont un saint Georges à cheval; elle y tient une garnison suisse. Le duc de Florence en étoit autrefois possesseur [854], et si le prince de Massa n'étoit pas entre deux pour les séparer, il n'est pas douteux que Pietra-Santa et Sarrezana, frontières de l'un et de l'autre États, ne fussent continuellement aux mains.

Au départ de Sarrezana, où nous fûmes forcés de payer quatre jules [855] par jour pour une poste, il se faisoit de grandes salves d'artillerie pour le passage de don Jean de Médicis, frère naturel du duc de Florence [856], qui revenoit de Gênes, où il avoit été de la part de son frère voir l'impératrice [857], comme elle avoit été visitée de plusieurs autres princes d'Italie. Celui qui fit le plus de bruit par sa magnificence ce fut le duc de Ferrare; il alla à Padoue au-devant de cette princesse avec quatre cents carrosses. Il avoit demandé à la seigneurie de Venise la permission de passer par leurs terres avec six cents chevaux, et ils avoient répondu qu'ils accordoient le passage, mais avec un plus petit nombre. Le duc fit mettre tous ses gens en carrosse, et les mena tous de cette manière; le nombre des chevaux fut seulement diminué. Je rencontrai le prince (Jean de Médicis) en chemin. C'est un jeune homme bien fait de sa personne : il étoit accompagné de vingt hommes bien mis, mais montés sur des chevaux de voiture; ce qui en Italie ne déshonore personne, pas même les princes. Après avoir passé Sarrezana, nous laissâmes à gauche le chemin de Gênes.

Là, pour aller à Milan, il n'y a pas grande différence

de passer par Gênes ou par la même route; c'est la même chose. Je désirois voir Gênes et l'impératrice qui y étoit. Ce qui m'en détourna, c'est que pour y aller il y a deux routes, l'une à trois journées de Sarrezana qui a quarante milles de chemin très mauvais et très montueux, rempli de pierres, de précipices, d'auberges assez mauvaises et fort peu fréquentées; l'autre route est par Lerice, qui est éloignée de trois milles de Sarrezana. On s'y embarque et en douze heures on est à Gênes. Or moi qui ne pouvoit supporter l'eau par la foiblesse de mon estomac, et qui ne craignois pas tant les incommodités de cette route que de ne pas trouver de logement, par la grande foule d'étrangers qui étoient à Gênes; qui de plus avois entendu dire que les chemins de Gênes à Milan n'étoient pas trop sûrs, mais infestés de voleurs; enfin qui n'étois plus occupé que de mon retour en France, je pris le parti de laisser là Gênes, et je pris ma route à droite entre plusieurs montagnes.

Nous suivîmes toujours le bas du vallon le long du fleuve Magra, que nous avions à main gauche. Ainsi, passant tantôt par l'État de Gênes, tantôt par celui de Florence, tantôt par celui de la maison Malespina [858], mais toujours par un chemin praticable et commode, à l'exception de quelques mauvais pas, nous vînmes coucher à

PONTREMOLI, trente milles. C'est une ville longue, fort peuplée d'anciens édifices qui ne sont pas merveilleux. Il y a beaucoup de ruines [859]. On prétend qu'elle se nommoit anciennement Appua [860]; elle est actuellement dépendante de l'Etat de Milan et elle appartenoit récemment aux Fiesques [861]. La première chose qu'on me servit à table fut du fromage, tel qu'il se fait vers Milan et dans les environs de Plaisance, puis de très bonnes olives sans noyau, assaisonnées avec de l'huile et du vinaigre en façon de salade et à la mode de Gênes. La ville est située entre des montagnes et à leur pied. On servoit pour laver les mains un bassin plein d'eau posé sur un petit banc, et il falloit que chacun se lavât les mains avec la même eau.

J'en partis le lundi matin 23, et au sortir du logis je montai l'Apennin, dont le passage n'est ni difficile ni dangereux, malgré sa hauteur. Nous passâmes tout le jour à monter et à descendre des montagnes, la plupart sauvages et peu fertiles, d'où nous vînmes coucher à

Fornoue, dans l'État du comte de Saint-Seconde trente milles. Je fus bien content quand je me vis délivré des mains de ces fripons de montagnards, qui rançonnent impitoyablement les voyageurs sur la dépense de la table et sur celle des chevaux. On me servit à table différents ragoûts à la moutarde, fort bons : il y en avoit un, entre autres, fait avec des coings. Je trouvai ici grande disette de chevaux de voiture. Vous êtes entre les mains d'une nation sans règle et sans foi [862] à l'égard des étrangers. On paye ordinairement deux jules par cheval chaque poste, on en exigeoit ici de moi trois, quatre et cinq par poste, de façon que tous les jours il m'en coûtoit plus d'un écu pour le louage d'un cheval; encore comptoit-on deux postes où il n'y en avoit qu'une.

J'étois en cet endroit éloigné de Parme de deux postes, et de Parme à Plaisance la distance est la même que de Fornoue à la dernière, de sorte que je n'allongeois que de deux postes; mais je ne voulus pas y aller pour ne pas déranger mon retour, ayant tout autre dessein. Cet endroit [863] est une petite campagne de six ou sept maisonnettes, située dans une plaine le long du Taro; je crois que c'est le nom de la rivière qui l'arrose.

Le mardi matin nous la suivîmes long-temps, et nous vinmes dîner à

Borgo-San-Doni [864], douze milles, petit château [a] que le duc de Parme commence à faire entourer de belles murailles flanquées. On me servit à table de la moutarde composée de miel et d'orange coupée par morceaux, en façon de cotignac [b] à demi-cuit.

De là laissant Crémone à droite, et à même distance que Plaisance, nous suivîmes un très beau chemin dans un pays où l'on ne voit, tant que la vue peut s'étendre à l'horizon, aucune montagne ni même aucune inégalité, et dont le terrain est très fertile. Nous changions de chevaux de poste en poste; je fis les deux dernières au galop pour essayer la force de mes reins, et je n'en fus pas fatigué; mon urine étoit dans son état naturel.

Près de Plaisance il y a deux grandes colonnes placées aux deux côtés du chemin à droite et à gauche, et laissant

a. Bourg fortifié. — *b*. Confiture de coings.

entre elles un espace d'environ quarante pas. Sur la base de ces colonnes est une inscription latine, portant défense de bâtir entre elles, et de planter ni arbres ni vignes. Je ne sais si l'on veut par là conserver la largeur du chemin, ou laisser la plaine découverte telle qu'on la voit effectivement depuis ces colonnes jusqu'à la ville, qui n'en est éloignée que d'un demi-mille.

Nous allâmes coucher à

PLAISANCE, vingt milles, ville fort grande. Comme j'y arrivai bien avant la nuit, j'en fis le tour de tous côtés pendant trois heures. Les rues sont fangeuses et non pavées; les maisons petites. Sur la place, qui fait principalement sa grandeur, est le palais de justice, avec les prisons; c'est là que se rassemblent tous les citoyens. Les environs sont garnis de boutiques de peu de valeur.

Je vis le château qui est entre les mains du roi Philippe [865]. Sa garnison [866] est composée de trois cens soldats espagnols, mal payés, à ce qu'ils me dirent eux-mêmes. On sonne la diane matin et soir pendant une heure, avec les instrumens que nous appelons hautbois et aux fifres. Il y a là-dedans beaucoup de monde, et de belles pièces d'artillerie. Le duc de Parme [867], qui étoit alors dans la ville, ne va jamais dans le château que tient le roi d'Espagne; il a son logement à part dans la citadelle qui est un autre château situé ailleurs. Enfin je n'y vis rien de remarquable, sinon le nouveau bâtiment de Saint-Augustin que le roi Philippe a fait construire à la place d'une autre église de Saint-Augustin, dont il s'est servi pour la construction de ce château, en retenant une partie de ses revenus. L'église, qui est très bien commencée, n'est pas encore finie; mais la maison conventuelle, ou le logement des religieux, qui sont au nombre de soixante-dix, et les cloîtres qui sont doubles sont entièrement achevés. Cet édifice, par la beauté des corridors, des dortoirs, des différentes usines et d'autres pièces, me paroit le plus somptueux et le plus magnifique bâtiment pour le service d'une église que je me souvienne d'avoir vu en aucun autre endroit. On met ici le sel en bloc sur la table, et le fromage se sert en masse sans plat.

Le duc de Parme attendoit à Plaisance l'arrivée du fils aîné de l'archiduc d'Autriche [868], jeune prince que je vis à Insprug [869] et l'on disoit qu'il alloit à Rome pour se faire couronner roi des Romains [870]. On vous présente encore ici l'eau pour la mêler avec le vin, avec une grande cuiller de laiton. Le fromage qu'on y mange ressemble à celui qui se vend dans tout le Plaisantin. Plaisance est précisément à moitié de chemin de Rome à Lyon.

Pour aller droit à Milan, je devois aller coucher à

MARIGNAN, distance de trente milles, d'où il y en a dix jusqu'à Milan; j'allongeai mon voyage de dix milles pour voir Pavie. Le mercredi 25 octobre je partis de bonne heure, et je suivis un beau chemin dans lequel je rendis une petite pierre molle et beaucoup de sable. Nous traversâmes un petit château appartenant au comte Santafiore. Au bout du chemin nous passâmes le Pô sur un pont volant établi sur deux barques avec une petite cabane [871] et que l'on conduit avec une longue corde appuyée en divers endroits sur des batelets rangés dans le fleuve, les uns vis-à-vis des autres. Près de là, le Tésin mêle ses eaux à celles du Pô. Nous arrivâmes de bonne heure à

PAVIE, trente milles [a]. Je me hâtai d'aller voir les principaux monuments de cette ville : le pont sur le Tésin, l'église cathédrale et celles des Carmes, de Saint-Thomas, de Saint-Augustin. Dans la dernière est le riche tombeau du saint évêque en marbre blanc et orné de plusieurs statues [872]. Dans une des places de la ville, on voit une colonne de briques sur laquelle est une statue qui paroît faite d'après la statue équestre d'Antonin-le-Pieux [873] qu'on voit devant le Capitole à Rome. Celle-ci, plus petite, ne sauroit être comparée à l'original; mais ce qui m'embarrassa, c'est qu'au cheval de la statue de Pavie il y a des étriers et une selle avec des arçons devant et derrière, tandis que celui de Rome n'en a pas. Je suis donc, ici de l'opinion des savans, qui regardent les étriers et les selles, au moins tels que ceux-ci, comme une invention moderne. Quelque sculpteur ignorant peut-être a cru que ces ornemens manquoient au cheval [874]. Je vis encore les premiers ouvrages du bâtiment que le cardinal Borromée faisoit faire pour l'usage des étudians.

La ville est grande, passablement belle, bien peuplée et remplie d'artisans de toute espèce. Il y a peu de belles

a. L'italien porte : 30 *miglia piccole*, « trente milles petits ».

maisons [875], et celle même où l'impératrice a logé dernièrement est peu de chose. Dans les armes de France que je vis, les lys sont effacés; enfin il n'y a rien de rare. On a dans ces cantons-ci les chevaux à deux jules [876] par poste. La meilleure auberge où j'eusse logé depuis Rome jusqu'ici, étoit la Poste de Plaisance, et je la crois la meilleure d'Italie, depuis Vérone; mais la plus mauvaise hôtellerie que j'aie trouvé dans ce voyage est le Faucon de Pavie. On paye ici et à Milan le bois à part, et les lits manquent de matelas.

Je partis de Pavie le jeudi 26 octobre; je pris à main droite à la distance d'un demi-mille du chemin direct, pour voir la plaine où l'on dit que l'armée du roi François I, fut défaite par Charles-Quint [877], ainsi que pour voir la Chartreuse, qui passe avec raison pour une très belle église [878]. La façade de l'entrée est toute de marbre, richement travaillée, d'un travail infini et d'un aspect imposant. On y voit un devant d'autel d'ivoire, où sont représentés en relief l'Ancien et le Nouveau Testament et le tombeau de Jean Galéas Visconti, fondateur de cette église [879], en marbre. On admire ensuite le chœur, les ornemens du maître-autel et le cloître, qui est d'une grandeur extraordinaire et d'une rare beauté. La maison est très vaste; et à voir la grandeur et la quantité des divers bâtimens qui la composent, à voir encore le nombre infini de domestiques, de chevaux, de voitures, d'ouvriers et d'artisans qu'elle renferme, elle semble représenter la cour d'un très grand prince. On y travaille continuellement avec des dépenses incroyables qui se font sur les revenus de la maison. Cette Chartreuse est située au milieu d'une très belle prairie.

De là nous vînmes à

MILAN, vingt milles. C'est la ville d'Italie la plus peuplée. Elle est grande, remplie de toutes sortes d'artisans et de marchands. Elle ressemble assez à Paris et a beaucoup de rapports avec les villes de France. On n'y trouve point les beaux palais de Rome, de Naples, de Gênes, de Florence; mais elle l'emporte en grandeur sur les villes, et le concours des étrangers n'y est pas moindre qu'à Venise. Le vendredi, 27 octobre, j'allai voir les dehors du château, et j'en fis presque entièrement le tour. C'est un édifice très grand et admirablement fortifié. La garnison est composée de sept cents Espagnols [880] au moins et très bien munie d'artillerie. On y fait encore des réparations de tous côtés. Je m'arrêtai là pendant le jour à cause d'une abondante pluie qui survint. Jusqu'alors, le temps, le chemin, tout nous avoit été favorable. Le samedi 28 octobre au matin, je partis de Milan par un beau chemin, très uni; quoiqu'il plût continuellement, et que tous les chemins fussent couverts d'eau, il n'y avoit point de boue, parce que le pays est sablonneux.

Je vins dîner à

Buffalora, dix-huit milles. Nous passâmes là le Naviglio sur un pont. Le canal est étroit, mais tellement profond qu'il transporte à Milan de grosses barques.

Un peu plus en-deçà nous passâmes en bateau le Tésin, et vînmes coucher à

Novarre, vingt-huit milles, petite ville, peu agréable, située dans une plaine. Elle est entourée de vignes et de bosquets; le terrain en est fertile. Nous en partîmes le matin, et nous nous arrêtâmes le temps qu'il fallut pour faire manger nos chevaux à

Verceil, dix milles, ville du Piémont, au duc de Savoie [881], située encore dans une plaine, le long de la Sesia, rivière que nous passâmes en bateau. Le duc a fait construire en ce lieu à force de mains, et très promptement, une jolie forteresse, autant que j'en ai pu juger par les ouvrages du dehors; ce qui a causé de la jalousie aux Espagnols qui sont dans le voisinage [882].

De là nous traversâmes deux châteaux [a], Saint-Germain et Saint-Jacques, et suivant toujours une belle plaine, fertile principalement en noyers, car dans ce pays il n'y a point d'oliviers, ni d'autre huile que de l'huile de noix, nous allâmes coucher à

Livorno [883], vingt milles, petit village assez garni de maisons.

Nous en partîmes le lundi de bonne heure, par un chemin très uni; nous vînmes dîner à

a. Bourgs fortifiés.

CHIVAS [881], dix milles.

Après avoir passé plusieurs rivières et ruisseaux, tantôt en bateau, tantôt à pied, nous arrivâmes à

TURIN, dix milles, où nous aurions pu facilement être rendus avant le dîner.

C'est une petite ville, située en un lieu fort aquatique, qui n'est pas trop bien bâtie, ni fort agréable, quoiqu'elle soit traversée par un ruisseau qui en emporte les immondices.

Je donnai à Turin cinq écus et demi par cheval, pour le service de six journées jusqu'à Lyon : leur dépense sur le compte des maîtres. On parle ici communément françois et tous les gens du pays paroissent fort affectionnés pour la France. La langue vulgaire n'a presque de la langue italienne que la prononciation, et n'est au fond composée que de nos propres mots.

Nous en partîmes le mardi, dernier octobre, et par un long chemin, mais toujours uni, nous vînmes dîner à

SANT'AMBROGIO, deux postes.

De là, suivant une plaine étroite entre les montagnes, nous allâmes coucher à

SUZE, deux postes. C'est un petit château, peuplé de beaucoup de maisons. J'y ressentis, pendant mon séjour, au genou droit, une grande douleur qui me tenoit depuis quelques jours et alloit en augmentant. Les hôtelleries y sont meilleures qu'aux autres endroits d'Italie : bon vin, mauvais pain, beaucoup à manger. Les aubergistes sont polis, ainsi que dans toute la Savoie.

Le jour de la Toussaint, après avoir entendu la messe, j'en partis et vins à

NOVALÈSE, une poste. J'ai pris là huit *marrons* [885] pour me faire porter en chaise jusqu'au haut du mont Cenis, et me faire *ramasser* [886] de l'autre côté.

* * *

Montaigne continue son JOURNAL *en français*

ICI on parle francès; einsi je quite ce langage estrangier, duquel je me sers bien facilemant, mais bien mal assuréemant, n'aïant eu loisir, pour estre tousjours en cumpagnie de François, de faire nul apprentissage qui vaille. Je passai la montée du Mont Senis [887] moitié à cheval, moitié sur une chese [a] portée par quatre hommes [888] et autres quatre qui les refraichissoint [b]. Ils me portoint sur leurs épaules. La montée est de deus heures, pierreuse et mal aisée à [c] chevaus qui n'y sont pas acostumés, mais autremant sans hasard et difficulté : car la montaigne se haussant tousjours en son espessur, vous n'y voyez nul prœcipice ni dangier que de broncher. Sous vous, au-dessus du mont, il y a une plaine [d] de deus lieues, plusieurs maisonetes, lacs et fonteines, et la poste : point d'abres [e]; ou bien de l'herbe et des près qui servent en la douce saison. Lors tout étoit couvert de nege. La descente est d'une lieue, coupée et droite, où je me fis ramasser [889] à mes mesmes *marrons* [890], et de tout leur service à huit, je donai deus escus. Toutefois le sul [f] *ramasser* ne coûte qu'un teston [891]; c'est un plesant badinage mais sans hasard aucun et sans grand esperit : nous disnâmes à

LANEBOURG [892], deux postes, qui est un village au pied de la montaigne où est la Savoie; et vinmes coucher à deus lieues, à un petit village. Partout là il y a force truites et vins vieus et nouveaus excellants.

De là nous vinmes, par un chemin montueus et pierreus, disner à

SAINT MICHEL [893], cinq lieues, village où est la poste.

De là vinsmes au giste bien tard et bien mouillés à

LA CHAMBRE, cinq lieues, petite ville d'où tirent leur titre les marquis de la Chambre.

Le vandredi, 3 de novambre, vînmes disner à

a. Chaise. — *b.* Relayaient. — *c.* Pour les. — *d.* Un plateau. — *e.* Arbres. — *f.* Seul.

AIGUEBELLE, quatre lieues, bourg fermé et au giste à

MONT-MELLIAN [894], quatre lieues, ville et fort, lequel tient le dessus d'une petite croupe qui s'éleve au milieu de la plaine entre ces hautes montaignes; assise ladicte ville au-dessous dudict fort, sur la riviere d'Isère qui passe à Grenoble, à sept lieues dudict lieu. Je santois là évidammant l'excellance des huiles d'Italie [895] : car celes de deçà commançoint à me faire mal à l'estomach, là où les autres jamais ne me revenoint à la bouche.

Vinsmes disner à

CHAMBERI, deux lieues, ville principale de Savoie, petite, belle et marchande, plantée entre les mons, mais en un lieu où ils se reculent fort et font une bien grande plaine.

Delà nous vînmes passer le mont du Chat [896], haut, roide et pierreus, mais nullemant dangereus ou mal aisé, au pied duquel se sied [a] un grand lac [897], et le long d'icelui un château nomé Bordeau [898], où se font des espées de grand bruit [b]; et au giste à

HYENE [899], quatre lieues, petit bourg. Le dimanche matin nous passâmes le Rosne que nous avions à nostre mein droite, après avoir passé sur icelui un petit fort [900] que le duc de Savoie y a basti entre des rochers qui se serrent bien fort [901]; et le long de l'un d'iceux y a un petit chemin étroit au bout duquel est ledict fort, non guiere différant de Chiusa que les Vénitiens ont planté au bout des montaignes du Tirol.

De là continuant tousjours le fond entre les montaignes, vinsmes d'une trete à

SAINT RAMBERT, sept lieues, petite vilete [c] audict vallon. La pluspart des villes de Savoie ont un ruisseau [902] qui les lave par le milieu; et les deux costés jusques audict ruisseau où sont les rues, sont couverts de grans otevans [d], en maniere que vous y estes à couvert et à sec en tout tamps; il est vrai que les boutiques en sont plus obscures.

Le lundi six de novembre, nous partismes au matin de Saint-Rambert, auquel lieu le sieur Francesco Cenami, banquier de Lyon [903], qui y étoit retiré pour la peste m'en-

a. Est assis. — *b*. Très renommées. — *c*. Bourgade. — *d*. Auvents.

voïa de son vin et son neveu aveq plusieurs très honnestes compliments.

Je partis de là lundi matin, et après estre enfin sorti tout-à-faict des montaignes [904], comançai d'antrer aus plaines à la francèse.

Là je passai en bateau le riviere d'Ain, au pont de Chesai [905], et m'en vins d'une trete à

MONTLUEL, six lieues, petite ville de grand passage, appartenante à monsieur de Savoie, et la derniere des sienes.

Le mardi après disner, je prins la poste et vins coucher à

LYON, deux postes, trois lieues. La ville me pleut beaucoup à la voir.

Le vandredi j'achetai de Joseph de la Sone [906], trois courtaus [907] neufs par le billot [908] deux cens escus [909]; et le jour avant avois acheté de Malesieu [910] un cheval de pas [911] de cinquante escus, et un autre courteau trente trois.

Le samedi jour de Saint-Martin, j'eus au matin grand mal d'estomac, et me tins au lit jusques après midi qu'il me print un flux de ventre; je ne disnai point et soupai fort peu.

Le dimanche douze de novembre, le sieur Alberto Giachinotti, Florentin, qui me fit plusieurs autres courtoisies, me dona à diner en sa maison, et m'offrit à prester de l'argent, n'aïant eu conoissance de moi que lors.

Le mercredi 15 de novembre 1581, je partis de Lyon après dîsner, et par un chemin montueus vins coucher à

BORDELIÈRE [912], cinq lieues, village où il n'y a que deux maisons.

De là le judi matin fimes un beau chemin plein [a], et sur le milieu d'icelui près de Fur [913], petite vilete [b], passâmes à bateau la rivière de Loire, et nous rendismes d'une trete à

L'HOSPITAL [914], huit lieues, petit bourg clos. De là, vandredi matin, suivismes un chemin montueus [915], en tamps aspre de nèges et d'un vant cruel où nous venions et nous randismes à

a. Plain, plat. — *b*. Bourgade.

TIERS [916], six lieues; petite ville sur la riviere d'Allier [917], fort marchande, bien bastie et peuplée. Ils font principalement trafiq de papier et sont renomés d'ouvrages de couteaux et cartes à jouer. Elle est également [918] distante de Lyon, de Saint-Flour, de Moulins et du Puy.

Plus je m'aprochois de chez moi, plus la longur du chemin me sembloit ennuïeuse. Et de vrai, au conte [a] des journées, je n'avois esté à mi chemin de Rome à ma maison, qu'à Chamberi pour le plus [919]. Ceste vile est des terres de la maison de... appartenant à M. de Montpansier [920]. J'y fus voir les cartes chez Palmier. Il y a autant d'ouvriers et de façon à cela qu'à une autre besoingne. Les cartes ne se vandent qu'un sol les comunes, et les fines deux carolus [921].

Samedi nous suivismes la plaine de la Limaigne [922] grasse, et après avoir passé à bateau la Doare [923] et puis l'Allier, vînmes coucher au

PONT DU CHATEAU, quatre lieues. La peste a fort persécuté ce lieu-là; et en ouis plusieurs histoires notables. La maison du seigneur qui est le manoir paternel du viconte de Canillac [924], fut brulée ainsi qu'on la vouloit purifier atout [b] du feu. Ledict sieur envoïa vers moi un de ses jans, aveq plusieurs offres verbales, et me fit prier d'escrire à M. de Foix [925] pour la recommandation de son fils qu'il venoit d'envoïer à Rome.

Le dimanche 19 de novambre, je vins disner à

CLERMONT [926], deux lieues, et y arrestai en faveur de mes jeunes chevaux.

Lundi 20, je partis au matin, et sur le haut du Puy de Doume [927], randis une pierre assez grande, de forme large et plate, qui estoit au passage depuis le matin, et l'avois santie le jour auparavant; et come elle vousit [c] choir en la vessie, la santis aussi un peu aus reins. Elle n'étoit ni molle ni dure.

Je passai à Pongibaut [928], où j'alai saluer en passant madame de la Fayette [929] et fus une demi-heure en sa salle. Ceste maison n'a pas tant de beauté que de nom; l'assiette en est leide plustost qu'autremant; le jardin petit, quarré,

a. Compte. — *b*. Avec. — *c*. Voulut.

où les allées sont relevées de bien 4 ou 5 pieds : les carreaux sont en fons [a] où il y a force fruitiers et peu d'herbes, les costés desdicts carreaux einsi enfoncés, revetus de pierre de taille. Il faisoit tant de nege, et le tamps si aspre de vant froit, qu'on ne voïoit rien du pays.

Je vins coucher à

PONT-A-MUR [930], sept lieues, petit village. Monsieur et madame du Lude [931] étoint à deus lieues de là.

Je vins landemein coucher à

PONT-SARRAUT [932], petit village, six lieues. Ce chemin est garni de chetifves hostelleries jusques à Limoges, où toutes fois il n'y a faute de vins passables. Il n'y passe que muletiers et messagiers qui courent à Lyon. Ma teste n'estoit pas bien; et si les orages et vans frédureus [b] et pluies y nuisent, je lui en donois son soul en ces routes-là où ils disent l'hiver estre plus aspre qu'en lieu de France.

Le mercredi 22 de novembre, de fort mauvais tamps, je partis de là, et aïant passé le long de Feletin [933], petite ville qui samble estre bien bastie, située en un fons tout entourné de haus costaus, et estoit encore demi déserte pour la peste passée, je vins coucher à

CHASTEIN [934], cinq lieues, petit méchant village. Je beus là du vin nouveau et non purifié, à faute du vin vieus.

Le jeudi 23, aïant tousjours ma teste en cest estat, et le tamps rude, je vins coucher à

SAUBIAC [935], cinq lieues, petit village qui est à monsieur de Lausun [936].

De là je m'en vins coucher lendemain à

LIMOGES, six lieues, où j'arrestai tout le samedi; et y achetai un mulet quatre vingt dix escus-sol; et païai pour charge de mulet, de Lyon là, cinq escus, aïant esté trompé en cela de 4 livres; car toutes les autres charges ne coutarent que trois escus et deus tiers d'escu. De Limoges à Bordeaus, on paie un escu pour çant [937].

Le dimanche 26 de novembre, je partis après disner de Limoges et vins coucher aus

a. Les carrés sont dans un fond. — *b.* Froids.

CARS [938], cinq lieues, où il n'y avoit que madame des Cars [939]. Le lundi vins coucher à

TIVIÉ [940], six lieues.
Le mardi coucher à

PERIGUS [941], cinq lieues. Le mercredi coucher à

MAURIAC [942], cinq lieues. Le jeudi jour de Saint-André [943], dernier novembre, coucher à

MONTAIGNE, sept lieues : d'où j'estois parti le 22 de juin 1580, pour aller à La Fere. Par einsin avoit duré mon voyage 17 mois 8 jours [944].

APPENDICE

APPENDICE

L'ITINÉRAIRE DE MONTAIGNE

1580.

22 juin. —	Montaigne quitte son Chateau de Montaigne.
Juillet (?) —	Montaigne, à Paris, se montre à la cour et présente au roi ses « Essais » fraîchement imprimés.
Fin juillet. —	Montaigne prend part au siège de La Fère.
6 août. —	Philibert de Gramont, ami de Montaigne, étant mort des suites d'une blessure reçue quatre jours plus tôt, Montaigne se joint au convoi qui accompagne à Soissons le corps du défunt.
5 septembre. —	Montaigne, qui n'a pas attendu pour partir vers Rome la capitulation de La Fère, quitte après dîner Beaumont-sur-Oise et arrive pour souper à Meaux.
6 —	Arrivée à Charly.
7 —	Arrivée à Dormans.
8 —	Arrivée à Épernay.
9 —	Arrivée à Chalons.
10 —	Arrivée à Vitry-le-François.
11 —	Arrivée à Bar-le-Duc.
12 —	Arrivée à Mauvèse (à deux lieues à l'O. de Vaucouleurs).
13 —	Arrivée à Vaucouleurs; traversée de Donrémy; coucher à Neufchateau.
14 —	Arrivée à Mirecourt.
15 —	Arrivée à Épinal.
16 —	Arrivée à Plombières (à 2 h. après midi). Montaigne y séjourne jusqu'au 27 septembre.

27 septembre. —	Arrivée à REMIREMONT.
28 —	Arrivée à BUSSANG (dîner) et à THANN (souper).
29 —	Arrivée à MULHOUSE (dîner) et à BALE (coucher).
	Montaigne y séjourne jusqu'au 1er octobre.
1er octobre. —	Arrivée à HORNES (coucher).
2 —	Traversée de l'Aar à BRUG, visite de l'abbaye de MOURI et arrivée à BADE.
	Montaigne y séjourne jusqu'au 7 octobre après déjeuner.
7 —	Traversée du Rhin à KAISERSTHUL et arrivée à SCHAFFHOUSE (souper).
8 —	Arrivée à CONSTANCE (vers 4 h. après-midi).
9 —	Arrivée à MARKDORF (coucher).
10 —	Arrivée à LINDAU (vers 3 h. après-midi).
11 —	Arrivée à WANGEN (vers 2 h. après-midi).
12 —	Arrivée à ISNY (dîner) et à KEMPTEN (coucher).
13 —	Arrivée à PFRONTEN (coucher).
14 —	Arrivée à FUSSEN (dîner) et à CHONGEN (coucher).
15 —	Arrivée à LANDSBERG (dîner) et à AUGSBOURG (coucher).
	Montaigne y séjourne jusqu'au 19 octobre.
19 —	Traversée d'ULM, de HEILBRON (?) et arrivée à BRUCK (coucher).
20 —	Arrivée à MUNICH (dîner).
21 —	Arrivée à KINIEF.
22 —	Arrivée à MITTENWALD (coucher).
23 —	Arrivée à SEEFELD (dîner) et à INNSBRUCK (coucher).
24 —	Dîner à HALL, retour à INNSBRUCK.
25 —	Arrivée nocturne à STERZINGEN.
26 —	Arrivée à BRIXEN (souper).
27 —	Traversée de KLAUSEN, dîner à KOLLMANN et arrivée à BOLZEN (Bolzano).
28 —	Départ de Bolzen de bon matin, déjeuner à BRONZOLO, traversée de NEUMARKT, arrivée à TRENTE (coucher).
29 —	Arrivée tardive à ROVERETO.

30 octobre. — Excursion à TERBOLE, sur le lac de Garde (dîner) et retour à ROVERETO (souper).
31 — Dîner à BORGHETTO et arrivée à VOLARNE (coucher).
1er novembre. — Arrivée, « avant la messe », à VÉRONE.
Montaigne y séjourne jusqu'au 3 novembre.
3 — Arrivée à VICENCE (souper).
Montaigne y séjourne jusqu'au 5.
5 — Arrivée à PADOUE (coucher).
Montaigne y séjourne jusqu'au 7.
7 — Arrivée à FUSINA (dîner) et, dans une gondole, à VENISE (souper).
Montaigne y séjourne jusqu'au 12 novembre.
12 — Arrivée, en repassant par FUSINA, à PADOUE (coucher).
Le seigneur de Cazalis y quitte l'escorte de Montaigne pour « s'y arrêter en pension ».
13 — Visite aux bains d'ALBANO et arrivée à BATTAGLIA (coucher).
14 — Arrivée à ROVIGO (coucher).
15 — Arrivée au soir à FERRARE.
16 — Arrivée au soir à BOLOGNE.
Montaigne y séjourne jusqu'au 20.
20 — Arrivée à LOJANO (coucher).
21 — Arrivée à SCARPERIA (coucher).
22 — Visite du palais de PRATELLINO et arrivée à FLORENCE.
Montaigne y séjourne jusqu'au 24.
24 — Arrivée tardive à SIENNE.
Montaigne y séjourne jusqu'au 26.
26 — Arrivée à BUONCONVENTO (souper).
27 — Départ au matin de Buonconvento et détour pour voir MONTALCIN, arrivée au soir à LA PAGLIA.
28 — Arrivée à MONTEFIASCONE.
29 — Traversée de VITERBE et arrivée « de bonne heure » à RONCIGLIONE.
30 — Départ de Ronciglione « trois heures avant le jour », et arrivée à ROME « sur les vingt heures ».

PREMIER SÉJOUR DE MONTAIGNE A ROME.

30 novembre-13 avril.

25 décembre. —	Montaigne assiste à la messe du Pape en l'église Saint-Pierre.
29 —	Audience du Pape.
1581.	
3 janvier. —	Montaigne assiste, de sa fenêtre, à un défilé du Pape et de son cortège.
11 —	Montaigne, sortant de son logis à cheval, s'arrête pour voir le supplice du bandit Catena.
14 —	Il voit tenailler et exécuter deux meurtriers.
26 —	Excursion au Janicule.
30 —	Montaigne assiste à la circoncision des Juifs.
Début de févr. —	Carnaval de Rome.
16 février. —	Montaigne rencontre en une petite chapelle un prêtre occupé à exorciser un possédé.
1er mars. —	Montaigne assiste à la messe en l'église Saint-Sixte, le Pape et l'ambassadeur du Moscovite étant présents.
6 —	Visite de la « librairie » du Vatican.
13 —	Montaigne reçoit le titre de « citoyen romain ».
15 —	Excursion à Ostie.
16 —	Montaigne prend un bain aux étuves de Saint-Marc.
3 avril. —	Excursion à Tivoli.
19 —	Départ de Rome, et arrivée à CASTEL-NOVO (coucher).
20 —	Arrivée à BORGHETTO (dîner), traversée d'OTRICOLI et arrivée à NARNI (coucher).
21 —	Arrivée à SPOLETO (dîner) et à FOLIGNO (souper).
22 —	Dîner à LA MUCCIA et arrivée pour souper à VALCIMARA.
23 —	Dîner à MACERATA, et arrivée à LORETTO. Montaigne y séjourne jusqu'au 26, après avoir fait, la veille, un vœu à Notre-Dame de Lorette.
26 —	Arrivée à ANCÔNE (souper).

27 avril. — Arrivée à SINIGAGLIA (coucher).
28 — Dîner à FANO et arrivée à FOSSOMBRONE.
29 — Arrivée à URBIN (dîner), détour pour voir le « Sépulcre d'Hasdrubal » au MONTE D'ELCE et arrivée le soir à CASTEL DURANTE, aujourd'hui URBANIA.
30 — Traversée de S. ANGELO et de MARCATELLO, dîner à BORGO A PASCI, souper à BORGO S. SEPOLCHRO.
1er mai. — Dîner à PONTE BORIANO, souper à LEVANELLA.
2 — Traversée matinale de MONTEVARCHI, FIGLINE et ANCISA, arrivée à PIAN DELLA FONTE.
3 — Arrivée à FLORENCE.
4 — Dîner à PRATO, détour pour voir la villa de Laurent le Magnifique à POGGIO A CAJANO, souper à PISTOÏE.
5 — Arrivée à LUCQUES.
Montaigne y séjourne jusqu'au 7.
7 — Arrivée vers les 2 heures après-midi aux bains DELLA VILLA.
Montaigne s'y soigne jusqu'au 21 juin.
21 juin. — Départ des bains. Dîner à PESCIA, souper à PISTOÏE.
22 — Traversée de PRATO, dîner à CASTELLO, arrivée à FLORENCE.
Montaigne y séjourne jusqu'au 2 juillet.
2 juillet. — Départ de Florence, traversée d'EMPOLI, arrivée « à la brume » à SCALA.
3 — Arrivée à PISE vers midi.
Montaigne y séjourne jusqu'au 27.
27 — Arrivée à LUCQUES.
Montaigne y séjourne jusqu'au 13 août.
13 août. — Visite de plusieurs villas seigneuriales aux environs de Lucques, et souper en celle du sieur Pinnitesi.
14 — Arrivée aux bains DELLA VILLA (dîner).
Montaigne y séjourne jusqu'au 12 septembre.

12 septembre. — Départ des bains Della Villa et arrivée à Lucques (dîner).
Montaigne y séjourne jusqu'au 20.

20 — Départ de Lucques, traversée de Fucecchio, arrivée « à la brume », à La Scala.

21 — Traversée de Castelfiorentino, dîner à Poggibonsi, souper à Sienne.
Montaigne y séjourne jusqu'au 24.

24 — Arrivée à San Chirico.

25 — Détour pour voir le bain de Vignone.

26 — Dîner à La Paglia, coucher à San Lorenzo.

27 — Détour pour voir le bain Naviso et le petit lac d'eau sulfureuse il Bagnaccio, et arrivée tardive à Viterbe.
Montaigne y séjourne jusqu'au 30, visitant divers bains autour de la ville et l'église de Sainte-Marie-du-Chêne.

30 — Excursions à Bagnaia et à Caprarola, arrivée à Monterossi.

1er octobre. — Arrivée à Rome, où Montaigne reçoit les lettres des Jurats de Bordeaux l'avisant de son élection à la mairie.

SECOND SÉJOUR DE MONTAIGNE A ROME.

1er-15 octobre.

8 octobre. — Visite à un Italien, très habile cavalier, qui habite aux Thermes de Dioclétien.

10 — Montaigne, invité par l'ambassadeur de France Paul de Foix, s'en va voir la vente après décès des meubles du cardinal Orsini.

12 — Montaigne visite, en compagnie du cardinal de Pellevé, l'église de Saint-Jean et Saint-Paul.

15 — Départ de Rome, où il laisse son frère, et arrivée à Ronciglione (coucher).

16 — Arrivée à Viterbe (dîner), à San Lorenzo (souper), à San Chirico (coucher).

17 — Arrivée le soir à Sienne.
Montaigne y séjourne jusqu'au 19.

19 — Arrivée à Ponte a Elsa (souper).

20 octobre. — Halte à ALTOPASCIO et arrivée à LUCQUES (coucher).
21 — Traversée de PIETRA SANTA et arrivée à MASSA DI CARRARA (souper).
22 — Traversée de LUNA, de SARZANE, arrivée à PONTREMOLI (coucher).
23 — Traversée de l'Apennin et arrivée à FORNOVE (Fornoue).
24 — Dîner à BORGO SAN DONNINO, arrivée à PLAISANCE (coucher).
25 — Arrivée « de bonne heure » à PAVIE et visite de la ville.
26 — Détour pour voir le champ de bataille de Pavie et la Chartreuse, arrivée à MILAN.
Montaigne, retardé par une forte pluie, y séjourne jusqu'au 28.
28 — Dîner à BUFFALORA, coucher à NOVARE.
29 — Halte à VERCEIL, coucher à LIVORNO.
30 — Dîner à CHIVAS, arrivée à TURIN.
31 — Dîner à SANT'AMBROGIO et arrivée à SUSE (coucher).
1er novembre. — Traversée du Mont Cenis, dîner à LANS-LE-BOURG, coucher dans un petit village de la montagne.
2 — Dîner à SAINT-MICHEL, coucher à LA CHAMBRE.
3 — Dîner à AIGUEBELLE, coucher à MONTMÉLIAN.
4 — Dîner à CHAMBÉRY, passage du Mont du Chat, coucher à YENNE.
5 — Passage du Rhône et arrivée à SAINT-RAMBERT.
6 — Passage de l'Ain à CHAZEY et arrivée à MONTLUEL.
7 — Arrivée à LYON (coucher).
Montaigne y séjourne jusqu'au 15, y achetant des « courtauds » le 10, et dînant le 12 chez le sieur Giachinotti, Florentin.
15 — Arrivée à LA BOURDELLIÈRE (coucher).
16 — Passage de la Loire près de FEURS, et arrivée à L'HOSPITAL.
17 — Arrivée à THIERS.

18 novembre. — Passage de la Dore et de l'Allier, arrivée à Pont-du-Chateau (coucher).
19 — Arrivée à Clermont-Ferrand (dîner et halte).
20 — Traversée de Pontgibaut et arrivée à Pontaumur (coucher).
21 — Arrivée à Pontcharraud (coucher).
22 — Traversée de Felletin et arrivée à Chatain (coucher).
23 — Arrivée à Sauviat (coucher).
24 — Arrivée à Limoges (coucher).
Montaigne y achète un mulet et y séjourne jusqu'au 26 après dîner.
26 — Arrivée aux Cars (coucher).
27 — Coucher à Thiviers.
28 — Coucher à Périgueux.
29 — Coucher à Mauriac (commune de Douzillac).
30 — Arrivée à Montaigne.

NOTES

NOTES

1. Bertrand-Charles de Montaigne, sieur de Mattecoulon ou Matecolom, le plus jeune des frères de Montaigne, et qui l'accompagnait dans son voyage : il n'avait alors que vingt ans, étant né le 20 août 1560. Cf. notre *Introduction*, p. v.

2. On ignore qui est ce comte blessé et quel accident causa ses blessures.

3. Beaumont-sur-Oise.

4. Charles d'Estissac, fils de la dame d'Estissac (« la belle Rouet »), à qui Montaigne avait dédié, dans le second livre de ses *Essais*, le chapitre intitulé *De l'affection des pères aux enfants*. Cf. notre *Introduction*, p. v.

5. M. du Hautoy, gentilhomme du Barrois. Cf. notre *Introduction*, p. VI.

6. La seconde guerre de religion, terminée en 1568 par la paix de Longjumeau.

7. Beaucoup des protestants de Meaux furent massacrés le lendemain de la Saint-Barthélemy, 25 août 1572.

8. Lors du siège de la place par Henri V, d'Angleterre (octobre 1421-10 mai 1422).

9. D'après Monstrelet (éd. Drouët d'Arcq, t. IV), Henri V, après avoir pris d'assaut une partie de la ville, « gaigna une petite yole assez près du Marchié, en laquelle il fit asseoir plusieurs grosses bombardes ». Les assiégés, retranchés dans le Marché, y soutinrent un nouvel assaut, puis furent forcés de se rendre le 10 mai 1422.

10. Célèbre abbaye de Bénédictins fondée en 998 et qui devait être détruite à la Révolution.

11. Le paladin en question est Benoît, compagnon de guerre d'Ogier. Cf. Paulin Paris, *Histoire littéraire de la France*, t. XX, p. 690.

12. Au dire de Paulin Paris (*Histoire littéraire de la France*, t. XXII, p. 659), une des épées, acquise par l'archéologue Longpérier, « pourrait remonter au xe siècle ».

13. L'ancienne cathédrale, placée depuis sous le vocable de la Vierge.

14. Ce Juste Terrelle, trésorier de l'église Saint-Étienne, de 1564 à 1590, année de sa mort, avait acquis pour François Ier, lors de ses voyages en Orient, des manuscrits grecs dont certains font partie de la Bibliothèque Nationale.

15. Épernay.

16. Le jeudi.

17. Thionville, au siège de laquelle place le maréchal de Strozzi fut tué d'un coup de mousquet le 20 juin 1558.

18. Bien qu'il fût cousin de Catherine de Médicis, Strozzi avait des sentiments peu chrétiens. Lorsqu'il fut blessé à mort, le duc de Guise « luy remémorant le nom de Jésus : Quel Jésus, dist-il, mort-Dieu ! venez-vous me ramentevoir icy ? Je regnie Dieu. Ma feste est finie. » Et comme Guise redoublait son exhortation : « Mort-Dieu ! respondit-il, je seray où sont tous les aultres, qui sont morts depuis six mille ans. » Le tout en langage italien... (D'après Vieilleville, *Mémoires*, VII, 2.)

19. Aymar Hennequin ou Hanequin, qui fut archevêque de Reims en 1594 et mourut en 1596. Il appartenait à une fort ancienne famille de robe.

20. C'est le célèbre jésuite espagnol Jean Maldonado ou Maldonat (1534-1584), auteur de savants commentaires sur les Évangiles. Montaigne le retrouva à Rome.

21. Spa.

22. Louis de Gonzague, duc de Nevers (1539-1595), l'un des capitaines les plus expérimentés du XVIe siècle, et auteur d'intéressants *Mémoires*.

23. Ce n'est pas l'opinion de Marguerite de Valois, qui y faisant une cure en 1577 pour guérir un érysipèle, se cantonna à Liége, « n'y ayant auprès (des eaux de Spa) qu'un petit village de trois ou quatre méchantes petites maisons » et s'y fit apporter, la nuit, son eau de Spa pour la boire chaque jour avant l'aurore. (*Mémoires*, éd. Guessard, p. 109.)

24. Au mois de mai précédent, le duc de Montpensier ayant rapporté au duc d'Anjou des propos dénigrants sur son compte du duc de Nevers, celui-ci lui envoya un démenti, puis s'empressa de partir pour Spa, à l'annonce que Montpensier avec quinze cents chevaux « vouloit venir à Paris pour y démesler leur querelle ». (L'Estoile, *Journal*, t. I, pp. 360 et 362. Cf. aussi Brantôme, éd. Lalanne, t. V, p. 23).

25. Châlons-sur-Marne.

26. Vitry-le-François avait été fondé en 1545 par François Ier, qui lui donna son nom, à une lieue du Vitry primitif, Vitry-en-Perthois, brûlé par Charles-Quint en 1544.

27. Antoinette de Bourbon, veuve de Claude de Lorraine, le premier duc de Guise, et mère du Balafré. Elle allait mourir presque nonagénaire, deux ans plus tard, le 20 janvier 1583.

28. Montier-en-Der.

29. Non seulement Ambroise Paré « a mis ce conte », avec des détails curieux, dans son ouvrage *Des Monstres et Prodiges* (*Œuvres*, t. III, p. 19, éd. Malgaigne), mais Montaigne l'a aussi rapporté d'autre part, au livre I de ses *Essais*, chap. xx.

30. Lorsqu'en 1559, après le sacre de François II à Reims (18 septembre), il avait suivi la cour dans la capitale du Barrois. Cf. *Essais*, livre II, chap. XVII.

31. Gilles de Trèves, qui allait mourir deux ans plus tard (1582), avait fait bâtir la chapelle de l'église Saint-Marc et, par testaments datés de 1573 et de 1581, laissa de quoi faire le collège de la ville.

32. Mis pour Mauvèse. Il s'agit du village de Mauvaiges, canton de Gondrecourt, à deux lieues à l'ouest de Vaucouleurs.

33. La phrase, comme l'observe Lautrey, est sans doute altérée. « C'est avant de partir de Vitry que Montaigne avait dû renoncer à voir Saint-Dizier et Joinville. De Bar il voulait peut-être gagner Toul, et de là Metz ou Nancy. »

34. Du Lys. Jeanne d'Arc et sa famille avaient été anoblis en 1429.

35. Sans doute le beau-frère de Montaigne, Bernard de Cazalis, écuyer, sieur de Freyche, qui venait d'épouser, le 28 septembre 1579, moins d'un an auparavant, la plus jeune sœur de Montaigne, Marie.

36. C'était un hêtre, appelé encore l'*arbre des Dames*, c'est-à-dire « l'arbre aux Fées ».

37. Il s'agit du baron de Bourbonne et de sa femme, née Gabrielle de Bassompierre.

38. Les Bourbonne habitaient au château de Haroué, à cinq lieues de Mirecourt.

39. A Remiremont, Épinal, Poussay et Bouxières. Bien que chacun de ces chapitres exigeât à peu près les mêmes preuves de noblesse, il est un dicton de Lorraine : les *dames* de Remiremont, les *caignes-de-chambre* d'Épinal, les *servantes* de Poussay, les *vachères* de Bouxières.

40. Marguerite de Valois (*Mémoires*, éd. Guessard, p. 100) rapporte en des termes analogues la visite qu'elle fit aux chanoinesses de Sainte-Vaudrud, à Valenciennes.

41. Épinal.

42. Plombières.

43. On connaît le chapitre de *Pantagruel* (XXIII) où Panurge explique « pourquoy les lieues de France sont tant petites » et « les lieues de Bretaigne, de Lanes, d'Allemaigne, et aultres pays plus esloignez, si grandes ».

44. L'*Abbrégé de la propriété des bains de Plommières*, par J. Le Bon (1576), confirme ce dire de Montaigne : « La saison de les prendre est tout le printemps, qui faut commencer en May. »

45. Le seigneur d'Andelot-sur-Salins, qui servit sous les ordres de don Juan d'Autriche, gouverneur des Pays-Bas de 1576 à 1578. Son père, grand écuyer de Charles-Quint, avait eu l'honneur de lutter corps à corps avec François Ier à Pavie (1525).

46. Don Juan d'Autriche, bâtard de Charles-Quint.

47. « Nous perdîmes » Saint-Martin en 1559, au traité de Cateau-Cambrésis.

48. La décapitation des comtes d'Egmont et de Hornes, sur l'ordre du duc d'Albe, avait eu lieu le 5 juin 1568. Cf. *Essais*, livre I, chap. VII.

49. On lit dans l'*Abbrégé* de J. Le Bon, p. 30, déjà cité n. 44 : « Le matin on se met au bain... L'homme y entre avec des maronnes ou brayes, la femme avec sa chemise d'assez grosse toile; la trop déliée découvriroit ce que le bain ne veult voir. On se baigne pesle-mesle, tous ensemble d'alegresse joyeuse. Les uns chantent, les autres jouent d'instruments; les autres y mangent, autres y dorment, autres y dancent de manière que la compagnie ne s'y ennuye point, ny jamais n'y trouve le temps long. »

50. Arsac-de-Médoc, au N.-O. de Bordeaux, appartenant au frère de Montaigne, Thomas de Beauregard, le mari de Jaquette d'Arsac, belle-fille de La Boétie.

51. On sait que les armes de Montaigne étaient « d'azur semé de trêfles d'or, à une patte de lion de même, armée de gueules, mise en fasce ». Cf. *Essais*, livre I, chap. XLVI.

52. Cf. plus haut, p. 7, et la note 39.

53. L'abbesse de Remiremont s'intitulait : N..., par la grâce de Dieu humble abbesse et souveraine de Remiremont, princesse du Saint-Empire.

54. Renée de Dinteville, abbesse de Remiremont, venait de mourir le 3 mai 1580.

55. Barbe de Salm, coadjutrice de Renée de Dinteville depuis 1578, et elle-même abbesse du Lis, devenue abbesse de Remiremont en octobre 1580.

56. Cette doyenne, Marguerite de Ludre, fut élue coadjutrice de Barbe de Salm, le 9 octobre 1580.

57. Les religieuses de Poussay. Cf. plus haut, p. 7, et la note 39.

58. Bussang, dont les eaux minérales ne furent connues qu'au XVIIe siècle.

59. Le duc de Lorraine.

60. Thann.

61. Mulhouse.

62. Jean-Casimir, électeur et comte palatin, duc de Bavière, qui, à deux reprises, en 1568 et en 1576, amena aux Huguenots de France ses reîtres et ses lansquenets. Cf. Brantôme, *Œuvres*, éd. Lalanne, t. I, p. 324.

63. « L'occasion, la compaignie, le branle mesme de ma voix, note Montaigne (*Essais*, l. I, chap. x), tire plus de mon esprit que je n'y trouve lorsque je le sonde et employe à part moy. »

64. Félix Plater, médecin bâlois (1536-1614), auteur de plusieurs traités.

65. « La petite Bâle », sur la rive gauche du Rhin.

66. « Quelques-uns, dit Munster, ont pensé que la ville de Basle fust ainsi appelée à cause d'un passage qui estoit en ce lieu là... Il avoit plus de raison de l'appeller Passel que Basel. » Le mot allemand, en effet, est *pass*.

67. Simon Grineus ou Grynæus, fils du pasteur Thomas Gryneus et auteur d'un éloge de la médecine écrit en latin, *Encomion medicinæ*, imprimé à Bâle en 1592. Cf. *Dictionnaire* de Bayle.

68. L'auteur du *Theatrum vitæ humanæ* est Théodore Zwingler (1533-1588) professeur de morale, de médecine théorique et de grec.

69. François Hottoman ou Hotman, savant jurisconsulte (1524-1590), né à Paris, embrassa la Réforme, professa à Bourges, dut à ses écoliers d'échapper au massacre de la Saint-Barthélemy, puis se réfugia finalement à Genève et à Bâle, où il enseignait le droit. Montaigne, qui avait été en rapport avec lui à l'occasion de la publication du *Discours de la Servitude volontaire* de La Boétie, lui écrivit à Bozen, avant de quitter l'Allemagne.

70. A Porrentruy.

71. Jean-Jacques Rousseau notera à son tour que « ces fontaines, qui sont élevées et taillées en colonne ou en obélisque, et coulent par des tuyaux de fer dans de grands bassins, sont un des ornements de la Suisse ».

72. Épinal.

73. « Haïrois autant un Aleman qui mist de l'eau au vin qu'un François qui le boiroit pur », écrit Montaigne dans les *Essais*, l. III, chap. xiii.

74. « En toutes celles qui le peuvent souffrir, je les ayme peu cuittes », écrit Montaigne dans les *Essais*, l. III, chap. xiii.

75. « La presse des plats et des services me desplaist, autant qu'autre presse... » Montaigne, *Essais*, l. III, chap. xiii.

76. Horn, près de Wittnau.

77. La rivière Aar à Brugg.

78. Non la célèbre abbaye de Mouri, comme le note Querlon, mais celle de Kœnigsfelden fondée en 1308 par l'impératrice Élisabeth.

79. A la bataille de Sempach.

80. La Reuss.

81. La Limmat.

82. Les Eaux-Chaudes, dans la vallée d'Ossau, en Béarn.

83. Eaux thermales du comté d'Armagnac; aujourd'hui hameau de Cazaubon (Gers).

84. Tacite, *Histoires*, I, chap. LXVII : « Cécina [l'an 69 de notre ère] lève brusquement le camp, ravage le pays, livre au pillage un lieu qui, à la faveur d'une longue paix, s'était agrandi au point de ressembler à une ville, et dont les eaux, renommées par leur agrément et leur salubrité, attiraient une foule d'étrangers. » Trad. Burnouf, revue par Bornecque (coll. des Classiques Garnier).

85. « Pour toutes maladies, ils (les Allemands) se baignent, et sont à grenouiller dans l'eau, quasi d'un soleil à l'autre... » *Essais*, l. II, chap. XXXVII.

86. Charles de Harlay, baron de Dolot, qui fit plusieurs négociations en Allemagne, en Pologne et en Suisse et mourut en 1617. Il était le fils non pas d'Achille de Harlay, comme l'a cru l'éditeur, mais de Christophe de Harlay, président à mortier au Parlement de Paris, décédé en 1573.

87. Soleure.

88. La reine-mère, Catherine de Médicis.

89. Emmanuel-Philibert, duc de Savoie et beau-frère d'Henri II, était mort le 30 août 1580.

90. « La diversité des façons d'une nation à autre ne me touche que par le plaisir de la variété. Chaque usage a ses saisons... Tout m'est un. » *Essais*, l. III, chap. IX.

91. Rodolphe II, empereur d'Allemagne de 1576 à 1612.

92. Kaiserstuhl.

93. Charles, frère cadet d'Henri II, d'abord duc d'Angoulême, puis duc d'Orléans (1522-9 septembre 1545).

94. Stein.

95. Steckborn.

96. Pour former le lac Inférieur (Untersee) de Constance.

97. Charles-Quint, en 1548, avait mis Constance au ban de l'Empire:

98. Le cardinal de Saint-Ange, Marco Sitico Altemps (1533-1595), appartenait à la noble famille des comtes de Hohenems, dont le château se dressait dans le Vorarlberg, près du lac de Constance.

99. Charles de Montmorency, seigneur de Méru, depuis duc d'Anville et amiral de France, était alors colonel général des Suisses. C'était le troisième fils du connétable Anne de Montmorency.

100. Markdorf.

101. Ravensburg.

102. Lindau.

103. Buchhorn, aujourd'hui Friedrischshafen.

104. Ulm.

105. Lindau.

106. Le *teston*, monnaie d'argent fabriquée sous Louis XII à l'effigie ou *teste* du roi, valait alors 12 sols 6 deniers.

107. Martin Luther. « J'ay veu en Allemagne que Luther a laissé autant de divisions et d'altercations, sur le doubte des opinions, et plus, qu'il n'en esmeut sur les escritures sainctes. Notre contestation est verbale. » *Essais*, l. III, chap. XIII.

108. « Vous faites malade un Alleman, de le coucher sur un matelas : comme un Italien sur la plume, et un François sans rideau et sans feu. » *Essais*, l. III, chap. XIII.

109. On a un Munster qui porte au bas du frontispice la signature de Montaigne : c'est la *Cosmographie universelle*, etc., par Sebast. Monstere, — le même qu'on nommait « le Strabon de l'Allemagne ».

110. Lautrey note qu'il l'entreprit au moins une fois, peut-être à Augsbourg : « Autres fois estant en lieu où c'est discourtoisie barbaresque de ne répondre à ceux qui vous convient à boire, quoy qu'on m'y traitast avec toute liberté, j'essaiay de faire le bon compaignon en faveur des Dames qui estoient de la partie, selon l'usage du pays. Mais il y eut du plaisir : car cette menasse et préparation d'avoir à m'efforcer outre ma coustume et mon naturel m'estoupa de maniere le gosier que je ne sçeuz avaller une seule goute, et fus privé de boire pour le besoing mesme de mon repas. » *Essais*, l. II, chap. XVII.

111. L'*écu au soleil* ou écu-sol, ainsi nommé parce qu'il été orné d'un soleil au-dessus de la couronne royale, était en or et valait au XVIe siècle de 50 à 90 sols.

112. Le *batz* était une monnaie de cuivre argenté valant le quart d'un *thaler*, c'est-à-dire deux sous un quart. Cf. p. 26.

113. « Les Allemans boivent quasi esgalement de tout vin avec plaisir. Leur fin c'est l'avaller, plus que le gouster. » *Essais*, l. II, chap. II.

114. Wangen.

115. Trente.

116. Isny.

117. Luther.

118. La secte luthérienne des *Ubiquitaires* ou *Ubiquistes* soutenait que le corps de Jésus est présent dans l'Eucharistie, parce que la divinité du Christ est partout présente.

119. C'est une abbaye de bénédictins.

120. Cette inscription latine, qui est au musée d'Augsbourg, a été recueillie par Mommsen, *Corpus Inscriptionum*, III, nº 5987.

121. Sainte-Foy-la-Grande, sur la Dordogne, petite ville voisine de la terre et du château de Montaigne.

122. Le canton d'Appenzell.

123. « Les bourgeois, dit Séb. Munster dans sa *Cosmographie*, font grand faict de toilles de lin, et il y a entre euz des gentz fort ingénieux et marchantz, sachantz plusieurs langues, la marchandise desquelz se porte presque par toute la chrestienté. »

124. De Stein.

125. D'Augsbourg (*Augusta Vindelicorum*).

126. La première Confession d'Augsbourg avait été rédigée par Mélanchthon, en 1530.

127. Isny.

128. Iller.

129. Pfronten.

130. D'après Munster (*Cosmographie*, p. 596) cette muraille, bâtie par Tibère, était appelée vulgairement « le mur des païens ».

131. Trente.

132. Wangen.

133. Füssen.

134. D'Augsbourg (*Augusta Vindelicorum*).

135. Le château de Hohenschwangau, à une lieue à peine de Füssen.

136. Schongau.

137. Landsberg.

138. Le collège des Jésuites venait d'être fondé quatre ans plus tôt, en 1576, par le comte de Helffenstein.

139. Il s'agit du combat, rapporté par Tite-Live (XXXIII, 36), où le roitelet boïen Carloman surprit et battit Marcellus, en 196 av. J.-C.

140. « C'est, dit Munster (*Cosmographie*), la plus excellente ville de tout l'Empire Romain, tant en richesses qu'en beauté. »

141. Des Fugger, négociants et banquiers d'Allemagne, qui prêtèrent à Charles-Quint pendant les guerres de religion et furent élevés au rang de comtes de l'Empire, puis de princes souverains. Rabelais disait de Philippe Strozzi (*Lettre* du 30 décembre 1535) : « Apres les Fourques de Auxbourg en Almaigne, il est estimé le plus riche marchant de la Chrestienté. »

142. En 1573.

143. Au bâton ferré à chaque bout.

144. Le braquemart était une épée courte et large.

145. La Lech.

146. Augsbourg (*Augusta Vindelicorum*).

147. Cf. note 141.

148. Danses à trois temps qui ressemblent un peu à la valse.

149. « J'ay veu des gardoirs assez, où les poissons accourent, pour manger, à certain cry de ceux qui les traictent. » *Essais*, l. II, chap. XII.

150. C'est un siphon.

151. Élisabeth.

152. Cf. note 141.

153. Ulm.

154. Montaigne prend ici un nom commun (*Sauerbrunnen* signifie « source d'eau minérale acide ») pour un nom propre : le « bain » en question est sans doute Giengen, à deux lieues et demie d'Ulm.

155. Bruck.

156. Les Électeurs.

157. L'Isar.

158. Guillaume V (1548-1626), duc de Bavière du 24 octobre 1579 à 1596.

159. Renée de Lorraine, décédée en 1602.

160. Les « deux enfants mâles grandets », Maximilien et Philippe, avaient alors respectivement 7 ans et 4 ans; la fille, Marie-Anne, 6 ans.

161. Le frère cadet du duc, Ferdinand, se mésallia en 1588 et commença la branche des comtes de Wartenberg.

162. Icking.

163. Non pas l'Isar, mais la Loisach.

164. Le Kochelsee, qui a une lieue et demie de long et une lieue de large, et que prolonge le Rohrsee.

165. Le Kesselberg, dont le col est à 861 m. d'altitude.

166. Mittenwald.

167. Le fort qui fermait le défilé de Scharnitz, à 957 mètres d'altitude, a été rasé en 1805 par les Français.

168. Seefeld.

169. Celle qui est exposée sur l'autel, dans le soleil ou dans la suspension, et qui est consommée par le prêtre. La légende dit qu'il la prit de force.

170. Fragenstein.

171. Non pas à Vienne, mais à Passau, qui est à mi-chemin d'Innsbruck à Vienne.

172. La Martinswand.

173. La chronique place cette aventure en 1493.

174. Augsbourg (*Augusta Vindelicorum*).

175. Innsbruck.

176. Non pas *Ænopontum*, mais *Œnopontun*.

177. Non pas Fernand, mais Ferdinand, comte de Tyrol, second fils de l'empereur Ferdinand Ier et neveu de Charles-Quint (1529-1595).

178. « Comme je fais conscience de manger de la viande, le jour de poisson : aussi fait mon goust, de mesler le poisson à la chair. Cette diversité me semble trop eslongnée. » *Essais*, l. III, chap. XIII.

179. Hall.

180. Innsbruck.

181. Le château d'Ambras, à une lieue d'Innsbruck.

182. Ces « effigies de bronze », qui entourent le sarcophage de l'empereur Maximilien Ier, sont aujourd'hui au nombre de 28.

183. André, fils aîné de Ferdinand II et de son épouse morganatique, Philippine Walser (1557-1600), était cardinal depuis 1576.

184. Charles, fils cadet de Ferdinand II et de Philippine Walser (1560-1618), était marquis de Burgau.

185. Augsbourg (*Augusta Vindelicorum*).

186. Il en avait 23, cf. n. 183.

187. Barbe, Jeanne et Éléonore.

188. Hall.

189. Marguerite, Hélène et Madeleine; les deux premières étaient décédées; Madeleine, abbesse de Hall, ne mourut qu'en 1589.

190. Innsbruck.

191. Le défilé nommé Pass Lueg.

192. Cette inscription existe toujours.

193. Lannoy fit François Ier prisonnier à Pavie, le 24 février 1525.

194. Le connétable de Bourbon prit Rome d'assaut, le 6 mai 1527, et fut tué en la prenant.

195. Le Brenner.

196. Sterzing.

197. « En sa plus grande esmotion, je l'ay tenu (mon mal, la colique) dix heures à cheval. Souffrez seulement, vous n'avez que faire d'autre régime. » *Essais*, l. III, chap. XIII.

198. L'Eisach.

199. Brixen.

200. Léonor.

201. Augsbourg (*Augusta Vindelicorum*).

202. L'Eisach.

203. Klausen.

204. Kolmann.

205. Bolzano (Bozen).

206. Cf. plus haut, p. 15, et la note 69.

207. Bronzolo (Branzoll).

208. L'Eisach.

209. L'Adige.

210. Trente.

211. Sans doute Auer.

212. Salorno (Salurn).

213. Trente.

214. Agen.

215. Il y avait alors, à Trente, une église allemande réformée et au moins trois églises italiennes catholiques.

216. Augsbourg (*Augusta Vindelicorum*).

217. D'Adige.

218. C'est une église romane.

219. *La Torre di Piazza.*

220. L'église Sainte-Marie Majeure, où se tint le concile de Trente (1545-1563).

221. La *cantoria*, due au sculpteur Vincenzo Vincentino, qui semble être de l'école de Tullio Lombardo.

222. Des automates à la Vaucanson.

223. Bernard de Closs *(Clesius)*, évêque de Trente, de 1514 à 1539 (date de sa mort) et cardinal depuis 1530.

224. Au xve siècle.

225. Les comtes de Tyrol exerçaient le droit d'*avouerie* sur l'église de Trente depuis le xiie siècle.

226. Les Fugger, cf. n. 141.

227. Augsbourg (*Augusta Vindelicorum*).

228. Le *Castello del Buon Consiglio.*

229. Un *Triomphe de César.*

230. Dans une *Lettre* du 15 février 1536 à Geoffroy d'Estissac, Rabelais conte avoir vu à Rome ce cardinal : « Le cinq^e de ce moys arriva icy, par le commandement de l'Empereur, le cardinal de Trente (*Tridentinus* en Alemagne), en gros train et plus sumptueux que n'est celuy du Pape. En sa compagnie estoient plus de cent Alemans vestus d'une parure, sçavoir est de robbes rouges avec une bande jaulne, et avoient en la manche droicte en broderie figuré une jarbe de bled liée, alentour de laquelle estoit escript : *Unitas.* »

231. Les Fugger. Cf. plus haut, p. 43, et la note 141.

232. Comme le note Lautrey, Montaigne n'avait donc pas entendu

parler à Augsbourg de la Fuggerei. Cf. S. Munster, *Cosmographie*, p. 682 : « L'an 1510, les Focquers tout seulz ont fondé plus de cent habitations aux faulxbourgs de Sainct Jaques, semblant à une petite ville, et les ont ordonnez à des pauvres citoyens, gens de bien, gaignantz honnestement leur vie avec peine et labeur. »

233. Le thaler ou taler, monnaie d'argent, valait alors 4 batz, soit 6 francs-or.

234. « Les Italiens comptent 24 heures de suite, depuis un soir jusqu'à l'autre. La 24e heure sonne une demie-heure après le coucher du soleil, c'est-à-dire à la nuit tombante, et lorsqu'on ne commence à ne pouvoir lire qu'avec peine. Si la nuit dure 10 heures et le jour 14, on dit que le soleil se lève à 10 heures, et qu'il est midi à 17 heures. » Lalande, *Voyage d'un François en Italie dans les années* 1765 *et* 1766. Préface. [Cité par Meusnier de Querlon.]

235. D'Adige.

236. Rovereto.

237. On lit des propos analogues sur la façon qu'avait Montaigne de se promener et de voyager dans les *Essais*, l. III, chap. IX.

238. Terbole, à l'extrémité N. du lac de Garde.

239. Riva.

240. C'est ce qui reste d'un château des Scaliger.

241. Le baron *Fortunato* Madruccio, qui appartenait aux Princes-Évêques de Trente, et qui était capitaine du château La Riva.

242. L'Adige.

243. Rovereto.

244. Borghetto.

245. La Chiusa di Rivoli, défilé fortifié non loin du champ de bataille où s'illustra Masséna en 1797.

246. Volargne.

247. On appelle quatrin (*quattrino*) le quart d'un *baiocco*, environ deux centimes.

248. Aujourd'hui l'église Saint-Pierre martyr.

249. En 1509.

250. Une fresque de Falconetto, qu'on voit encore au-dessus du grand autel, et qui représente un Père Éternel, et entre autres figures deux chevaliers allemands agenouillés, avec une inscription où on lit le nom de Maximilien.

251. Les Scaliger, seigneurs de Vérone aux XIIIe et XIVe siècles.

252. L'hôte du Chevalet se vantait probablement.

253. Le *Castello S. Pietro*.

254. L'ordre des Jésuates de Saint-Jérôme (ainsi nommés parce qu'ils avaient toujours à la bouche le nom de Jésus), fondé par saint Jean

Colombini de Sienne en 1363, fut supprimé en 1668 par le pape Clément IX.

255. D'où le surnom de *Pères de l'eau-de-vie* qui leur était donné par le peuple.

256. L'*Arena*, construite sous Dioclétien, et qui a 455 m. de tour. « C'estoit aussi belle chose à voir, ces grands amphithéatres encroustez de marbre au dehors, labouré d'ouvrages et statues, le dedans reluisant de rares enrichissemens. » *Essais*, l. III, chap. VI.

257. Le Podestat, premier magistrat de robe et d'épée, dans les villes de l'État de Venise.

258. Montaigne se moque (*Essais*, l. III, chap. x) de ces magistrats municipaux qui « pensent espandre leur nom pour avoir jugé à droict une affaire ou continué l'ordre des gardes d'une porte de ville »... « Le marbre, écrit-il, eslevera vos titres tant qu'il vous plaira, pour avoir fait rapetasser un pan de mur, ou descrocheter un ruisseau public : mais non pas les hommes qui ont du sens. »

259. L'église de la *Madonna di Campagna*, achevée en 1586 : elle est octogonale à l'intérieur, et extérieurement ronde, surmontée d'une coupole.

260. Vicence.

261. Palladio venait d'y édifier plusieurs palais.

262. Le pape Urbain V.

263. Non pas de *Pelneo*, mais de *Pelveo* : il s'agit de Nicolas de Pellevé ou Pelvé (1518-1594), archevêque de Sens, cardinal depuis 1570 et qui devait être en 1592 archevêque de Reims. L'un des chefs de la Ligue, il est attaqué dans la *Satyre Ménippée*, où « un petit maître ès arts » lui décerne ce compliment ironique :

> *Les frères ignorants ont eu grande raison*
> *De vous faire leur chef, Monsieur l'Illustrissime,*
> *Car ceux qui ont ouy votre belle oraison*
> *Vous ont bien recogneu pour ignorantissime.*

Montaigne dîna chez lui à Rome, voir plus loin, p. 99.

264. Comme les frères Fredons du *Cinquième livre* de Rabelais qui « ne chantoient que des aureilles ».

265. De Montaigne.

266. Le cardinal Bembo (1470-1547), humaniste latin et italien, célèbre par son purisme. Montaigne, ailleurs (*Essais*, l. III, chap. v), trouve à propos de ses dialogues sur l'amour, *Gli Azolani*, qu'il « artialise trop la nature ».

267. Le *Salone* du palais *della Ragione*, construit en 1420 et qui a 81 m. 50 de long et 27 de large.

268. Tite-Live passe pour être né à Abano, non loin de Padoue.

269. Ce n'est point l'épitaphe de Tite-Live, mais la pierre tombale d'un affranchi de sa famille.

270. Julius Paulus, de Padoue, préfet du prétoire sous Alexandre Sévère.

271. Le palais Dalsemanini, plus tard palais Foscari, démoli vers 1825.

272. La Brenta.

273. Le palais Contarini, à Mira.

274. L'inscription porte qu'Henri III y logea le 1er août 1574.

275. Fusina.

276. Arnaud du Ferrier (1505 ?-1585), ambassadeur du roi à Venise, qui allait se convertir au protestantisme pour quoi il avait toujours penché à son retour d'ambassade (1582) et devenir le chancelier d'Henri de Navarre. C'est à lui que Montaigne fait sans doute allusion dans ce passage des *Essais* (l. I, chap. LVI) : « Et celuy qui se confessant à moy, me récitoit avoir tout un aage faict profession et les effects d'une religion damnable selon luy, et contradictoire à celle qu'il avoit en son cœur, pour ne perdre son crédit et l'honneur de ses charges : comment patissoit-il ce discours en son courage ? »

277. Le président de Brosses (*Lettre* XV) note, un siècle et demi plus tard, que les ambassadeurs à Venise « ne peuvent absolument voir aucun noble, auxquels il est défendu, sous peine de mort, d'entrer chez eux » et prétend qu' « on a vu un noble exécuté à mort, seulement pour avoir traversé la maison d'un ambassadeur, sans parler à personne, pour aller voir en secret sa maîtresse ! »

278. « Deux millions, c'est-à-dire vingt fois cent mille ducatz », affirme Munster dans sa *Cosmographie*.

279. A cause sans doute de l'odeur aigre de son marais. Cf. *Essais*, l. I, chap. LV.

280. Veronica Franco (1545 ?-1591), qui avait abandonné de bonne heure, en 1574, « l'honoré métier » de courtisane et venait de faire imprimer des *Lettere Famigliari a diversi*, dédiées au cardinal Louis d'Este. Henri III l'avait visitée à son retour de Pologne.

281. Deux cent quinze, au dire du *Catalogue* des plus honorées courtisanes, imprimé à Venise environ 1574.

282. Fusina.

283. « Quand la voile ou le cours de l'eau nous emporte esgallement, ou qu'on nous toue, cette agitation unie ne me blesse aucunement. » *Essais*, l. III, chap. VI.

284. Pour suivre les cours de l'École de Droit.

285. Non pas le sieur de *Millau*, mais François de Gontaut, sieur de *Millac*, second fils d'Armand de Gontaut, seigneur de Salagnac,

lieutenant-général du roi de Navarre aux comté de Périgord et vicomté de Limoges. Ce sieur de Millac fut tué en duel à l'âge de 22 ans.

286. L'abbaye bénédictine de Praglia, sur la Frassine.

287. Nicolas de Cusa (1401-1464), tour à tour archidiacre de Trèves, évêque de Brixen, puis cardinal (1448) et qui a laissé, entre autres ouvrages, un traité *De concordantia catholica.*

288. Sans doute un ancien hameau de San Pietro *Basso*, près de San Pietro Montagnon.

289. Les monts Euganéens.

290. Préchacq-les-Bains, sur l'Adour, à quatre lieues à peine de Dax.

291. Le château de Cattajo, construit par la famille vénitienne des Obizzi.

292. Louis d'Este (1538-1586), fils d'Hercule II, duc de Ferrare, et de Renée de France, cardinal depuis 1561. Il venait d'être chassé de Rome par le pape à cause d'une rixe entre ses domestiques et les scribes pontificaux. Cf. note 280.

293. Battaglia.

294. Du Frassine.

295. Cf. note 83.

296. Monselice.

297. D'Adige.

298. Venise.

299. Luigi Ricchieri (1450?-1525), humaniste qui professa les lettres antiques à Milan, puis à Padoue, et prit le nom de Ludovicus Cœlius Rhodiginus. Jules-César Scaliger l'appelait le Varron de son siècle.

300. L'Adige.

301. Selon la coutume italienne. Cf. *Essais*, l. I, ch. XLIX.

302. Alphonse d'Este, deuxième du nom, duc de Ferrare, de Modène et de Reggio depuis 1558, mort sans postérité le 27 octobre 1597. Il était le fils aîné d'Hercule II et de Renée de France et le frère du cardinal d'Este dont il a été question plus haut. Cf. n. 292.

M. d'Estissac remit au duc deux lettres de recommandation, l'une du roi Henri III, l'autre de Catherine de Médicis, qui sont toutes deux conservées aux archives de Modène.

303. L'église Saint-Benoît.

304. Marguerite Gonzague, fille du duc de Mantoue, troisième femme du duc de Ferrare.

305. Le duc avait 45 ans, lorsqu'il épousa, en 1578, cette princesse mantouane; elle, 16 ans.

306. De Viadana à Ferrare.

307. Trente-cinq *pans* ou empans font environ 8 mètres.

308. Alphonse Ier, duc de Ferrare, avait fait fondre deux énormes couleuvrines, la *Giulia* et la *Regina*, et une bombarde, *il Gran Diavolo.*

309. Bologne.

310. Blaise de Monluc, alors âgé de 17 ans environ, petit-fils du maréchal et fils du capitaine Pérot, qui devait être tué au siège d'Ardres (1596). Montaigne le retrouvera à Rome. Cf. Brantôme, *Œuvres*, éd. Lalanne, t. IV, p. 42.

311. Sans doute ce fils de la présidente Poynet, dont parle Brantôme (*Œuvres*, éd. Lalanne, t. VI, p. 212).

312. La tour Garisenda, construite en 1110, haute de 49 m. 60, inclinée de 3 m. 04.

313. L'Archiginnasio, édifié par Vignole en 1562.

314. Les Guelfes.

315. Les Gibelins.

316. La fontaine de Neptune, œuvre de Jean Bologne (1564).

317. Lojano.

318. Scarperia.

319. Il y a là une note en italien (de Montaigne ? ou de Querlon ?) : *Anche ragazze e ragazzi* « ils promettent, par exemple, des jouvenceaux et des jeunes filles ».

320. Bologne.

321. Lojano.

322. C'est le volcan de Pietramala, sur la route de Florence, et à huit lieues de Bologne, qui jette des flammes à un pied de hauteur par temps sec, et un peu plus haut si le temps est humide.

323. C'est une légende.

324. La villa Pratolino, édifiée par l'architecte Buontalenti pour le grand-duc François Ier de Médicis, à partir de 1573. Il n'en reste aujourd'hui que le parc.

325. La pierre ponce.

326. L'Apennin, statue colossale de Jean Bologne : le dieu est représenté assis, pressant de la main gauche la tête d'un monstre qui crache une eau abondante.

327. L'Arno.

328. Rabelais (*Quart livre*, chap. XI) avait vu aussi, à Florence, « les lions et afriquanes », quelque cinquante ans plus tôt.

329. Au combat de Marciano (12 août 1554) où Strozzi fut vaincu par le marquis de Marignano, lieutenant de l'empereur en Toscane. Il allait être maréchal de France en 1556.

330. La plus célèbre de ces fresques est le *Martyre de saint Laurent*, par Bronzino.

331. Les tombeaux de Julien et de Laurent de Médicis.

332. Le campanile, de Giotto.

333. « Ils (les Italiens) ont plus communément des belles femmes et moins de laydes que nous; mais des rares et excellentes beautez, j'estime que nous allons à pair. » *Essais*, l. III, chap. v.

334. Ce détail est du scribe de Montaigne.

335. Le *réal*, monnaie espagnole introduite en Italie, valut par la suite cinq sols de France.

336. Le casino de Saint-Marc.

337. Il faut sans doute lire : *de quatre hommes*, car la boule a 2 m. 40 de diamètre.

338. Le Palais Vieux.

339. Par Vasari dans la salle du Conseil.

340. Défendue par Blaise de Monluc, Sienne se rendit après un siège mémorable de dix mois, en 1554.

341. Cette même année 1554.

342. A cause de l'alliance faite entre la maison d'Anjou, qui était de France, et la maison des Médicis.

343. Depuis que le pape Pie V avait donné au duc Cosme Ier le titre de Grand-Duc et Sérénissime.

344. Bianca Capello, Vénitienne, ancienne maîtresse du grand-duc François-Marie Ier, et que celui-ci avait épousée en secondes noces en 1578.

345. Victor Capello.

346. « Les Italiens la façonnent [la bonté] grosse et massive. » *Essais*, l. II, chap. xii.

347. De la taille de Montaigne. Celui-ci dit ailleurs (*Essais*, l. II, chap. xvii) que sa taille, « un peu au-dessous de la moyenne », était « forte et ramassée », entendez qu'il était petit et trapu.

348. Le cardinal de Médicis, depuis grand-duc de Florence, sous le nom de Ferdinand Ier (1551-1609).

349. Pierre, mort en 1604, ou Jean, fils naturel de Cosme Ier.

350. « Les petits verres sont les miens favoris. » *Essais*, l. III, chap. xiii.

351. Au mois de juin, Montaigne reconnaîtra que c'est à juste titre que Florence est dite *la bella*. Dans la *Cosmographie* de Munster ayant appartenu à l'auteur des *Essais*, et qu'il avait sans doute achetée pour ce voyage, il y a, souligné à l'encre, le passage suivant : « Les epithetes des villes d'Italie : Venise a este appelée la riche par singularité, Milan la populeuse ou la grande, Gennes la superbe, Florence la belle, Bolongne la grasse, Ravenne l'ancienne, Naples la gentile et Rome la saincte. »

352. C'est une villa à une lieue et demie au N.-O. de Florence.

353. Pratolino.

354. A Augsbourg, cf. p. 43.

355. La fontaine octogonale, œuvre du Tribolo.

356. C'est le groupe d'Hercule et Antée, œuvre d'Ammanati.

357. Fin novembre.

358. Une chimère de bronze antique, déterrée en 1558, à Arezzo.

359. Le palais Riccardi, dit aujourd'hui palais Pitti.

360. Catherine de Médicis.

361. Allusion à la prise de Sienne par Lansac (1552) et au valeureux siège de dix mois soutenu ensuite par Monluc (1554-1555).

362. La place del Campo.

363. Le Palais Public.

364. La fontaine Gaia, ornée par Jacopo della Quercia de très beaux bas-reliefs.

365. Silvio Piccolomini, favori des grands-ducs de Florence, qui s'illustra dans divers combats en Flandre, en Transylvanie, aux pays barbaresques, et mourut en 1614.

366. Pratolino.

367. Buonconvento.

368. Montalcino.

369. Après une superbe défense de quatre ans, la petite république de Montalcino, abandonnée par Henri II lors du traité de Cateau-Cambrésis (3 avril 1559), fut forcée de se rendre au grand-duc Cosme.

370. Près de Libourne.

371. La Paglia, bourgade ainsi nommée de l'affluent de la rive droite du Tibre qui l'arrose.

372. Le pont Centino.

373. Grégoire XIII, alors régnant. Le pont en pierre.

374. Bolsena.

375. Montefiascone.

376. Senlis.

377. Ronciglione.

378. Octave Farnèse (1520-1586).

379. Les juilles ou jules (*giuli*), monnaies d'argent frappées par Jules III, valant 13 sous 4 deniers.

380. « Je m'esbranle difficilement, et suis tardif par tout : à me lever, à me coucher, et à mes repas. C'est matin pour moy que sept heures. » *Essais*, l. III, chap. XIII.

381. « Depuis quelques années..., après cinq ou six heures, l'esto-

mach me commence à troubler, avec véhémente douleur de teste : et n'arrive point au jour sans vomir. » *Essais*, l. III, chap. XIII.

382. La peste de Gênes, commencée en 1579, fit 28.000 victimes.

383. Église ancienne du quartier des teinturiers, d'où son nom. D'après A. d'Ancona, ce logis de l'Espagnol était situé dans la rue Monte-Brianzo, à quelques pas du Tibre, en amont du pont Saint-Ange, et sans doute au nº 25 actuel de ladite rue.

384. « Je peregrine tressaoul de nos façons : non pour chercher des Gascons en Sicile, j'en ay assez laissé au logis. » *Essais*, l. III, chap. IX.

385. L'arc de Septime-Sévère, au pied du Capitole.

386. Entre autres livres, ses *Essais*, qui ne lui furent rendus que le 20 mars, avec censure.

387. L'ambassadeur de France Charles d'Angennes, de la famille des Rambouillet, cardinal en 1570, mort en 1587.

388. L'*amandé* est une sorte de lait aux amandes.

389. Les quatre semences froides majeures étaient la citrouille, le concombre, la courge et le melon.

390. Grégoire XIII, pape de 1572 à 1585.

391. Ferdinand de Médicis, dont il a été fait mention plus haut, cf. p. 86 et note 348.

392. Le même qui fut dégradé et étranglé sous Pie IV.

393. Louis Chasteigner, seigneur d'Abain et de La Roche-Posay (1535-1595), ambassadeur de France à Rome de 1575 à 1581, plus tard gouverneur de la Marche, mort à Moulins. Il s'était signalé par sa bravoure aux combats de Saint-Denis et de Fontaine-Française; ancien élève de Joseph Scaliger et fort savant, il correspondit avec le philosophe florentin Vettori et prit à Rome des leçons de Marc-Antoine Muret.

Montaigne nous apprend plus loin (6 mars) son départ de Rome, où Paul de Foix lui succède.

394. L'ambassadeur avait dit au pape que Montaigne avait traduit en français la *Théologie naturelle* de Raymond Sebon « en laquelle est démonstrée la vérité de la Foy chrestienne et catholique ».

395. Grégoire XIII (*Ugo Buoncompagno*) était né à Bologne en 1502.

396. Le pape, écrit Paul de Foix, l'ambassadeur qui succéda à Chasteigner, a « une certaine difficulté d'haleine et la voix casse ». (*Lettre* du 4 septembre 1581.)

397. Ou plus exactement de 78 ans.

398. « Ce qui est entre deux crochets est ajouté en marge de la main de Montaigne. » (Note de Meusnier de Querlon.)

399. Cf. note 247.

400. Jacopo Buoncompagno (1548-1612), qu'il avait eu d'une ser-

vante avant d'entrer dans les ordres, et qui fut tour à tour castellan de Saint-Ange et duc de Sora.

401. En 1576, Grégoire XIII l'avait exilé quelque temps à Pérouse pour avoir voulu soustraire à la justice pontificale l'un de ses domestiques.

402. Montaigne et le jeune sieur d'Estissac.

403. Nicolas de Pellevé ou Pelvé, archevêque de Sens. Cf. *supra*, note 263.

404. Cf. note 397.

405. Ce Catena avait commis 54 assassinats (*Avvisi di Roma* cités par A. d'Ancona).

406. Il y eut à son supplice plus de 30.000 spectateurs (*Avvisi di Roma* cités par A. d'Ancona).

407. Dans ses *Essais* (1582), liv. II, chap. XI : « Je me rencontray un jour à Rome, sur le point qu'on deffaisoit Catena, un voleur fameux : on l'estrangla sans aucune émotion de l'assistance, mais quand on vint à le mettre à quartiers, le bourreau ne donnoit coup que le peuple ne suivist d'une voix plaintive et d'une exclamation, comme si chacun eust presté son sentiment à cette charongne. »

408. Cette remarque sur l'*Isle sonnante* ne laisse pas de surprendre.

409. C'est le secrétaire qui parle : Montaigne n'était guère friand de ces spectacles et n'avait assisté que par « rencontre » au supplice de Catena. « Les executions mesme de la justice..., je ne les puis voir d'une veue ferme. » *Essais*, l. II, chap. XI.

410. Jacopo Buoncompagno, castellan de Saint-Ange. Cf. note 400.

411. Même remarque du président de Brosses (*Lettres sur l'Italie*, XXXVII, éd. Bezard, t. II, p. 15) : « Il n'y a presque d'habité que la partie comprise entre le Tibre, le mont de la Trinité, Monte Cavallo et le Capitole : ce qui peut faire un bon tiers de la ville. »

412. « L'enceinte est à peu près égale à celle de Paris, peut-être un peu moins grande ». Président de Brosses, *Lettres sur l'Italie*, XXXVII, éd. Bezard, t. II, p. 14.

413. C'est la galerie dite des Cartes, qui sont peintes à la fresque.

414. Parmi lesquels *Le Antichità di Roma*, de Lucio Mauro, volume retrouvé portant la signature de Montaigne.

415. Il forme ce qu'on nomme aujourd'hui le mont Testacé ou des Tessons (*Monte Testaccio*), qui, composé des débris des amphores déchargées au port du Tibre, a mille pas de tour et plus de deux cents pieds de haut.

416. Gurson, en Périgord, à deux lieues au N.-E. de Montaigne, et où Louis de Foix avait son château.

417. Le temple de la Paix, construit par Vespasien et incendié sous

Commode — à moins que Montaigne ne veuille nommer ici le temple de la Concorde.

418. Le Vélabre était un quartier si marécageux de la Rome antique qu'on y passait en bateau un marais pour gagner l'Aventin.

419. La *Cloaca maxima.*

420. Nom vulgaire d'une sorte de résine rouge, employée comme astringent.

421. « L'invention des encens et parfums aux Églises... regarde à cela de nous resjouir, esveiller et purifier le sens pour nous rendre plus propres à la contemplation. » *Essais*, l. I, chap. LV.

422. Ancien exercice de manège, consistant à frapper de la lance (comme ici) ou à atteindre d'un trait un bouclier fixé à un poteau.

423. La mode d'un masque de velours noir fut introduite à la cour de France par Catherine de Médicis : les « gentifemmes » mettaient souvent un *loup* pour se promener ou faire des visites.

424. « Pour trois belles, il nous en fault baiser cinquante laides. » *Essais*, l. III, chap. V.

425. Montaigne n'aimait pas « cette longue queue de velours plissé, qui pend aux testes de nos femmes, avec son attirail bigarré... ». *Essais*, l. I, chap. XXIII.

426. « Pour faire un corps bien espagnolé, quelle géhenne ne souffrent elles guindées et sanglées, à tout [avec] de grosses coches [entailles] sur les costez, jusques à la chair vive ? ouy quelquefois à en mourir. » *Essais*, l. I, chap. XLI.

427. Même observation du président de Brosses (*Lettres sur l'Italie*, XLII, éd. Bezard, t. II, p. 140) : « Cette ardente vivacité des Français, jointe à la mauvaise habitude de préférer tout haut ce qui se fait chez eux à ce qui se pratique ailleurs, est une des principales causes pour lesquelles ils sont plus mal vus chez l'étranger qu'aucune autre nation. Elle fait dire qu'on ne peut les avoir pour compagnons ; qu'ils veulent être maîtres partout, et qu'ils ne parlent que d'un ton despotique. Le caractère en dessous de la nation italienne sympathise mal avec nos manières ouvertes et peu circonspectes. »

428. De Jacopo Buoncompagno, fils du Pape et gouverneur du château Saint-Ange. Cf. note 400.

429. Cf. note 422.

430. Sans doute l'étole.

431. L'église Saint-Sixte, avec un couvent de moniales.

432. Ces moniales furent, d'ordre de Grégoire XIII, transférées dans un nouveau couvent construit près d'une nouvelle église, Saint-Dominique, sur le mont Magnapoli.

433. 850 mendiants, au dire d'A. d'Ancona, mais qui, lamentant leur liberté perdue, s'en échappèrent bientôt presque tous.

434. « La Royne de Navarre, Marguerite, recite d'un jeune prince... qu'allant coucher avec la femme d'un Advocat de Paris, son chemin s'adonnant au travers d'une Eglise, il ne passoit jamais en ce lieu saint, alant ou retournant de son entreprinse, qu'il ne fit ses prieres et oraisons. Je vous laisse à juger, l'ame pleine de ce beau pensement, à quoy il employoit la faveur divine. » *Essais*, l. I, chap. LVI.

435. Ivan IV le Terrible, premier tsar de Russie.

436. Non pas le deuxième, mais le quatrième, corrige A. d'Ancona, qui cite une ambassade russe auprès de Sixte IV en 1472, et une autre auprès de Clément VII, entre 1523 et 1525.

437. Stéphane Bathory. Cette guerre polono-moscovite dura cinq ans.

438. Jacopo Buocompagno, cf. note 400.

439. Ælius Aristide, rhéteur grec du temps de Marc-Aurèle.

440. Chine.

441. Trente.

442. Plantin, le célèbre imprimeur, né à Montlouis, près de Tours, en 1514, mort en 1589 à Anvers où il s'était fixé. « Premier imprimeur » de Philippe II, il avait failli compromettre sa fortune, qui était grande, par les frais énormes de cette Bible en quatre langues (hébraïque, chaldaïque, grecque et romaine) à laquelle Montaigne fait allusion. Publiée à Anvers (1569-1573) en 8 gros volumes in-folio, et tirée à 1.200 exemplaires, elle fut vendue au-dessous de son prix de revient.

443. Henri VIII, auteur d'une *Adsertio septem sacramentorum adversus Martinum Lutherum* (1520), adressée au pape Léon X, peu de temps avant la mort de celui-ci (1521).

444. Il y a, comme le marque Meusnier de Querlon, une faute de quantité dans l'hexamètre, *décime* ne comportant que des brèves. Peut-être sied-il de lire *maxime*.

445. Louis Chasteigner, seigneur d'Abain. Cf. note 393

446. Le cardinal Guillaume Sirleto, bibliothécaire rigide, qui refusa à Marc-Antoine Muret, nous dit Dejob, la communication d'un manuscrit de Zozime, comme d'un livre impie et criminel.

447. C'est le *Romanus* qu'Ange Politien avait consulté vers 1454.

448. C'est l'espèce d'envoi ainsi conçu : « Celui dont tu connais les *Bucoliques* et les *Géorgiques*, le voilà devenu chantre de guerres » :

> *Ille ego, qui quondam, gracili modulatus avena*
> *Carmen, et, egressus silvis, vicina coegi*
> *Ut quamvis avido parerent arva colono,*
> *Gratum opus agricolis ; at nunc horrentia Martis.*

On pense généralement avec Montaigne que ces autres vers ne sont pas de Virgile : 1° parce qu'ils manquent dans les meilleurs manuscrits;

2° parce que dans tous les auteurs anciens qui, parlant de l'*Énéide*, désignent le poème par le premier vers, nous trouvons *arma virumque cano*. Cf. Ovide, *Trist.*, II, 54; Sénèque, *Épitres*, CXIII; Perse, *Sat.*, 96; Martial, *Épigr.*, VIII, 56.

449. Marc Antoine Muret (1526-1585), le commentateur des *Amours* de Ronsard, poète et humaniste, qui professait à Rome depuis 1560 le droit, la philosophie et l'éloquence, — « Marc Antoine Muret que la France et l'Italie, dit Montaigne (*Essais*, l. I, chap. XXVI), recognoist pour le meilleur orateur du temps ».

450. « Le Plutarque français » d'Amyot, traducteur auquel Montaigne « donne la palme sur tous nos escrivains françois », car, ajoutait-il dans les *Essais* (l. II, chap. IV) « on m'en dira ce qu'on voudra : je n'entens rien au Grecs, mais je voy un sens si beau, si bien joint et entretenu par tout en sa traduction, que, ou il a certainement entendu l'imagination vraye de l'autheur, ou, ayant par longue conversation planté vivement dans son ame une generale Idée de celle de Plutarque, il ne luy a aumoins rien presté qui le desmente ou qui le desdie ».

451. Montaigne ne précise pas auquel des deux fils de Claude Mangot, avocat du Parlement de Paris, il est fait ici allusion; mais il est probable que c'est non pas l'aîné, nommé Claude comme son père, qui fut garde des sceaux sous Louis XIII en 1616, mais le cadet, Jacques (1551-1587), élève de Lambin pour le grec et de Cujas pour le droit, « surnommé *la Perle du Palais* à cause de sa singulière probité, rare doctrine et vertus très grandes qui reluisoient en ce personnage ». Cf. L'Estoile, t. III, p. 62, et *Dictionnaire* de Moreri.

452. D'Henri Estienne, qui traduisit Plutarque en latin.

453. Nom donné à la chapelle bâtie par le pape Grégoire XIII dans l'église Saint-Pierre, sur les plans de Michel-Ange.

454. Bataille gagnée par le duc d'Anjou (Henri III) et Tavannes, qui commandaient les forces catholiques, sur les bandes huguenotes de l'amiral de Coligny (30 octobre 1569).

455. La salle Royale, antichambre de la chapelle Sixtine.

456. La célèbre bataille navale de Lépante (7 octobre 1571), où la flotte chrétienne des Espagnols et des Vénitiens que commandait don Juan d'Autriche (« Jean d'Austria ») vainquit la flotte des Turcs.

457. Alexandre III.

458. Frédéric Barberousse.

459. A Venise, en l'église Saint-Marc, l'an 1177.

460. Histoire tirée par Montaigne d'Henri Estienne (*Apologie pour Hérodote*, éd. Ristelhuber, t. II, p. 416) : « L'empereur se prosterna. Mais incontinent ce gentil pape, luy mettant le pied sur la gorge (ou sur le col, selon les autres) vint à dire : « Il est escrit : *Tu marcheras sur l'aspic et le basilisque, et fouleras aux pieds le lion et le dragon.* » L'empereur, fort indigné d'un tel outrage, respondit : « Non pas à toy, mais à Saint

Pierre. » Alors, le foulant de rechef du pied, dict : « Et à moy et à Pierre. »

461. La mort de l'amiral de Coligny, à la Saint-Barthélemy, et le massacre qui fut fait cette nuit-là des Huguenots plurent fort au pape Grégoire XIII, qui chargea l'ambassadeur de France à Rome de faire ses compliments au roi, chanta un *Te Deum*, fit tirer le canon du château Saint-Ange, se rendit en procession cardinalice à Saint-Louis des Français et commanda à ses peintres, Salviati, Vasari, les Zuccari, des tableaux commémoratifs pour la salle Royale.

462. Le jeune Blaise de Monluc, cf. note 310.

463. En souvenir de l'oncle de Blaise, et fils aîné du maréchal, Marc-Antoine de Monluc, « le capitaine Pérot », tué sous les murs d'Ostie, en 1557.

464. Porto (*Portus Trajani*), à une lieue d'Ostie, où l'on voit les ruines d'une ville bâtie par Claude et fort embellie par Trajan.

465. La mer Tyrrhénienne.

466. Fulvio della Cornia (1517-1583), de Pérouse, évêque de Porto en 1580 et cardinal, neveu du pape Jules III.

467. Martin du Bellai, qui fut plus tard lieutenant du Roi pour la province d'Anjou et mourut en 1637.

468. Inconnu par ailleurs.

469. L'un des trois fils du sieur de Marivau, soit Claude mort en 1598, soit Jean qui fut tué en duel en 1589, soit François qui mourut en 1611.

470. Comme la *pozzolane*.

471. On sait que Montaigne était fort velu. « J'ay... la complexion sanguine et chaude,

Unde rigent setis mihi crura, et pectora villis

[d'où les poils qui hérissent mes jambes, ma poitrine] ».

Essais, l. II, chap. XVII.

472. Bordeaux.

473. Don Juan Gomez da Silva.

474. Philippe II qui venait de s'emparer de vive force du Portugal.

475. Le cardinal Henri, mort en 1580.

476. Façon spirituelle de dire qu'ils souffraient ce qu'ils ne pouvaient empêcher.

477. Onze en tout, précise A. d'Ancona, et tant Espagnols que Portugais.

478. Une relation latine de cette cérémonie, citée par A. d'Ancona, confirme la lecture donnée en variante, et non celle de Meusnier de Querlon : il n'y eut de salve de canons qu'au château Saint-Ange.

479. Cf. note 435.

480. Sans doute une sorte d'albâtre.

481. Saint-Jean de Latran, Saint-Laurent, Sainte-Marie Majeure, Saint-Paul, Saint-Pierre, églises patriarcales; et Sainte-Croix de Jérusalem, SS.-Sébastien et Fabien, bâties sur les catacombes.

482. Le maître du sacré Palais, Sisto Fabri (1541-1594), qui allait être élu en 1583 général de l'ordre des Dominicains.

483. Terme païen. « Je luy laisse, pour moy, (au dire humain) dire fortune, destinée, accident, heur et malheur, et les Dieux et autres frases, selon sa mode. » *Essais*, l. I, chap. LVI.

484. Théodore de Bèze, nommé avec éloge au l. II, chap. XVII, des *Essais*, et Georges Buchanan, nommé aussi au même endroit et au l. I, chap. XXV.

485. L'empereur Julien l'Apostat, loué aux chapitres XIX et XX du livre II des *Essais*.

486. *Essais*, l. I, chap. LVI.

487. *Essais*, l. II, chap. XI et XXVII.

488. *Essais*, l. I, chap. XXV.

489. Sans doute Simler, traducteur de *La République des Suisses* (Paris, Du Puy, 1577).

490. Philippe Buoncompagno, neveu du pape, cardinal en 1573, grand pénitencier en 1579.

491. Paul de Foix (1528-1584), le même auquel Montaigne dédia les vers français de La Boétie, et qu'il loue dans ses *Essais*, l. III, chap. IX.

492. Silvestre II, l'auvergnat Gerbert, tour à tour archevêque de Reims, puis de Ravenne, intronisé pape le 2 avril 999, mort le 11 mai 1003. L'inscription latine de Saint-Jean de Latran qui le concerne n'est nullement injurieuse : c'est son éloge en distiques par le pape Serge IV, qui lui succéda; mais celle de Sainte-Croix-de-Jérusalem portait que Silvestre II avait ordonné en mourant « que, pour le châtiment de ses crimes, son cadavre fût attaché à des chevaux indomptés et traîné par la ville ».

493. C'est-à-dire sur la rive gauche du Tibre.

494. Sur la rive droite du Tibre.

495. « Le prescheur est bien de mes amys, qui oblige mon attention tout un sermon. » *Essais*, l. III, chap. XIII.

496. La Trinité-des-Monts, l'un des quartiers de Rome.

497. Un Espagnol, et le premier jésuite qui fut fait cardinal (en 1593), mort en 1596.

498. Cf. Joachim du Bellay, *Regrets*, sonnet XCII :

> *En mille crespillons les cheveux se frizer,*
> *Se pincer les sourcilz, et d'une odeur choisie*
> *Parfumer haut et bas sa charnure moisie,*
> *Et de blanc et vermeil sa face desguiser...*
> *Siffler toute la nuict par une jalousie...*
> *Des courtisannes sont les ordinaires jeux.*

499. Cf. Joachim du Bellay, *Regrets*, sonnet LXXXIV :

> *Se pourmener en housse, aller voir d'huis en huis*
> *La Marthe, ou la Victoire, et s'engager aux Juifz,*
> *Voilà, mes compagnons, les passe-temps de Rome.*

et Montaigne, *Essais*, l. III, chap. v : « Pour arrester sa fuite [la fuite de la volupté] et l'estendre en préambules, entre eux tout sert de faveur et de récompense : une œillade, une inclination [inclination de tête], une parolle, un signe. »

500. Cf. note 391.

501. Cf. note 392.

502. Le même qui est nommé plus haut, p. 97, Gonzaga.

503. La Sainte-Face (*Verum Icon*).

504. Le mouchoir avec lequel sainte Véronique essuya le visage du Christ et qui garda son image sanglante.

505. Pendant la Semaine Sainte.

506. L'église de Sainte-Marie et des Martyrs, dite la Rotonde : c'est le Panthéon d'Agrippa.

507. Le fameux Maldonat, jésuite, qu'il avait rencontré à Épernay. Cf. note 20.

508. La compagnie de Jésus.

509. Paul Vialard, qui professa jusqu'en 1587 la rhétorique à la Sapience (université de Rome).

510. Cf. note 292.

511. Cf. plus haut, p. 97.

512. Le cardinal Fulvio Orsini, qui avait été légat *a latere* auprès de Charles IX et qui mourut à Naples en juillet 1586.

513. Cf. note 348.

514. Jules III.

515. La vigne de *Madama*, ainsi nommée pour avoir appartenu à la duchesse Marguerite de Parme, fille de Charles-Quint.

516. C'est-à-dire au quartier d' « au-delà du Tibre ».

517. Le président de Brosses, qui note cette coutume, dit à ce propos (*Lettres sur l'Italie*, XLV, éd. Bezard, t. II, p. 209) : « Quand une fille du commun a la protection du bâtard de l'apothicaire d'un cardinal, elle

se fait assurer cinq à six dots, à cinq ou six églises, et ne veut plus apprendre ni à coudre ni à filer. Un autre gredin l'épouse par l'appât de cet argent comptant. »

518. « Seule la ville commune et universelle. » *Essais*, l. III, chap. IX.

519. « L'espaignol et le François, chacun y est chez soy. » Id., *ibid.*

520. « C'est ville métropolitaine de toutes les nations chrestiennes. » Id., *ibid.*

521. Alexandre (et non Philippe) Musotti, préfet du palais apostolique en 1579, plus tard nonce à Venise.

522. Ces lettres sont rapportées en latin au IIIe livre des *Essais*, fin du chap. IX. En voici la traduction : « Sur le rapport fait au Sénat par Orazio Massimi, Marzo Cecio, Alessandro Muti, Conservateurs de la ville de Rome, touchant le droit de cité Romaine à accorder à l'Illustrissime Michel de Montaigne, chevalier de l'ordre de Saint-Michel, et gentilhomme ordinaire de la chambre du roi Très Chrétien, le Sénat et le Peuple Romain a décrété :

« Considérant que, par un antique usage, ceux-là ont toujours été « adoptés parmi nous avec ardeur et empressement, qui distingués « en vertu et en noblesse, avoient servi et honoré notre République, « ou pouvoient le faire un jour : Nous, pleins de respect pour l'exemple « et l'autorité de nos ancêtres, nous croyons devoir imiter et conserver « cette louable coutume. A ces causes, l'Illustrissime Michel de « Montaigne, chevalier de l'ordre de Saint-Michel, et gentilhomme « ordinaire de la chambre du roi Très Chrétien, fort zélé pour le nom « Romain, étant, par le rang et l'éclat de sa famille, et par ses qualités « personnelles, très digne d'être admis au droit de cité romaine par « le suprême jugement et les suffrages du Sénat et du Peuple Romain; « il a plu au Sénat et au Peuple Romain que l'Illustrissime Michel de « Montaigne, orné de tous les genres de mérite, et très cher à ce noble « peuple, fût inscrit comme citoyen Romain, tant pour lui que pour « sa postérité, et appelé à jouir de tous les honneurs et avantages « réservés à ceux qui sont nés citoyens et patriciens de Rome, ou le « sont devenus au meilleur titre. En quoi le Sénat et le Peuple Romain « pense qu'il accorde moins un droit qu'il ne paye une dette, et que « c'est moins un service qu'il rend qu'un service qu'il reçoit de celui « qui, en acceptant ce droit de cité, honore et illustre la cité même. « Les Conservateurs ont fait transcrire ce sénatus-consulte par les « secrétaires du Sénat et du Peuple Romain, pour être déposé dans les « archives du Capitole, et en ont fait dresser cet acte, muni du sceau « ordinaire de la ville. L'an de la fondation de Rome 2331, et de la « naissance de Jésus-Christ 1581, le 13 de mars.

« Orazio Fosco, secrétaire du sacré Sénat et du Peuple Romain.

« Vincente MARTOLI, secrétaire du sacré Sénat et du Peuple « Romain. »

523. Cf. note 400.

524. « Parmy ses faveurs vaines [de la Fortune], je n'en ay point qui plaise tant à cette niaise humeur, qui s'en paist chez moy, qu'une bulle authentique de bourgeoisie romaine, qui me fut octroyée dernièrement que j'y estois, pompeuse en sceaux et lettres dorées. » *Essais* (1588), livre III, chap. IX.

525. La voie Tiburtine ou route de Tivoli.

526. C'est le *Tibur supinum* d'Horace (*Odes*, III, IV).

527. La fameuse cascade de Tivoli.

528. La villa d'Este, construite en 1549 pour le cardinal de Ferrare, Hippolyte d'Este, fils d'Alphonse Ier, duc de Ferrare, et de Lucrèce Borgia (1512-1572).

529. Louis d'Este, neveu du précédent. Cf. note 292.

530. Cf. plus haut, p. 97.

531. Augsbourg (*Augusta Vindelicorum*). Cf. plus haut, p. 43.

532. Sans doute des ocarinas.

533. Olivier de Serres (*Théâtre d'Agriculture*, septième livre, Avant-Propos) parle aussi de « ces belles et claires eaux coulantes ... qui chantent en musique, qui contrefont le chant des oiseaux, l'escoupeterie des arquebuscades, le son de l'artillerie, comme tels miracles se voyent en plusieurs lieux, mesme à Tivoli, à Pratoli et autres de l'Italie ».

534. Dans ce même voyage, à Pratolino. Cf. plus haut, p. 83.

535. De la main d'un artiste nouveau, de Michel-Ange.

536. Cette sépulture est le tombeau de Jules II, pape, en l'église de Saint-Pierre-aux-Liens, orné d'une statue de Moïse, chef-d'œuvre de Michel-Ange.

537. La *Justice* de marbre, de Guillaume della Porta, recouverte par le Bernin d'une draperie en bronze, « depuis l'indiscrétion d'un Espagnol dont l'imagination était trop vive », dit Meusnier de Querlon.

538. Paul III.

539. L'église Saint-Pierre du Vatican.

540. La villa du grand-duc de Florence. Cf. plus haut, p. 83, et la note 324.

541. Pratolino.

542. Tivoli, palais du cardinal de Ferrare.

543. De l'Anio.

544. *Albæ Albulæ*.

545. L'inscription est [*Curant*]*e L. Cellio. L. F.*, c'est-à-dire « fait par les soins de L. Cellius, fils de Lucius ». Ce Cellius était un curateur aux travaux publics de l'ancienne Rome.

546. « Je ne puis souffrir long temps ny coche ny littiere ny bateau. » *Essais*, l. III, chap. VI.

547. Montaigne, comme on sait, profita de la permission en ne changeant rien du tout aux passages censurés. Les *Essais* ne furent mis à l'index que par un décret du 12 juin 1676.

548. C'est-à-dire à 4 heures du matin.

549. A 3 heures du matin.

550. Sans doute Stanislas Rekke, qui écrivit l'*Oraison funèbre* (Rome, 1579, in-4°) et plus tard la *Vie* du cardinal Hozyusz.

551. Stanislas Hozyusz (1504-1579), cardinal polonais qui fit l'ouverture du concile de Trente en qualité de légat *a latere* du pape Pie IV et dont Grégoire XIII fit son grand pénitencier.

552. La belle Clelia, fille du cardinal Alexandre Farnèse, mariée en premières noces à Jean-Georges Cesarini (mort en 1585) et en secondes noces à Marco Pio de Savoie, seigneur de Sassuolo. Les poètes la chantèrent.

553. Elles sont « d'or, à un *ours* de sable amuselé d'argent et lié par une *chaîne* de même à une *colonne* d'azur, surmontée d'un *aigle* de sable, becquée et membrée de gueules. Cimier, une *aigle* de sable. Supports, deux *aigles* de même. »
Aussi fit-on, en 1513, cette pasquinade sur les armes d'un cardinal Cesarini :

Redde aquilam Imperio, Columnis redde columnam, Ursam Ursis : remanet sola catena tibi.

« Rends l'*aigle* à l'Empire, rends la *colonne* aux Colonnes, l'*ourse* aux Ursins : il te reste, seule, la *chaîne*. »

554. Ponte Molle.

555. Montaigne veut dire Noirmoutier : il s'agit, en effet, de François de la Trémoille, baron de Noirmoutier, mort en 1608.

556. Cf. note 467.

557. Eaux-Chaudes.

558. Borghetto.

559. Orte, bourgade bâtie sur une éminence, au pied de laquelle on voit encore les ruines du pont dont parle Montaigne.

560. De l'autre côté du Tibre, c'est-à-dire sur la rive droite.

561. Le cardinal de Pérouse.

562. Les ruines de l'antique Otriculum.

563. C'est une inscription latine.

564. Grégoire XIII.

565. Cf. note 395.

566. Nera.

567. Sans doute des Français qui y passèrent durant les guerres d'Italie.

568. C'est-à-dire son char et son trident.

569. *A(ulus) Pompeius, a(uli) f(ilius)*, « Aulus Pompéius, fils d'Aulus ».

570. Interamna.

571. Au lieu de *periculis*.

572. La voie faite pour recevoir Charles-Quint, et pour la construction de laquelle on abattit plus de 200 maisons et 3 ou 4 églises.

573. Le célèbre bandit ombrien Petrine Leoncilli, abattu enfin en 1582.

574. Non pas *Mutiscæ*, mais *Mutuscæ*, aujourd'hui Monteleone Sabino.

575. Foligno.

576. Sainte-Foy-la-Grande en Périgord, non loin du château de Montaigne.

577. *Fulginium.*

578. Aux abords de Florence.

579. Non pas sur le Chienti même, mais sur un de ses affluents et à proximité du fleuve.

580. Le président de Brosses (*Lettres sur l'Italie*, LV) se plaint aussi des voiturins, « qu'il faudrait... à tout moment rouer de coups de bâton ».

581. Valcimara.

582. Le *Palais des Diamants*, à Ferrare, ainsi nommé parce qu'il est revêtu de marbres à facette.

583. La Marche d'Ancône.

584. L'*agnus dei* est une médaille en cire à l'effigie de l'Agneau mystique.

585. Effigies de Jésus Sauveur.

586. Le président de Brosses (*Lettres sur l'Italie*, LIII) écrit qu'« elle est bâtie de pierres d'un gris jaunâtre, taillées en forme de petites briques ». On la nomme la *Santa Casa*.

587. L'évêque de Coïmbre Jean Soarez, étant tombé gravement malade à la suite de son voyage à Lorette, renvoya la petite pierre de la sainte muraille que le pape Pie IV lui avait permis d'emporter.

588. Trente.

589. Louis d'Amboise, fait cardinal par Jules II, mort à Ancône (1478-1517). Son tombeau est sans doute celui que désignent des armoiries de bronze, décorées d'insignes cardinalices, soutenues par deux lions de marbre rouge.

590. Georges d'Armagnac (environ 1500-1585), fait cardinal en 1544.

591. Michel de La Chapelle-Marteau, maître des comptes, « homme accord, dit L'Estoile, advizé, et, au surplus, archiligueur,... créature du duc de Guise ». Prévôt des marchands en 1588, il vint, d'ordre de la reine mère, libérer de la Bastille Montaigne qui y avait été enfermé comme otage par Guise (10 juillet) et fut ensuite député de Paris aux États de Blois. On a de lui, parmi les pièces en vers qui accompagnent la *Satyre Ménippée*, deux épigrammes *Sur le Vœu d'un navire d'argent fait à Notre-Dame de Lorette par Marteau, prevost des marchands*, 1590.

592. Nazareth.

593. Sclavonie. — Allusion au transport, par des anges, de la maison natale de Jésus d'abord en Sclavonie, sur la colline de Tersatto, près de Fiume (1291), puis dans la Marche d'Ancône, où elle se fixa à Lorette.

594. Sclavons.

595. Pascara.

596. Chieti.

597. Recanati.

598. La Marche d'Ancône.

599. Le *Picenum*.

600. Sclavons.

601. Sclavonie.

602. Le *pistolet* est une *demi-pistole*.

603. L'église *San Ciriaco* (Saint-Cyriaque), cathédrale d'Ancône.

604. L'Abruzze.

605. Ἀγκών, « coude, courbure ».

606. Sinigaglia (*Sena Gallica*).

607. La Misa.

608. Les Gaulois.

609. C'est l'habile diplomate qui négocia l'abjuration d'Henri IV et qui fut depuis cardinal, Arnauld d'Ossat (1536-1604). Il était pour lors secrétaire de Paul de Foix. On verra plus loin que Montaigne lui écrit une lettre des bains de Lucques.

610. Cf. note 603.

611. Montaigne, ayant lu par erreur *Aquit*(*ana*) « Aquitaine » pour *equit*(*i*) « chevalier », avait cru retrouver là une compatriote. C'est une Antonia Rocamoro, fille d'un Italien et d'une Française, qui, devenue l'épouse d'un célèbre ingénieur militaire, Francesco Paciotto d'Urbin, chevalier de l'ordre du Christ de Portugal, était morte en 1572.

612. Le Metauro.

613. C'est l'arc de triomphe de Constantin, dont on ne voit plus que les ruines.

614. La villa dite *della Vedetta*, commencée en 1572 par le duc François-Marie Ier de la Rovère.

615. Le Metauro.

616. En Périgord.

617. Les deux consuls romains de l'an 207 av. J.-C.

618. Fossombrone.

619. Ces ruines sont à une demi-lieue de l'actuelle Fossombrone, entre Fossombrone et Fano.

620. Le Metauro.

621. Jules, fils du duc François-Marie nommé plus haut (n. 614), mort à Fossombrone en 1578.

622. Le commentateur de Salluste, mort en 1602.

623. Le Candigliano.

624. Le Metauro.

625. Le défilé du Furlo par où passait la voie Flaminienne, sous un tunnel de 50 pas de long, 9 pas de large, 7 pas de haut.

626. Frédéric de Montefeltro, qui avait commencé la construction de ce palais dès 1468.

627. François-Marie II de la Rovère, sixième et dernier duc d'Urbin (1549-1632).

628. C'était un Montefeltro, Oddantonio de Montefeltro (1426-1444), créé duc en 1443 par le pape Eugène IV, puis tué l'année suivante dans une sédition populaire parce qu'il « estoit tousjours apres les nobles dames, rapporte Munster (*Cosmographie*), pour les honnir et deshonnorer ».

629. Lucrèce d'Este (1535-1598).

630. Exactement de douze.

631. Le fameux Pic de La Mirandole (1463-1494).

632. Le *Monte d'Elce*.

633. Ce sont des arcs-boutants.

634. Le Metauro.

635. C'est aujourd'hui Urbania.

636. Le Metauro.

637. Isabelle, princesse de Bisignano, morte en 1619.

638. « La coustume est très ancienne, dit César Nostradamus, de choisir des plus belles et jeunes filles des quartiers, que l'on attife gorgiesement avec couronnes de fleurs, guirlandes, joyaux et accoutrements de soie sur des thrones et sièges eslevés en guise de jeunes déesses posées dans des niches, communément appelées Mayes,

auxquelles tous les passants au moins de condition honneste, sont invités et obligés de contribuer quelque pièce d'argent, moyennant un baiser. »

639. Borgo-Pace.

640. Ou, plus exactement, à 5 lieues au N.-O. de cette ville.

641. La Limagne.

642. Souvenir d'Horace :

Videmus flavum Tiberim.

643. Dans les plaines glaiseuses de l'Ombrie.

644. La Chiassa, affluent de l'Arno.

645. Levanella.

646. Auberges fameuses du XVIe siècle. Guillot est cité par Rabelais (*Quart Livre*, chap. LI).

647. Montevarchi.

648. Figline.

649. Ancisa.

650. Les parents de Pétrarque avaient leurs biens à Ancise, et leur maison en dominait le petit bourg; mais Pétrarque était né à Arezzo.

651. Tite-Live.

652. Cf. Tite-Live, XXII, 2, § 10-11 : « Hannibal lui-même, souffrant des yeux par suite des variations de température du printemps, qui faisait alterner la chaleur et le froid, porté par le seul éléphant survivant, pour être plus élevé au-dessus de l'eau, par suite des veilles, de l'humidité des nuits, de l'air des marais qui alourdissaient sa tête, et parce que ce n'était ni l'endroit ni le moment de se faire soigner, perdit un œil (217 av. J.-C.). » Traduction E. Lasserre (coll. des Classiques Garnier).

653. L'Arno.

654. Villa du grand-duc de Florence.

655. Cf. plus haut, p. 87.

656. Bisenzio.

657. Le cardinal Nicolas, dit de Prato, légat du pape, mort en 1321.

658. Le roi de Pouille, Robert d'Anjou, à qui la ville de Prato se donna en 1313.

659. Poggio a Cajano, villa de Laurent le Magnifique, sur l'Ombrone.

660. Cf. plus haut, p. 83, et la note 322.

661. En 62 av. J.-C.

662. Panciatici.

663. Tadeo Rospigliosi (et non Rospiglioni), qui fut plusieurs fois gonfalonier de Pistoia.

664. Légiste distingué, Conservateur de Rome.

665. Les *saquebutes* sont des trompettes à pompe mobile.

666. Ce sont les *priori*.

667. Bordeaux.

668. Serchio.

669. Decimo.

670. « J'ay choisi jusques à cette heure à m'arrester et à me servir de celles [des eaux] où il y avoit plus d'amenité de lieu, commodité de logis, de vivres et de compaignies, comme sont en France les bains de Banieres; en la frontière d'Allemaigne et de Lorraine, ceux de Plombières; en Souysse, ceux de Bade; en la Toscane, ceux de Lucques, et notamment ceux *della Villa*, desquels j'ay usé plus souvent et à diverses saisons. » *Essais* (1582), l. II, chap. XXXVII.

671. La Lima.

672. Paulino di Cherubino, alors capitaine de la compagnie d'ordonnance du bourg.

673. La princesse Elisa Bacchiochi acheta cette maison des Buonvisi et la fit démolir.

674. Il n'est point sûr que les anciens Romains aient connu ces eaux.

675. Le *carton* ou quarte valait deux pintes; la pinte, un peu moins d'un litre.

676. Eaux-Chaudes.

677. Barbottan. Cf. note 83.

678. Au bourg de Borgo.

679. Sans doute Mme de Montaigne.

680. L'eau du Tettuccio ou Testuccio, qui sourd à Montecatini entre Pescia et Pistoia.

681. Génois.

682. Le bain de la Villa.

683. Le bain de Corsena.

684. Cf. note 609.

685. « Depuis le jour où je le perdy... je ne fay que traîner languissant. » *Essais* (1580), l. I, chap. XXVII. — Estienne de La Boétie, l'ami de Montaigne, était mort le 18 août 1563.

686. Donati, auteur d'un traité *Des eaux de Lucques, appelées vulgairement de la Villa*, paru en 1580.

687. Franciotti, auteur d'un *Traité du Bain de la Villa au territoire de Lucques*, paru en 1552.

688. Montaigne, en son édition de 1582, semble résumer les opinions contraires de ces deux spécialistes : « A ceux qui sont aux bains, il est plus salubre de manger peu le soir, affin que le breuvage des eaux qu'ils

ont à prendre lendemain matin, face plus d'operation, rencontrant l'estomac vuide et non empesché; — u rebours, il est meilleur de manger peu au disner, pour ne troubler l'operation de l'eau, qui n'est pas encore parfaite, et ne charger l'estomac si soudain après cet autre travail, et pour laisser l'office de digerer à la nuict, qui le sçait mieux faire que ne faict le jour... Voilà comment ils vont bastelant et baguenaudant. » *Essais*, l. II, chap. XXXVII.

689. L'italien, où il était un peu gêné aux entournures et réduit à un vocabulaire assez pauvre.

690. Bernabo, aux bains de Lucques.

691. Corsena.

692. Le texte italien porte *la Corona.* Mais peut-être, suggère A. d'Ancona, faut-il lire la *Coronale*, « la Colonelle ».

693. Le dimanche de Pentecôte.

694. Cf. note 690.

695. Les Lucquois distinguent : *Pasqua d'uova*, la Pâque des œufs (Pâques); *Pasqua di rose*, la Pâque des roses (la Pentecôte); *Pasqua di ceppo*, la Pâque de la bûche (Noël). La 4e fête, qu'ils ne nomment point Pâque, est sans doute l'Ascension.

696. La livre française était de seize onces.

697. Sans doute des sabliers.

697 *bis*. Cf. note 690.

698. Les anciens Guelfes et les anciens Gibelins.

699. L'*armoisin* est une sorte de taffetas de soie, très léger.

700. En italien, *bambe*.

701. En italien, *putti*.

702. Corsena.

703. « A Venise... j'ay ouy dire à quelques seigneurs qu'ils avoyent appris des ambassadeurs du Roy de France à eux envoyez, que les perdreaux et les levraux estoyent bons à manger. » Henri Estienne, *Apologie pour Hérodote*, t. II, p. 129.

704. Le sieur de Mattecoulon, qu'il avait laissé à Rome et qui était venu le rejoindre.

705. Ce Saminiati est l'auteur, dit A. d'Ancona, de deux ouvrages manuscrits : une *Chronique lucquoise*, allant des origines de la cité jusqu'en 1572, et un *Traité d'Agriculture*.

706. C'était, nous apprend A. d'Ancona, un certain Francesco di Paolino Massei.

707. Ou armoisin. Cf. note 699.

708. Préchacq. Cf. note 290.

709. Barbottan. Cf. note 83.

710. Velletri, bourgade de la province de Rome.

711. Le vin blanc de Montecarlo, près Pescia, était fort renommé.

712. Paul-Émile de Césis, qui devint marquis de Riano, duc de Selce et mourut en 1611.

713. Pier Donato Cesi (1520-1596), cardinal en 1570, nommé par Grégoire XIII légat de Bologne.

714. « Mes yeux s'offencent de toute lueur esclatante. » *Essais* (1588), l. III, chap. XIII.

715. Donati. Cf. note 686.

716. Bernabo.

717. On appelle *provincial* le supérieur de tous les monastères franciscains qui se trouvent dans une province.

718. Menalsio ou Menabbio.

719. Cf. plus haut, p. 171.

720. Cf. plus haut, p. 171.

721. Lodovico di Gerardo Penitesi, qui fut gonfalonier de Lucques.

722. Peut-être ce marchand qui demeurait à Rome.

723. Allusion au Sicilien Mastro Antonino, qui allait, dit A. d'Ancona, par les rues de Rome avec une cassette en criant : *Fate ben per voi*, « Faites-moi du bien pour vous ». — Montaigne s'en souvient au livre III de ses *Essais* (1588), chap. V, lorsqu'il écrit : « Si elles [les femmes] ne nous peuvent faire du bien que par pitié, j'ayme bien plus cher ne vivre point, que de vivre d'aumosne. Je voudrois avoir droit de le leur demander, au stile auquel j'ay vu quester en Italie : *Fate ben per voi...* »

724. Cf. note 711.

725. Ce sont, en réalité, des armes parlantes : poisson se dit en italien *pesce*.

726. Montecatini.

727. Messer Tadeo Rospigliosi, chez qui Montaigne avait dîné en allant à Lucques. Cf. note 663.

728. Cf. plus haut, p. 90, et la note 379.

729. C'était la fête de saint Jean-Baptiste, patron de Florence.

730. Sans doute le banquier Antoine de Gondi.

731. Cf. note 711.

732. La place de Sainte-Marie Nouvelle.

733. Ces deux aiguilles ou obélisques de bois furent remplacées en 1608 par des obélisques de marbre posés sur des tortues de bronze.

734. Jean-Baptiste Strozzi, le neveu du maréchal, et intime du cardinal de Médicis, qui devint le grand-duc Ferdinand Ier.

735. Giovanni Marliani, Milanais, homme de confiance du grand-duc et qui fut son agent secret en Espagne.

736. On appelait ainsi les chevaux de la côte d'Afrique nommée *Barbarie*, fort estimés pour leur force et leur vigueur, et dont on disait proverbialement : « les Barbes meurent et ne vieillissent pas ».

737. La cour du palais Pitti fut commencée vers 1567.

738. C'est un distique :

Lecticam, lapides et marmora, ligna, columnas
Vexit, conduxit, traxit, et ista tulit.

« Voici celle qui charria, amena, traîna et porta litière, pierres, marbre, bois et colonnes. »

739. Cf. plus haut, p. 90, et la note 365.

740. C'étaient apparemment les plus fameux maîtres d'armes du temps. Brantôme (*Œuvres*, éd. Lalanne, t. VI, p. 315) cite « le Patenostrier » (*Patinostrato*), comme un maître d'armes romain « très excellent en cet art ».

741. « Je croy, dit ailleurs Montaigne de l'artillerie (*Essais*, l. I, chap. XLVIII), que c'est un'arme de fort peu d'effect, et espere que nous en quitterons un jour l'usage. »

742. Dans son *Art de la guerre*, écrit vers 1515, Machiavel remarque, au livre III, que les coups de la grosse artillerie portent à faux, le plus souvent, et qu'il est facile d'éviter les dommages de la moyenne artillerie et de la petite en en venant aux mains.

743. François Pacciotto d'Urbin.

744. Habitude qui remonte aux anciens Romains.

745. Cf. plus haut, p. 180, et la note 711.

746. Cf. plus haut, p. 87, et la note 351.

747. Cette périphrase désigne les courtisanes.

748. Apparemment le casino construit par Buontalenti dans la Via Larga.

749. Cf. plus haut, p. 83.

750. Les fameux imprimeurs de la même famille (*Giunti* ou *Zunti*) qui exercèrent leur métier les uns à Venise (1482-1642), les autres dans leur ville d'origine, Florence (depuis 1497).

751. *Annotationi et discorsi sopra alcuni luoghi del Decameron, di M. Giovanni Boccacci..., In Fiorenza nella Stamperia de i Giunti*, MDLXXIII.

752. A son vénérable maître Martin, de l'Ordre des frères ermites de Saint-Augustin et du couvent du Saint-Esprit de Florence.

753. « Je ne suis excessivement désireux ny de salades ny de fruits, sauf les melons. » *Essais* (1588), l. III, chap. XIII.

754. C'est-à-dire les « désireux ».

755. Ou plus probablement les *Thermes* de cet empereur.

756. La « tour penchée » a 4 m. 30 d'inclinaison pour 54 m. 50 de hauteur.

757. Œuvre de Nicolas Pisano (1260).

758. Lorenzino, le *Lorenzaccio* de Musset.

759. Catherine de Médicis.

760. Au Panthéon.

761. Don Giulio (1532-1600).

762. Il avait alors cinquante ans à peine.

763. Cf. plus haut, p. 86.

764. Le cimetière de Saint-Pierre, réservé aux étrangers.

765. 53 navires de la croisade de Frédéric Barberousse revinrent chargés de terre du Calvaire, sur l'ordre de l'archevêque de Pise, Ubaldo.

766. Moulaï-Ahmed, sultan chérif du Maroc, qui régna de 1578 à 1603.

767. Circonstance relatée en ces termes par Commynes (l. VII, chap. IX) : « [Les Pisans] vindrent cryer au Roy, en allant à la messe, en grant nombre d'hommes et de femmes : « Liberté ! Liberté ! » et luy supplians, les larmes aux yeulx, qu'il la leur donnast... et le Roy, qui n'entendoit pas bien que ce mot valloit... respondit qu'il estoit content... Et ce peuple commençea incontinent à cryer Noël, et vont au bout de leur pont de la riviere d'Arne (qui est ung beau pont) et gectent à terre un grant lyon, qui estoit sur un ung grand pillier de marbre, qu'ilz appeloient maior, et representant la Seigneurie de Florence, et l'emporterent à la riviere; et firent faire dessus le pillier ung roy de France, une espée au poing, qui tenoit soubz le pied de son cheval ce major, qui est ung lyon. Et depuis, quant le roy des Rommains y est entré, ilz ont faict du Roy comme ilz avoient faict du lyon. Et est la nature de ce peuple d'Italie de ainsi complaire aux plus fors; mais ceulx là estoient et sont si mal traictez que on les doibt excuser. »

768. Rien n'est moins sûr.

769. C'est-à-dire jour de l'Octave.

770. L'église de Saint-Pierre *in Grado* fut bâtie avant l'an 1000, autour d'un autel de pierre que saint Pierre, selon la tradition, aurait élevé sur la côte en débarquant.

771. Les cassines *San Rossore*.

772. Pierre de Médicis, le dernier fils de Cosme Ier, qui mourut en 1604.

773. Lerici.

774. De la troupe des *Desiosi*, voir plus haut, p. 194, et la note 754.

775. Cf. note 379.

776. Le duc de Florence, Cosme Ier de Médicis, père du grand-duc régnant, le même qui avait reçu de Pie V le titre de grand-duc et de sérénissime. Cf. plus haut, p. 86, et la note 343.

777. Girolamo Borro, d'Arezzo, professeur de philosophie à la Sapience (Université de Rome), beaucoup trop aristotélicien au gré de l'Inquisition, qui l'emprisonna. Il mourut en 1592, à Pérouse, après avoir été contraint de quitter sa chaire en 1588. Montaigne en parle dans ses *Essais* (l. I, chap. XXVI) : « Je vy privément à Pise un honneste homme, mais si aristotélicien que le plus general de ses dogmes est que la touche et regle de toutes imaginations solides et de toute verité, c'est la conformité à la doctrine d'Aristote; que, hors de là, ce ne sont que chimeres et inanité; qu'il a tout veu et tout dict. Cette sienne proposition, pour avoir esté un peu trop largement et injurieusement interprétée, le mit autrefois et tint longtemps en grand accessoire à Rome. »

778. Pietro Jacopo (et non Paolo) Bourbon del Monte, archevêque de Pise en 1574-1575. Les del Monte tiraient leur surnom de Bourbon d'un prétendu diplôme de Charlemagne.

779. Sans doute la *rafle*, jeu de dés, que Montaigne italianise à sa façon.

780. Ce vicaire, César Nuti de Fossombrone, fut cité à Rome et dut, le 6 octobre, dans l'église Saint-François, demander publiquement pardon à l'Inquisiteur, « en son nom et au nom de tous les chanoines et prêtres », de l'insulte qui lui avait été faite.

781. L'église Saint-François ayant été souillée par le sang répandu, nul n'y put officier pendant 22 jours.

782. Non pas Cornachicco, mais Cornacchino, d'Arezzo, qui professa la médecine à Pise de 1557 à 1584.

783. Ces vers en patois pisan sont perdus, mais il reste de Cornacchino une ode latine.

784. Les bains actuels de Casciana.

785. Placée là en 1312 par le comte Frédéric de Montefeltro.

786. Non point des vers, mais de la prose.

787. Non point cette eau, mais celle de Caldaccoli, près Pise.

788. Le mont San Giuliano, « à cause duquel, dit Dante (*Enfer*, XXXIII, 30), les Pisans ne peuvent voir Lucques » :

Per che i Pisan veder Lucca non ponno.

789. Montaigne allait alors sur sa 49e année.

790. « La mort est la recepte à tous maux. C'est un port tres-asseuré, qui n'est jamais à craindre, et souvent à rechercher. » *Essais*, l. II, chap. III.

791. Cf. note 784.

792. Apparemment les eaux sulfureuses de Porretta.

793. « C'est une charge qui en doibt sembler d'autant plus belle, qu'elle n'a ny loyer, ny guain autre que l'honneur de son execution. » *Essais* (1588), l. III, chap. x.

794. Granajolo.

795. « Ceux de la marque d'Ancone font plus volontiers leurs veuz à Saint Jaques, et ceux de Galice à nostre Dame de Lorete; on faict au Liege grande feste des bains de Luques, et en la Toscane de ceux d'Aspa. » *Essais* (1588), l. II, chap. xv.

796. C'est la cathédrale.

797. C'est un crucifix en bois de cèdre, sculpté, dit-on, par saint Nicodème et apporté miraculeusement d'Orient en 782.

798. La chapelle construite dans la grande nef de la cathédrale par Matteo Civitali, en 1484.

799. Cf. notes 343 et 776.

800. La Gusciana.

801. Les forges.

802. La chapelle de la place del Campo, au pied de la tour du Palais Public.

803. Montaigne a changé d'avis, qui se plaignait l'année précédente de la vaisselle toscane en terre peinte.

804, Le bain Naviso.

805. Le lac Bagnaccio.

806. Préchacq, près Dax. Cf. plus haut, p. 75, et la note 290.

807. L'église Sant'Angelo in Spata de Viterbe.

808. Cf. n. 379.

809. Cf. n. 247.

810. Cf. plus haut, p. 128, et la n. 511.

811. Ce sont des jujubes.

812. Les bains de San Paolo et les Almadiani.

813. Le bain de la Madonna.

814. Le pape Nicolas V, mort en 1455, qui fit construire ce palais sur les ruines d'un bain.

815. André Bacci, auteur d'un *De Thermis*, imprimé à Venise en 1571.

816. Le Bulicame.

817. Estève de Langon, beau-père du sieur d'Arsac, frère de Montaigne.

818. Cf. plus haut, p. 11, et la note 50.

819. C'était une église vieille d'un siècle.

820. Paul III, mort en 1549.

821. Jean-François Gambara (1533-1587), cardinal depuis 1561, alors évêque de Viterbe, et qui fut enterré dans l'église de la Madone du Chêne, à Viterbe.

822. Du cardinal Alexandre Farnèse, neveu du pape Paul III.

823. Il fut édifié par Vignole de 1547 à 1559.

824. Ces fresques sont du Tempesta et des Zuccari.

825. Anne de Montmorency.

826. Catherine de Médicis.

827. On lit dans une lettre de notre ambassadeur Paul de Foix au roi Henri III son maître, du 12 juin 1581 : « Monsieur le cardinal de Farnese... me disant entr'autres choses qu'il sçavoit et cognoissoit que sa maison devoit sa conservation au feu Roy Henri vostre pere, et que luy en particulier avoit plusieurs grandes obligations à la Roine vostre mere. »

828. Les sources de la Solfatara, non loin de Ronciglione.

829. « Quand je veux jeusner, il me faut mettre à part des souppeurs... : car, si je me mets à table, j'oublie ma resolution. » *Essais*, l. III, chap. XIII.

830. Montaigne en parle dans ses *Essais* (l. I, chap. XLVIII) : « J'ay veu homme donner carriere à deux pieds sur sa selle, demonter sa selle, et au retour, la relever, reaccommoder et s'y rasseoir, fuyant tousjours à bridé avallée : ayant passé par dessus un bonnet, y tirer par derrière de bons coups de son arc, amasser ce qu'il vouloit, se jettant d'un pied à terre, tenant l'autre en l'estrier, et autres pareilles singeries, dequoy il vivoit. »

831. Paul de Foix.

832. Cf. plus haut, p. 128, et la note 512.

833. Cf. plus haut, p. 99, et la note 403.

834. Les Jésuates. Cf. plus haut, p. 68, et la note 254.

835. Non pas le Forum d'Hostilius, mais la Curie d'Hostilius sur le Forum, à quelque distance de l'église Saint-Jean et Saint-Paul.

836. L'impératrice Marie, veuve de l'empereur Maximilien II depuis 1576, et qui se rendait en Espagne en passant par Milan. Son ambassadeur était le baron de Pervestan, « d'une des premières maisons de Bohême » au dire de Paul de Foix.

837. C'est évidemment, depuis le départ de Montaigne et pendant ce séjour à Rome, que son frère Mattecoulon participa au duel fameux dont a parlé Brantôme.

838. Cf. note 379.

839. Cf. note 4.

840. Ce Montbaron est inconnu. Peut-être faut-il lire de Monluc

(voir la variante), et s'agit-il du jeune sieur de Monluc dont il a été question plus haut.

841. Ce Chase est inconnu; c'est évidemment le Chasai dont il a été question plus haut, p. 117. Cf. note 468.

842. Au lieu de Morens, qui est inconnu, peut-être sied-il de lire Marivau (voir la variante). Il s'agirait alors du Marivau dont il a été question p. 117. Cf. note 469.

843. Cf. n. 467.

844. Sans doute un descendant de François de Voisins, baron d'Ambres, mort en 1576. Cf. Brantôme, *Œuvres*, éd. Lalanne, t. VII, p. 27.

845. Apparemment Yves, marquis d'Allègre ou d'Alègre, le même qui tua en duel le baron de Viteaux (7 août 1583) et qui, devenu gouverneur d'Issoire, fut poignardé dans son lit avec sa maîtresse, en 1592, par les habitants révoltés.

846. Cf. note 379.

847. Comme le pont du Gard.

848. Ponte a Elsa.

849. A l'instigation d'un Flamand, Guillaume Raet, en 1577.

850. Albéric Cibo, marquis de Carrare, prince de Massa (1532-1623).

851. Bagnara, devenue la nouvelle Massa.

852. C'est ce qu'on appelait des « vins de copeau ».

853. Les restes de l'amphithéâtre et du cirque de la ville étrusque de Luna, ancienne ville étrusque détruite par les Arabes en 1016. Cf. Dante, *Paradis*, chant XVI.

854. Sarrezana avait été reprise au duc de Florence par Gênes lors de l'expédition de Charles VIII.

855. Cf. n. 379.

856. Jean de Médicis, fils naturel de Cosme Ier et d'Eleonora degli Albizi (1565-1621).

857. L'impératrice Marie, cf. n. 836.

858. L'État libre des Malespina, qui confine à celui de Gênes, mais qui ne relève que de l'Empire.

859. Les Suisses de Charles VIII avaient brûlé Pontremoli avant la bataille de Fornoue.

860. Cette Appua, capitale hypothétique des anciens Appuans, ou Apuans, peuple ligure, n'a sans doute jamais existé.

861. Depuis la conjuration de Fiesque (1547) la ville était administrée par un gouverneur espagnol.

862. On connaît le proverbe génois : « Mer sans poissons, montagnes sans bois, hommes sans foi, femmes sans pudeur. »

863. Fornoue. — Il est surprenant que Montaigne, grand lecteur de Commynes, ne fasse pas allusion à la bataille de 1495.

864. Borgo San Donnino.

865. Philippe II.

866. Cette garnison subsista jusqu'en 1585.

867. Octave Farnèse.

868. André, cardinal d'Autriche. Cf. plus haut, p. 54, et la note 183.

869. Innsbrück.

870. Il ne fut jamais roi des Romains.

871. Le président de Brosses écrit (*Lettres sur l'Italie*, VII, éd. Bezard, t. I, p. 82) : « On passe le Pô dans un bac qui a plutôt l'air d'un pont de bateaux ambulants (de Turin jusqu'au golfe de Venise il n'y a point de pont sur le Pô). »

872. C'est un reliquaire du XIVe siècle, achevé au XVIIIe, orné de 290 figures.

873. Non pas d'Antonin le Pieux, mais de Marc-Aurele.

874. « Dans la place voisine, note le président de Brosses (*Lettres sur l'Italie*, VII, éd. Bezard, t. I, p. 83), sur une colonne est une statue de bronze montée sur un aïeul de Rossinente de même métal. C'est, à ce que l'on me dit, un excellent ouvrage des Romains, représentant l'empereur Antonin, mais au contraire, ce n'est, à mon sens, qu'un très détestable ouvrage de quelque Ostrogoth. »

Cette statue, amenée jadis de Ravenne, fut mise en pièces en 1796, parce qu'elle représentait « un tyran ».

875. « Elle est... mal et tristement bâtie de briques », dit le président de Brosses (*Lettres sur l'Italie*, VII, éd. Bezard, t. I, p. 83).

876. Cf. n. 379.

877. Le 24 février 1525.

878. « Ceste belle eglise des Chartreux, dit Commynes (l. VII, chap. IX), qui à la verité est la plus belle que j'aye jamais veue, et toute de beau marbre. »

879. Jean-Galéas Visconti, premier duc de Milan, qui fonda la Chartreuse de Pavie en 1396 et mourut en 1402; son tombeau de marbre, commencé en 1490, fut achevé en 1562.

880. On sait que Charles-Quint avait donné le duché de Milan à son fils, depuis Philippe II, en 1535.

881. Charlés-Emmanuel Ier (1562-1630), duc de Savoie depuis le 30 août 1580.

882. Dans une lettre du 10 juillet 1581, l'ambassadeur Paul de Foix parle de « la jalousie en laquelle on est à Milan pour la vieille citadelle que Monsieur de Savoye fait rebastir et fortifier à Verseil, du costé de Milan ». Cette citadelle fut démantelée par les Français en 1705.

883. C'est un village près de Chivasso.

884. Chivasso.

885. C'est le nom qu'on donnait aux porteurs de chaise et conducteurs de traîneaux.

886. C'est se faire descendre sur la neige dans un traîneau ou *ramasse*.

887. Du Mont Cenis.

888. Une litière.

889. Cf. note 886.

890. Cf. note 885.

891. Cf. note 106.

892. Lanslebourg. Le « petit village » où vint coucher Montaigne est sans doute Termignon.

893. Saint-Michel-de-Maurienne, qui est, en effet, à un peu plus de sept lieues de Lanslebourg.

894. Montmélian.

895. Ce n'est pas l'avis du président de Brosses qui écrit (*Lettres sur l'Italie*, XXVIII, éd. Bezard, t. I, p. 403) : « Pour vous dire vrai, toutes celles (les huiles) de Calabre, du royaume de Naples et de l'Italie entière, même celle de Lucques, la plus estimée de toutes, sont détestables, onguentifères et vrais gibiers de pharmacopole. »

896. Le Mont du Chat, qui atteint 1.497 mètres, dominant à l'O. la plaine de Chambéry et la partie méridionale et occidentale du lac du Bourget, et qu'on franchit par le col du même nom.

897. Le lac du Bourget.

898. Bourdeau.

899. Yenne.

900. Le fort de Pierre-Châtel, sur la rive droite du Rhône.

901. C'est le défilé dit de Pierre-Châtel.

902. Saint-Rambert est traversé par l'Albarine, affluent de l'Ain.

903. Mais d'origine lucquoise.

904. A Ambérieu.

905. Chazey.

906. Marchand de chevaux du temps.

907. On appelait « courtaus » des chevaux de petite taille auxquels on avait coupé la queue et les oreilles.

908. Le *billot* (terme de maréchalerie) est un bâton que l'on attache le long du flanc de plusieurs chevaux menés à la file.

909. Soit un peu plus de 22 écus le courtaud.

910. Autre marchand de chevaux, dont descendit Nicolas Malezieu, de l'Académie Française, chancelier de Dombes.

911. On appelait « cheval de pas » un cheval allant un grand pas, et fort à l'aise.

912. La Bourdellière, hameau de Saint-Laurent-de-Chamousset (Rhône).

913. Feurs (Loire).

914. L'Hôpital (Loire).

915. L'altitude en varie de 600 à 850 mètres.

916. Thiers.

917. Non point, mais sur une petite rivière qui se jette dans la Dore, affluent de l'Allier.

918. Non pas *également :* Thiers est aujourd'hui, par la route, à 136 km. de Lyon, 129 de Saint-Flour, 92 de Moulins, 140 du Puy.

919. Chambéry est, en effet, au compte des journées *de marche* (non compris les séjours) de Montaigne, à 18 jours et demi de Milan et 18 jours et demi de Montaigne.

920. Le duc de Montpensier, mort en 1582, avait vu Thiers lui revenir en 1569.

921. Soit 20 deniers, le *carolus*, monnaie de billon frappée sous Charles VIII, en valant dix.

922. La Limagne.

923. La Dore, qu'on passe aujourd'hui à Pont-de-Dore.

924. Le vicomte de La Motte-Canillac, seigneur de Pont-du-Château, avait épousé en 1562 une petite cousine de Brantôme, Jeanne de Maumont : « de madame la viscomtesse de Canillac, écrit Brantôme (*Œuvres*, éd. Lalanne, t. X, p. 100), sont sortis trois braves vaillans gentilzhommes, et pour tels réputez, qui en ont fait de belles preuves et par le tesmoignage du roy mesme ».

925. L'ambassadeur du roi de France à Rome. Cf. plus haut, p. 122, et la note 491.

926. Clermont-Ferrand.

927. Du Puy-de-Dôme.

928. Pontgibaud (Puy-de-Dôme).

929. La veuve de Louis de La Fayette et Pontgibaud, née Anne de Vienne.

930. Pontaumur (Puy-de-Dôme).

931. Guy de Daillon, seigneur du Lude, et sa femme, Jacqueline de La Fayette, fille de Louis de La Fayette et d'Anne de Vienne.

932. Pontcharraud (Creuse).

933. Felletin (Creuse).

934. Chatain, hameau de Monteil-au-Vicomte (Creuse).

935. Sauviat-sur-Vige (Haute-Vienne).

936. Gabriel-Nompar de Caumont, comte de Lauzun, qui avait épousé la sœur cadette de Charles d'Estissac, Charlotte d'Estissac.

937. Pour cent livres.

938. Les Cars (Haute-Vienne), où l'on voit aujourd'hui les ruines du vieux château.

939. Anne de Clermont-Tallard, femme d'un ami de La Boétie, Jean des Cars, comte de La Vauguyon, mort en 1535.

940. Thiviers (Dordogne).

941. Périgueux.

942. Mauriac, hameau de Douzillac, non loin de Mussidan (Dordogne).

943. Le 30 novembre 1581.

944. Montaigne note sur les *Éphémérides* de Beuther, au 30 novembre : « 1581, j'arrive en ma maison, de restur de un voyage que j'avois faict en Alemaigne et en Italie, auquel j'avois esté despuis le 22 de juin 1579 [lapsus pour 1580] jusques au dit jour auquel jour j'étois l'année précédante arrivé à Rome. »

TABLE DES MATIÈRES

ACHEVÉ D'IMPRIMER
PAR L'IMPRIMERIE ANDRÉ TARDY
A BOURGES
LE 20 JUIN 1955

Numéro d'édition : 447
Numéro d'impression : 2054
Dépôt légal 3e trim. 1955

Printed in France